DE RUSTIGE KUST

Alex Barclay

De rustige kust

De Fontein

Oorspronkelijke uitgever: HarperCollins Publishers
Oorspronkelijke titel: *Darkhouse*
Vertaling: Martin Jansen in de Wal
Omslag: Wil Immink
Zetwerk: ZetSpiegel, Best
ISBN 90 261 2212 8
NUR 332

'The sea rises, the light fails, lovers cling to each other, and children cling to us. The moment we cease to hold each other, the moment we break faith with one another, the sea engulfs us and the light goes out.'

James Arthur Baldwin

Proloog

New York City

Handen gleden nerveus over de riem en maakten die vast om het smalle middel van de achtjarige. Donald Riggs wees naar het doosje dat eraan zat.

'Dat is een soort zendertje, schat,' zei hij met lijzige stem, 'dan weet de politie waar je bent. Want je gaat nu naar huis. Tenminste, als je mama zich netjes gedraagt. Kan je mama dat, Hayley, zich netjes gedragen?'

Hayleys mond bewoog, maar er kwam geen geluid uit. Ze beet op haar onderlip en keek naar hem op, een en al onschuld. Ze knikte drie keer met haar hoofdje. Hij glimlachte en haalde zijn hand door haar donkere haar.

Het was de vierde dag zonder haar dochter, de laatste dag die beheerst zou worden door haar ondraaglijke pijn. Ze ademde diep in om haar woede terug te dringen, en het schuldgevoel dat meer door haar man werd veroorzaakt dan door de onbekende die haar kind had meegenomen. Het bedrijf van Gordon Gray was onlangs naar de beurs gegaan, wat hem een heel rijk man had gemaakt en daarmee een heel lucratief doelwit voor een kidnapping en losgeld. Het gezin was ertegen verzekerd, maar dat ging alleen over geld, en het geld kon haar niet schelen. Haar gezin was haar leven en Hayley haar zonnetje in huis.

En hier zat ze dan, achter het stuur van de BMW van haar man, voor hun huis, te wachten totdat die griezel haar zou bellen op de mobiele telefoon die hij met de losgeldbrief had meegestuurd. Toch was het Gordon die haar gedachten beheerste. De verzekeringsmaatschappij had hun verteld dat ze variaties in hun dagelijkse routine moesten aanbrengen, maar goeie god, wat wist Gordon nu van variatie? Hij was iemand die 's ochtends koffiezette, brood klaarmaakte en daar een appel, een banaan en een beker perzikenyoghurt naast zette, altijd in die volgorde. Elke ochtend. Domme man met je domme, domme gewoontes. Geen wonder dat iemand je voor de deur had opgewacht. Natuurlijk zou je er zijn, want je was er elke dag om dezelfde tijd om Hayley van school te halen. Zonder omwegen, zonder tussenstops voor snoepgoed, altijd precies op tijd, elke keer.

Ze bonkte haar voorhoofd op het stuur toen de mobiele telefoon op de stoel naast haar overging. Toen ze haar hand uitstak om het toestel te pakken, besefte ze dat het de tune van *Sesamstraat* speelde. Hij had de beltoon van *Sesamstraat* erin gezet, die zieke schoft.

'Rijen, trut,' zei de stem langzaam en nadrukkelijk.

'Waar moet ik naartoe?' vroeg ze.

'Je gaat je dochter halen, tenminste, als je je goed gedragen hebt.' Hij beeindigde het gesprek.

Elise startte de motor, trapte het gaspedaal in en voegde zich in het verkeer. Haar hart bonsde. Het zendertje op haar rug irriteerde. Door in het eerste uur de politie te bellen, had ze een heel nieuwe afloop van deze beproeving in gang gezet. Ze wist alleen niet of het een gunstige afloop was.

Rechercheur Joe Lucchesi zat achter het stuur van de auto en bekeek alles zonder zijn hoofd te bewegen. Hij had kort donker haar dat licht grijsde aan de slapen. Hij vroeg zich af of Elise Gray sterk genoeg was om een zendertje te dragen. Hij wist niet waar de kidnapper haar naartoe zou voeren of hoe ze zou reageren als ze dichter bij hem was dan aan de andere kant van een telefoonlijn. Hij had nog maar net zijn hand naar zijn kin gebracht, toen Danny Markey – al vijfentwintig jaar zijn beste vriend en nu vijf jaar zijn partner – begon te praten.

'Zie je, jij hebt tenminste een kin die je kunt vastpakken. Als ik dat zou doen, zou het geen gezicht zijn.'

Joe keek hem van opzij aan. Danny had inderdaad geen kaaklijn. Zijn kleine hoofd ging zonder onderbreking over in zijn dunne nek. Alles aan hem was bleek: zijn gezichtshuid, zijn sproeten, zijn lichtblauwe ogen. Hij keek Joe aan.

'Wat is er?' vroeg hij.

Joe's blik ging weer naar de auto van Elise Gray. Die bewoog. Danny greep het dashboard vast. Dat deed hij, wist Joe, omdat hij dacht dat ze meteen de achtervolging zouden inzetten. Danny had een theorie, een van zijn 'zwartwitjes', zoals hij ze noemde. Je had mensen die eerst keken of er genoeg toiletpapier was voordat ze gingen poepen. En je had mensen die meteen gingen poepen en dan tot de ontdekking kwamen dat ze in de problemen zaten. Joe was vaak het doelwit van Danny's theorieën. 'Jij bent een kijker, Lucchesi, en ik ben een poeper,' zou hij zeggen. Dus wachtten ze.

'Je weet dat Ouwe Nic volgende maand weggaat,' zei Danny. Victor Nicotero was een oude verkeersagent die nog een maand van zijn pensioen zat. 'Ga je naar zijn feestje?'

Joe schudde zijn hoofd en ademde sissend in vanwege de pijn die dat in zijn slapen veroorzaakte. Hij merkte dat Danny op een antwoord wachtte. Maar hij gaf geen antwoord. Hij stak zijn hand in de portierberging en haalde er een flesje Advil en een strip decongestiva uit. Hij nam er van beide twee en spoelde ze weg met een slok van een blauw energiedrankje dat warm was geworden door de zon.

'O, dat was ik vergeten,' zei Danny. 'Je familie uit Parijs is er die avond, hè?' Hij lachte. 'Zes uur dineren met mensen die je niet kunt verstaan.' Hij lachte nog een keer.

Joe ging op veilige afstand achter Elise Gray rijden. Drie auto's achter hem volgde een donkerblauwe Crown Victoria met de FBI-agenten Maller en Holmes zijn voorbeeld.

Elise Gray reed doelloos rond en keek steeds opzij naar de stoep, alsof Hayley ieder moment een hoek om kon komen en in de auto kon springen. Het deuntje van de mobiele telefoon verbrak de stilte. Ze pakte het toestel en drukte het tegen haar oor.

'Waar ben je nu, mammie?' Ze huiverde van de kalmte in zijn stem.

'Op 2nd Avenue, bij 63rd Street.'

'Rij in zuidelijke richting en sla bij de brug van 59th Street links af.'

'Linksaf bij de brug van 59th Street.' Klik.

De drie auto's reden de brug naar Northern Boulevard East over, omdat Donald Riggs dat wilde. Hij belde weer.

'Sla links af naar Francis Lewis Boulevard en dan linksaf naar 29th Avenue. Ik zie je daar. Alleen. Op de hoek van 157th en 29th.'

Elise herhaalde wat hij zei. Joe en Danny keken elkaar aan.

'Bowne Park,' zei Joe.

Hij belde het hoofd van de taakeenheid, inspecteur Crane, gaf het toestel aan Danny en gebaarde dat hij het woord moest doen.

'Zo te zien vindt de overdracht in Bowne Park plaats. Kunt u een paar jongens van het 109e sturen?' Danny legde de telefoon op het dashboard.

Donald Riggs reed met een rustige gang terwijl hij naar de weg, de zijstraten en de mensen keek. Zijn linkerhand betastte het ruwe oppervlak van zijn wang, de wirwar van bleke littekens op zijn gebruinde gezicht. Hij bekeek zichzelf in de achteruitkijkspiegel, deed zijn donkere ogen wijdopen. Hij deed zijn hand omhoog om die door zijn haar te halen. Toen herinnerde hij zich dat er gel in zat en dat hij er lak op had gespoten om de voren te behouden die gemaakt waren door de kam met de wijd uiteen staande tanden. Aan de achterkant liep het in een scherpe punt die net boven zijn kraag ophield. Hij wilde indruk maken op een speciale dame. Hij had zijn wangen gebet met aftershave uit een donkerblauw flesje en gegorgeld met mondwater met kaneelsmaak.

Hij draaide zich om en keek naar het meisje, dat achter in de auto op de vloer lag, met een vieze deken over zich heen.

Het was halfvijf in de middag en er zaten vijf rechercheurs in de kamer van inspecteur Terry Crane op het bureau van het twintigste arrondissement. Ouwe Nic kwam door de gang sloffen en haalde zijn hand door zijn zilvergrijze haar. Misschien hebben ze het over mijn afscheidscadeau, dacht Nic terwijl hij zijn grijze ogen half dichtkneep en zijn oren spitste om de gedempte stemmen te verstaan. Als het een tafelklok is, vermoord ik ze. Met een horloge zou hij kunnen leven. Het zou nog beter zijn wanneer zijn pupil Lucchesi zijn hints begrepen had en die aan de anderen had doorverteld, want Ouwe Nic wilde zijn memoires gaan schrijven en daar had hij iets voor nodig wat hij nooit eerder had gehad: een fraai uitgevoerde vulpen, een zilveren bij voorkeur, iets waarmee hij op pad kon gaan en zijn verhaal in zijn mooie notitieboek kon opschrijven. Hij legde zijn magere schouder tegen de deur en voelde zijn pet scheef zakken op zijn kleine hoofd. Hij hoorde dat Crane zijn rechercheurs instructies gaf.

'We hebben net vernomen dat de dader op weg is naar Bowne Park in Queens. We hebben hem nog steeds niet kunnen identificeren. Het buurtonderzoek heeft niets opgeleverd en op de plaats delict is niets gevonden... Hij is uit zijn auto gesprongen, heeft het meisje gepakt, is met hoge snelheid weggereden en heeft niks achtergelaten. We weten niet eens in wat voor auto hij rijdt. Alles wat we weten, komt van de vader, die in de hal stond toen hij een auto met piepende banden hoorde wegrijden. Op het pakketje dat hij de volgende dag heeft gedropt is evenmin iets gevonden, afgezien van gewone vezels en sporen van plakband. Maar niks bruikbaars en geen vingerafdrukken.'

Ouwe Nic deed de deur open en stak zijn hoofd naar binnen. 'Waar heeft die kidnapping plaatsgevonden?'

'Hé, Nic,' zei Crane. 'Op de hoek van 72nd en Central Park West.' Zonder ook maar iets te weten te komen over zijn afscheidscadeau liep Ouwe Nic door, totdat hem iets te binnen schoot en hij weer terugliep.

'Als die gast op weg is naar Bowne Park, kun je ervan uitgaan dat hij bekend is met de buurt. Misschien heeft hij daar gereden op de dag van de kidnapping en kan hij via 42nd Street in oostelijke richting naar Roosevelt zijn gereden. Ik heb op het zeventiende gewerkt en als jullie man door een rood licht is gereden, is er een camera op de hoek van 42nd en 2nd, die hem misschien heeft vereeuwigd. Je kunt het nagaan bij BVZ.'

'Schrap die tafelklok,' zei Crane met een knipoog tegen de groep. 'Goed idee, Nic. Gaan we doen.' Ouwe Nic stak zijn hand op en liep door. 'Zou je hem niet zoenen?' zei Crane terwijl hij de telefoon pakte om Bureau Verkeerszaken te bellen. Een halfuur later hadden ze vijf treffers waarvan drie met een strafblad. Een ervan was eerder veroordeeld voor een poging tot kidnapping.

Joe begon de werking van de pijnstillers te voelen. Een warme wolk van opluchting bereikte zijn kaak. Hij deed zijn mond open en dicht. Zijn oren kraakten. Hij ademde in door zijn neus en langzaam uit door zijn mond. Zes jaar geleden begon alles vanaf zijn nek fout te gaan, kreeg hij hoofdpijn, oorpijn en een pijn in zijn kaken zo erg, dat hij soms dagen achtereen niet kon eten of zelfs maar praten. Onbekenden reageerden niet goed op een smeris die niks zei.

Hayley Gray dacht aan *Beauty and the Beast*. Iedereen dacht dat 'the Beast' eng en gemeen was, maar eigenlijk was hij best aardig, want hij gaf Belle soep en speelde met haar in de sneeuw. Misschien was deze man ook niet echt slecht. Misschien was hij ook wel best aardig. Opeens stopte de auto en ze voelde kou. Ze hoorde haar moeder roepen.

'Hayley, Hayley!' En daarna: 'Waar is mijn kind? Je hebt je geld gekregen. Geef me mijn kind terug, vuile schoft!'

Haar moeder klonk echt griezelig. Ze had haar nog nooit zo horen schreeuwen of scheldwoorden horen roepen. Ze bonkte op het raam van de auto. Toen ging de auto weer rijden, harder dan daarvoor, en kon ze haar moeder niet meer horen. Donald Riggs trok de reistas open en haalde met zijn rechterhand de strak bijeengebonden bundels bankbiljetten eruit.

Danny pakte de mobilofoon om navraag te doen naar de nummerplaten van de bruine Chevy Impala die wegreed van Elise Gray. 'Moordzaken Noord aan centrale.' Hij wachtte totdat de centrale zich meldde en gaf het nummer door. 'Adam David Larry vier acht vijf zes. A.D.L. 4856.'

Joe zat op Citywide One, de band waarmee hij in direct contact stond met Maller en Holmes en met de jongens van het 109e in het park. Hij praatte snel en duidelijk.

'Oké, hij heeft het geld, maar hij heeft nog niks gezegd over het teruggeven van het meisje. We moeten het rustig aan doen. We weten niet waar hij haar heeft. Iedereen blijft stand-by.'

Danny keek hem aan en sprak zijn gebruikelijke woorden. 'En zijn stem was vastgelegd en dat maakte ons allemaal heel blij.'

Halverwege 29th Avenue zette Donald Riggs de auto stil, reikte achter zich en trok de deken van het meisje af.

'Sta op en stap uit de auto.'

Hayley trok zich overeind aan de bank. 'Dank u wel,' zei ze. 'Ik wist wel dat u best aardig was.'

Ze deed het portier open, stapte uit en keek om zich heen totdat ze haar moeder zag. Toen begon ze te rennen, zo hard als haar beentjes maar konden.

Joe en Danny reden nu achter Riggs en Maller en Holmes zaten achter hen. Danny zat op de informatie over de auto te wachten. Joe was onrustig. Hij had het gevoel dat dit niet goed was, het soort gevoel dat je krijgt wanneer iets te gemakkelijk gaat, wanneer de dader zo gestoord is, dat alles ijzig stil wordt. Hij keek Danny aan.

'Waarom zou hij die vrouw zomaar haar kind teruggeven?' Hij schudde zijn hoofd. 'Het is me te gemakkelijk.'

Hij ging op de rem staan, stak zijn arm naar buiten en gebaarde naar de Crown Victoria dat die hen voorbij moest rijden. Agent Maller knikte en passeerde hen rechts, met zijn blik strak op de Chevy gericht.

Joe draaide zich om en zag in de verte hoe moeder en kind werden herenigd. Te gemakkelijk. Hij stapte uit de auto, pakte zijn trillende mobiele telefoon van het dashboard en klapte hem open. Het was Crane.

'We hebben je dader.'

'Bruine Chevy Impala,' zei Joe.

'Klopt, 1985. Riggs, Donald, blanke man, vierendertig, geboren in een of ander gat in Texas. Heeft vastgezeten voor kleine diefstallen, oplichting en valse cheques, en opgepakt op de plaats delict van een eerdere kidnapping.' Crane aarzelde.

'En let op, Lucchesi, hij heeft in '97 in Nevada voor het gebruik van C4 gezeten, explosieven. We hebben te maken met een boem-boem-banjospeler.' Joe liet zijn telefoon zakken en zijn hart begon te bonken.

'Ik heb de ESU en het onderhandelingsteam stand-by staan,' zei Crane, hoewel er niemand naar hem luisterde.

Joe begon te rennen. Hij dwong zijn hart zich aan te passen aan de vaart die zijn benen maakten.

Donald Riggs was op de hoek van 154th en 29th aangekomen. Hij wiegde voor- en achteruit op zijn stoel, klemde zijn magere vingers om het stuur en zijn blik schoot van links naar rechts. Hij zag alles maar registreerde niets. Maar toen viel hem iets op. Achter hem stuurde een zwarte Ford Taurus naar de stoeprand, die werd gepasseerd door een donkerblauwe Crown Vic. Een hem onbekende verhoogde staat van bewustzijn laaide in hem op. Hij reed door, haalde ondiep adem en minderde vaart om op de volgende hoek te stoppen. Daar trok een plotselinge uitbarsting van activiteit zijn aandacht. Uit een Con Ed-busje bij de ingang van het park stapten twee mannen. Ze haastten zich naar de achterkant en trokken de deuren open. Uit de laadruimte stapten nog twee mannen. In de achteruitkijkspiegel zag hij de donkerblauwe auto weer in beeld verschijnen, die hardnekkig aan de verkeerde kant van de weg reed. Donald Riggs greep de rugzak, dook over de passagiersstoel, smeet het portier open en rende naar de ingang van het park. Tegen de tijd dat Maller en Holmes met slippende banden tot stilstand kwamen, stonden de vier FBI-agenten in Con Ed-uniforms bij de lege auto. 'Lopen, lopen!' riep Maller, en de zes mannen renden het park in.

'Jullie hebben mijn zendertje gezien!' zegt Hayley verbaasd, en ze wijst naar de riem om haar middel, naar het zwarte doosje met het knipperende gele lampje. Haar moeder gaat rechtop staan, is in verwarring, zoekt naar iemand die haar kan uitleggen wat dit te betekenen heeft, maar weet diep in haar hart het antwoord al. Haar smekende blik eindigt bij Joe.

'Stomme trut, stomme trut, stomme trut...' Donald Riggs rent door het park met de rugzak tegen zijn borst geklemd en zijn ogen gericht op het apparaatje in zijn hand. Hij stopt, blijft staan. Zijn ogen worden groot en levenloos als zijn geest en lichaam zich afsluiten. Dan, met een minimale beweging, drukt de duim van zijn rechterhand op de zwarte knop van de ontsteker.

Elise Gray weet wat haar lot is. Voor de allerlaatste keer tilt ze haar kind van de grond en drukt het wanhopig tegen haar borst. 'Ik hou van je, schat, ik hou van je, schat, ik hou van je.' Dan klinkt er een beangstigende, oorverdovende klap en doet het felle licht pijn aan Joe's ogen terwijl hij roerloos toekijkt. Gevolgd door rood, roze en wit in groteske flitsen terwijl een confettiregen van bladeren en stukken boomschors neervallen op de plek waar moeder en dochter, twee seconden daarvoor, niet eens afscheid van elkaar hebben kunnen nemen.

Joe was compleet verlamd. Hij kon niet ademhalen. Het kloppen in zijn kaak begon weer. Zijn ogen traanden. Langzaam werd hij zich bewust van het warme asfalt tegen zijn wang. Hij krabbelde overeind van de stoep. Er golfden te veel emoties door hem heen. De mobilofoon aan zijn riem kwam krakend tot leven. Het was Maller.

'We zijn hem kwijt. Hij is het park in gerend, komt jouw kant op, bij de speeltuin.'

Toen was er nog maar één emotie, die alle andere overstemde: woede.

'Ik geloof niet dat je moeder zich goed heeft gedragen, Hayley, daar geloof ik niks van.' Riggs jankte, sloeg wartaal uit, boog zich voorover en strekte zich weer, met een van waanzin vertrokken gezicht. Wanhopig zocht zijn hand in de binnenzak van zijn jasje. Joe kwam tussen de bomen vandaan en werd opeens geconfronteerd met dat beeld, maar hij was er klaar voor, had zijn Glock 9mm in zijn hand.

'Hou je handen waar ik ze kan zien.'

Joe kon zich niet meer herinneren hoe hij heette. Riggs keek op en zijn arm maakte een wild zwaaiende beweging naar rechts en weer terug toen Joe hem zes kogels in zijn borst schoot. Riggs viel achterover, lag op de grond, staarde zonder iets te zien naar de hemel, met de armen gespreid en de handen geopend. Joe liep naar hem toe en zocht naar het wapen waarvan hij wist dat het er niet was.

Maar hij zag wel iets in Riggs' geopende hand, een speld, kastanjebruin met goud, een havik met gespreide vleugels en de snavel naar het oosten gericht. Hij had er zo hard in geknepen dat de speld in zijn handpalm was gedrongen.

Ely State Prison, Nevada, twee dagen later

'Hou je kop, klootzak. Hou in godsnaam je kop. De godganse dag moet ik je geouwehoer over National Geographic aanhoren, gestoorde idioot. Denk je dat die klotevogels van jou me iets kunnen schelen, Pukey Dukey? Denk je dat die iemand iets kunnen schelen?'

Duke Rawlins lag op zijn buik op het onderste bed van hun cel, die tweeenhalf bij drie meter groot was. Elke spier van zijn lange, pezige lichaam was gespannen.

'Noem me niet zo.' Zijn gezicht stond nors, de lippen waren vol en bleek. Hij krabde op zijn hoofd, in het vuilblonde haar dat aan de achterkant lang was en kort bovenop, boven zijn kille blauwe ogen.

'Noem je niet hoe?' vroeg Kane. 'Pukey Dukey?'

Duke haatte groepsgesprekken. Dan dwongen ze je dingen te zeggen die niemand iets aangingen. Hij kon niet geloven dat deze klootzak, Kane, wist hoe de kinderen op school hem hadden genoemd.

'Die havik heeft die spanwijdte, die havik heeft een tweede anus in dat konijn gepikt, die havik is dit, die havik is dat, en die kleine havik doet boe-hoehoe. Ik word gek van dat gelul, stomme klootzak.'

Duke rolde van zijn bed, stak zijn hand onder zijn kussen en haalde er een geslepen punt plexiglas onder vandaan. Hij haalde ermee uit naar Kane, die achteruitdeinsde en daarbij zijn hoofd hard tegen de muur stootte. Duke haalde nog een keer naar hem uit, en nog een keer, vlak voor Kanes gezicht om te laten zien dat hij het meende.

Hij stopte toen hij de stem van de cipier hoorde.

'Solliciteer je naar een enkele reis Carson City, Rawlins?' Carson City was de plek waar de ter dood veroordeelden van Ely hun laatste adem uitbliezen.

Duke draaide zich met een ruk om toen de cipier de deur van het slot draaide en de cel binnenkwam. De man trok een gummihandschoen aan en nam heel kalm het wapen van Duke over, want hij wist dat Duke te slim was om zo kort voor zijn vrijlating problemen te veroorzaken.

'Ik dacht dat dit je misschien zou interesseren, Rawlins,' zei hij terwijl hij een geprinte pagina van de website van de *New York Times* ophield.

Duke liep langzaam terug naar de cipier en bleef voor hem staan. Het gehavende gezicht van Donald Riggs keek hem recht aan. KIDNAPPING EINDIGT IN FATALE EXPLOSIE. Moeder en dochter dood. De kidnapper dodelijk verwond. Duke werd bleek. Hij stak zijn hand uit om het blaadje papier aan te pakken toen zijn benen het begaven en hij op de grond viel. Niet Donnie, niet Donnie, niet Donnie, schreeuwde het keer op keer in zijn hoofd. Voordat hij het bewustzijn verloor, begon zijn lichaam opeens te schokken en kotste hij de hele vloer plus de broekspijpen en schoenen van de cipier onder.

Kane sprong van zijn bed en schopte Duke in zijn buik, omdat hij daar de kans voor kreeg. Zijn lach klonk vol en tevreden. 'Pukey Dukey in de bocht. Man, wat een voorstelling!'

'Terug naar je plaats, Kane,' zei de cipier, terwijl hij zich omdraaide en de stinkende cel uit liep.

I

Waterford, Ierland, een jaar later

Danaher's was de oudste pub van het zuidoosten van Ierland, met een stenen vloer, veel hout en weinig licht. Verweerde stukken hout van gezonken schepen hingen aan de balken van het lage plafond of dienden als planken waarop roestige kroezen stonden en waaraan groene visnetten waren gespijkerd. In de grote stenen open haard brandde een vuur als daar behoefte aan was. De wc's heetten de 'jacks' en die waren buiten: twee houten hokjes waarvan een zonder deur. 'En er is nog nooit een drol gestolen,' zei Ed Danaher graag als iemand zich beklaagde.

Joe Lucchesi werd ondervraagd aan de bar.

'Heb je weleens "verroer je niet, klootzak" gezegd?' vroeg Hugh terwijl hij zijn bril hoger op zijn neus schoof. Hugh was een lange slungel die zijn hoofd boog wanneer hij praatte en altijd op het punt leek te staan om onder een lage deurpost door te lopen. Zijn zwarte haar was bijeengebonden in een dun paardenstaartje en hij gebruikte zijn lange vingers om de losgeraakte lokken achter zijn oren te strijken.

Zijn vriend, Ray, rolde met zijn ogen.

'Of "alles wat je zegt kan tegen je gebruikt worden"?' vroeg Hugh.

Joe lachte.

'Of heb je weleens pindaschillen in iemands broekzak gevonden?'

'Dat is *Crime Scene Investigation*, bijdehand,' zei Ray. 'Let maar niet op hem. Maar even serieus, heb je weleens bewijs geplant?'

Ze begonnen allemaal te lachen. Het was nog niet voorgekomen dat Joe hier 's avonds iets was komen drinken en ze hem níét over zijn oude beroep hadden uitgehoord. Zelfs zijn vrienden bleven informatie uit hem trekken.

'Jullie moeten echt vaker de deur uit gaan,' zei hij.

'Maar er valt niks te beleven in dit gat,' zei Hugh.

Een gat in Ierland was hetzelfde als een gat in de Verenigde Staten, maar voor Joe was Mountcannon veel meer dan een gat. Het was een charmant vissersdorpje dat dankzij zijn vrouw, Anna, nu al zes maanden zijn thuis was.

Anna had aan hun huwelijk, hun zoon Shaun en de mentale gezondheid van het gezin gedacht en hen hiernaartoe gebracht om te redden wat haar zo dierbaar was. Ze had gewild dat hij na zijn laatste zaak ontslag nam, maar dat had hij niet gedaan, dus waren ze overeengekomen dat hij minstens een jaar verlof nam om na te denken over de vraag of hij terug wilde of niet.

Hij had toen niet geweten wat die periode hem zou opleveren. Anna was freelance binnenhuisarchitect en ze had *Vogue Living* benaderd met het plan een oud gebouw te renoveren en de foto's van de diverse stadia in het tijdschrift te plaatsen. *Vogue* was akkoord gegaan. Het gebouw dat ze had uitgekozen was Shore's Rock, de oude, ongebruikte vuurtoren die buiten Mountcannon, het dorpje waarop ze verliefd was geworden toen ze zeventien was, op een rotsklif stond.

Toen ze hier aankwamen, had Joe begrepen wat Anna voelde. Maar hij had zijn dagelijkse shot New York nodig gehad. Hij kon naar de winkel in het dorp gaan en daar *USA Today* kopen, of beter gezegd: *USA Eergisteren*. Als hij Danny Markey aan de telefoon had, zei hij: 'Als er daar iets gebeurt, bel me dan een paar dagen later, dan weet ik waar je het over hebt.' In New York had Ierland gestaan voor zondagmiddagen, WFUV 90.7, *Forty Shades of Green* en *Galway Shawls*. Maar in een afgelegen vuurtoren bij een klein dorpje bestond het echte Ierland niet alleen uit sentimentele ballades, maar ook uit een aantal dingen die verre van praktisch waren. Hij kon een prima pint bier drinken en met een vriend praten in elk van de drie pubs die Mountcannon rijk was, maar een film huren, eten laten bezorgen of een geldautomaat vinden was minder eenvoudig. Voor de meeste mensen was Ed Danaher zowel barman als bank en was hij altijd graag bereid je het geld te lenen dat hij net aan je had verdiend.

Joe stond op, legde een paar bankbiljetten op de bar en zei de twee mannen gedag. Zijn wandeling naar huis duurde een kwartier en zoals altijd genoot hij van de laatste bocht waarachter het frisse wit van de nieuwe verf van de vuurtoren hem uit het duister tegemoetkwam. Hij duwde het hekje open en liep de honderd meter over het pad naar de voordeur.

Het was hellend terrein, uitgehouwen in de rotsbodem, en bestond uit een aantal bijna willekeurig neergezette gebouwtjes die dateerden uit 1800, waar in de loop der jaren van alles aan was gebouwd en die ten slotte aan het eind van de jaren zestig waren verlaten. Er waren twee huizen van twee verdiepingen, die allebei als woonruimte konden worden gebruikt. In het ene, op de begane grond, waren de hal, de keuken, de woonkamer en een werkkamer, en op de eerste verdieping de grote slaapkamer, een logeerkamer en een badkamer. Het andere stond op een lager deel van de rotsbodem, had kleinere ramen en was dus een stuk donkerder. Op de eerste verdieping, die onder de begane grond van het andere huis lag, was Shauns kamer en de begane grond deed dienst als wijnkelder. Het derde bouwwerk was de vuurtoren zelf, die een stukje achter het woonhuis stond. Aan de buitenkant zag de vuurtoren er afgewerkt uit, maar het was de binnenkant die de grootste uitdaging vormde. Hoger op de helling, boven het huis, was een grote schuur die was omgebouwd tot een goed uitgeruste werkplaats, die door Joe werd gebruikt maar waaraan hij nog steeds moest wennen. Hij had daar een paar – zoals Anna het noemde – wat grovere meubelstukken voor het huis gemaakt, maar ze bedoelde het als compliment en dat was voor hem goed genoeg.

Ze wilde dat het huis aan het eind van het jaar modern en comfortabel zou zijn, maar wel met behoud van zoveel mogelijk oorspronkelijke kenmerken. Als ze dat wilde, bevond ze zich in het juiste deel van het land, waar timmermannen, smeden en aannemers gemakkelijk te vinden waren, hoewel ze er al snel achter kwam dat hier minder strikt aan tijdschema's werd vastgehouden dan ze in New York gewend was geweest. En de vermelding dat de foto's in *Vogue* zouden komen te staan, meestal goed voor voldoende opwinding en enthousiasme, deed deze mannen nauwelijks iets. Maar toch hadden ze in zes maanden tijd flink wat gedaan aan het herstel van de vochtige kamers en beschadigde buitenmuren. Toen het gezin voor het eerst op Shore's Rock aankwam, had alles eruitgezien alsof het overhaast was verlaten, alsof een of andere grote tragedie de vorige bewoners had weggejaagd. Het had naar zeewater en nat, rottend hout gestonken. In de ogen van Joe en Shaun had het er hopeloos uitgezien, maar Anna had het een perfecte uitdaging genoemd.

Nu waren alle buitenmuren gerepareerd en opnieuw geschilderd. In het woonhuis was vloerverwarming geïnstalleerd, de muren waren gestuukt en de vloerplanken geschuurd. Het eenvoudige witte houten meubilair met een paar moderne details had nauwelijks decoratieve accenten aan de kamers toegevoegd. Shauns kamer was als eerste afgemaakt, maar pas nadat er een satellietschotel was geïnstalleerd. Anna had die concessie moeten doen om de vervreemding van haar zestienjarige zoon tot staan te brengen. Voor hem was de cultuurshock enorm geweest, want hij was nog jong en zijn wereld was nu zo klein geworden. Hij kon niet goed tegen het isolement in wat voor Anna het paradijs was, ver verwijderd van alle bekende gezichten op dezelfde persconferenties en de openingen van exposities, alsof ze in een andere eeuw terecht was gekomen. In Mountcannon kende je je buren, liet je je auto onafgesloten voor de deur staan en was er geen enkele straat onveilig.

Joe schoof naast Anna in bed. 'In de houding,' fluisterde hij. Ze glimlachte, half in slaap, keerde hem haar rug toe waarna hij zijn armen om haar middel sloeg en haar kleine lichaam tegen zich aan trok. Hij kuste haar een paar keer op haar achterhoofd en viel in slaap met het geluid van de golven die op de rotsen sloegen.

'Een echt Iers ontbijt?' vroeg Joe met een glimlach. Hij had alleen een spijkerbroek aan, stond bij het fornuis en wees met een vette spatel naar Anna.

'Nee, nee!' lachte ze. 'Ik begrijp niet waar ze het elke ochtend laten. Bacon, gebakken eieren, worstjes, zwarte pudding, witte pudding...' Hoofdschuddend liep ze op blote voeten over de houten vloer naar de keukenkast. Ze moest op haar tenen gaan staan om iets van de bovenste plank te pakken.

'Daar word je een kerel van,' zei Joe.

'Daar word je een dikzak van,' zei Anna.

'Voor een Franse vrouw is iedereen dik,' zei Joe.

'Iedere Amerikaan, misschien.'

'Dat doet pijn,' zei Shaun terwijl hij aan tafel ging zitten en zijn benen aan weerskanten ervan strekte. 'Schep maar op, pa. Ik zal vanochtend de Amerikaanse vlag vertegenwoordigen.' Hij klemde zijn mes en vork in zijn vuisten en lachte de scheve glimlach van zijn vader. De genen van de Lucchesi's waren sterker dan die van de Briaudes, maar het bijzondere aan Shaun was dat hij naast het donkere haar en licht getinte huid van zijn vader de lichtgroene ogen van zijn moeder had.

'Dank je, zoon,' zei Joe.

'Maar het zou geen kwaad kunnen als je een shirt aantrok,' zei Shaun.

'Je bent gewoon jaloers,' zei Joe. 'Ik sta altijd topless aan het fornuis. Dan stink ik achteraf niet.'

Hij schepte het eten op twee borden en slaakte een theatrale zucht.

'Je moeder weet niet wat ze mist.'

'Dat weet ik wel,' zei Anna, en ze knikte naar Joe's buik. Joe gaf er een klap op.

'Eén dag sit-ups en hij is weg,' zei hij. Anna trok een gezicht, maar hij had gelijk. Hij was altijd in goede conditie geweest.

'Kom op, schat,' zei hij, 'hoe kan ik nou wedijveren met een vrouw die haar kleren op de kinderafdeling koopt?' Ze glimlachte. Joe trok een wit T-shirt met lange mouwen over zijn hoofd en liep naar de ketel op het fornuis. Hij pakte de cafetière van de plank ernaast, goot er kokend water in en walste het rond. Toen het glas verwarmd was, goot hij het water eruit en deed hij er vier scheppen Keniaanse melange in. Hij schonk water in de pot tot aan de chromen rand. Hij spoelde de pomp af met kokend water, zette die op de pot en draaide hem een kwartslag om de schenktuit af te sluiten. Na vier minuten rustig pompen wachtte hij tot het koffiegruis weer naar de bodem was gedaald. Toen draaide hij het deksel een kwartslag en kon de koffie ingeschonken worden.

Joe kon het nooit aanzien wanneer iemand anders koffie zette.

'Je vader heeft gisteravond gebeld,' zei Anna opeens. Shauns ogen werden groot, maar hij wist wanneer hij zijn mond moest houden.

'Dat zal best,' zei Joe terwijl hij met de koffiekoppen naar de tafel kwam lopen.

'Echt. Hij gaat trouwen.'

Joe staarde haar aan. 'Je besodemietert me.'

'Denk aan je taal. En ik meen het. Hoe kan ik zoiets verzinnen? Hij wil dat je overkomt.'

'Jeminee. Met Pam?'

'Natuurlijk met Pam. Dat weet je best.'

'Nou, met hem weet je het nooit.'

'Niet te geloven, die man,' zei Shaun.

'Nee,' zei Joe. 'Laat de familie opdraven en dan denkt je nieuwe echtgenote dat je normaal bent. "Zie je wel? Mijn kinderen zijn hier voor het huwelijksfeest. Ze zijn heel normaal. Ik ben geen gestoorde bijlmoordenaar."'

'Nou...'

'Nou niks.'

'Eh, mama,' zei Shaun, 'ik wil het gespreksonderwerp niet veranderen, maar heb jij nog babyfoto's van mij? Ik bedoel, heb je ze mee naar Ierland genomen?'

'Weet je, je zou het misschien niet verwachten,' zei Anna, 'maar ze waren zo schattig dat ik er een paar in mijn dagboek heb gestopt. Wacht even.'

Ze haalde haar dagboek uit de slaapkamer en haalde er een envelop met drie foto's uit.

'Moet je jezelf nou zien,' zei ze, en ze hield de eerste foto op. Shaun, twee jaar oud, in bad, breed lachend door de wolk van schuim op zijn gezicht. Daarna een van toen hij vier was, in een soort camouflagepak, met een plastic geweertje. Op de derde blies hij vijf kaarsjes uit op een verjaardagstaart in de vorm van een kever.

'Die taart was een nachtmerrie,' zei ze. 'Je vader stond de hele tijd over mijn schouder mee te kijken om te controleren of de kever anatomisch wel klopte.'

'Die taart was fantastisch,' zei Shaun. 'Maar ik kies de soldatenfoto. Schattig maar politiek incorrect. Precies zoals ik ben. Die kevertaart is misschien een beetje te veel van het goede.'

'Waar is het voor?' vroeg Anna.

'Voor de website van onze school,' zei Shaun. 'St. Declan's heeft eindelijk zijn eigen website. We hebben een computerdocent, meneer Russell, die in de jaren negentig voor een groot softwarebedrijf werkte. Maar toen kreeg hij een burn-out en is hij gaan lesgeven. Hoe dan ook, hij is oké. Hij wil dat alle leerlingen van de vijfde iets over zichzelf op de website zetten. Met een foto erbij, van toen en nu. Van *nerd* tot *hunk*.'

Anna lachte. 'Nou, mijn kleine soldaatje was zeker geen *nerd*,' zei ze terwijl ze de foto nog eens bekeek. 'Misschien vallen de meisjes wel op je,' vervolgde ze, met een blik op zijn spijkerbroek.

'Mam, jij weet niet wat een *nerd* is.'

'Nou, wat is dat dan? Jongens met veel te grote broeken en T-shirts tot over hun knieën?'

'Nee, dat is *cool*. Een *nerd* is... Nou, denk maar aan papa.'

Ze gaf hem een tik met haar dagboek. Joe lachte. Shaun at zijn ontbijt op, pakte zijn schooltas en vertrok.

'Ik zie jullie vanavond bij de voorstelling,' riep hij voordat hij de deur achter zich dichtsloeg.

Anna draaide zich om naar Joe en richtte haar wijsvinger op hem. 'Bel je vader.'

'Oké, ik zal mijn vadèr bellen,' zei hij. Haar Engels was bijna perfect, maar het Franse accent was onmiskenbaar. Ze trok een gezicht naar hem.

'Wat ben je toch exotisch, Annabelle,' zei hij, met de nadruk op de dubbele 'L'. Ze trok weer een gezicht naar hem.

Sam Tallon stond in de dienstruimte op de tweede verdieping van de vuurtoren en schudde zijn hoofd. Hij was niet al te groot en had een pafferig, mollig postuur.

'Mijn god, dit brengt een hoop herinneringen terug,' zei hij. 'De vuurtorenwachter zat daar, aan zijn bureau, zijn lijsten in te vullen...' Hij bleef staan en wees naar de trap. 'Je moet met een krabber de verf van de treden halen.' Sam was Anna's restauratiedeskundige; hij had als technicus bij de *Commissioners of Irish Lights* gewerkt. Hij was achtenzestig jaar oud en ze had hem net de smalle wenteltrap op laten lopen.

'Daar gaan we dan,' zei hij, waarna hij de trapleuning vastgreep, zich de volgende trap op trok en het gietijzeren luik naar het lampenhuis openduwde. Zijn echoënde lach daalde op haar neer. Toen ze hem na was geklommen, liet hij een laag gefluit horen.

'Je hebt hier nog heel wat te doen.'

'Dat dacht ik ook,' zei Anna terwijl ze haar blik over de wanden vol roestplekken liet gaan.

'Die moet je ook afkrabben,' zei Sam. 'Er zitten heel wat lagen verf op. Keiharde verf.'

In het midden van de ruimte stond de voet met het kwikvat waarop de vijf ton wegende lens van de vuurtoren rustte. Alleen de onderkant van de lens was in het lampenhuis te zien; het grootste deel bevond zich in de galerij erboven. Sam keek op de meter aan de zijkant van het kwikvat.

'Nou, het kwikniveau is iets gedaald. Dus de rollers onder de lens worden waarschijnlijk zwaarder belast dan zou mogen. Maar dat is niet echt een probleem, omdat de lamp niet voortdurend zal branden.'

'Ik hoop dat we hem mógen laten branden.'

'Ach, dat zal best lukken,' zei Sam. 'Ik denk dat ze een afspraak met je zullen maken over het tijdstip waarop je hem laat branden, en dat je het licht alleen landinwaarts richt.'

Anna hield haar adem in toen Sam de onderkant van de lens en het radarwerk dat hem ronddraaide controleerde.

'Niet te geloven,' zei Sam ten slotte. 'Ik denk dat alles nog werkt. Na bijna veertig jaar. We moeten de gewichten in beweging zien te krijgen, maar ik denk dat je geluk hebt.'

'Goddank,' zei Anna.

'Binnenin brandt een gloeikous, zoals de lont van een kaars,' zei hij terwijl hij weer naar de lens keek. 'Als die kous er niet was, zou je geen licht hebben. Die is van zijde en zou je zo in je broekzak kunnen steken.' Hij grinnikte. 'Hoe dan ook, de prisma's in de lens versterken het licht, de lens draait in het rond en daar heb je je vuurtorenlicht.' Sam klom de ladder in de lens op en sloeg de spinnenwebben opzij.

'Het is hier vies,' zei hij. 'Je moet dit later doen, liefst nadat je de wanden hebt afgekrabd. En je moet een paar nieuwe gloeikousen te pakken zien te krijgen... vijfenvijftig millimeter.'

Ze daalden de trappen weer af en liepen door de oude deuren naar buiten.

'Die moet je ook vervangen,' zei Sam.

'Ze zijn al besteld,' zei Anna. Hij was onder de indruk.

'Nou,' zei Sam, 'wat ik ga doen is de rollers schoonmaken en de druk in de kerosinepompen controleren. Het schoonmaken van de lens en de rest laat ik aan jou over.' Hij glimlachte.

'Oké,' zei Anna.

'Daarna doen we een algehele controle en kijken we of we hem aan de praat kunnen krijgen,' zei Sam.

'Ik begin er misschien niet meteen aan,' zei ze, 'maar ik bel je wel als ik zover ben.'

'Geen probleem.'

De laatste gesprekken verstomden en het publiek richtte zijn aandacht op het podium. Onheilspellende muziek klonk door de zaal. Katie Lawson kwam naar de microfoon en begon te zingen. Shaun glimlachte. Daar stond zijn beeldschone vriendin, die het publiek verbijsterde met de mooiste stem die hij ooit had gehoord. Katie had zijn leven veranderd. Hij was met tegenzin naar Ierland gekomen, had zich ellendig gevoeld, had honkbal, kabel-tv en alles vreselijk gemist. En toen was Katie gekomen. Vanaf de eerste dag op zijn nieuwe school was zij het enige waar hij oog voor had gehad. Ze zat over haar tafel gebogen, barstte uit in een sprankelende, aanstekelijke lach en sloeg met haar vuist op het werkblad. Toen was ze weer rechtop gaan zitten, had haar donkere haar uit haar gezicht gestreken en de tranen uit haar ogen geveegd. Shauns hart sprong op toen ze naar hem toe kwam lopen. Ze had zo'n leuke glimlach die haar hele gezicht deed stralen. Ze was volmaakt naturel, had een gave huid, blozende wangen en fonkelende bruine ogen. Toen die één keer in de zijne hadden gekeken, was hij verkocht geweest.

Katie stapte van het podium, kwam naast hem zitten en boog gegeneerd het hoofd vanwege het applaus.

'Wauw,' fluisterde Shaun tegen haar. 'Je was fantastisch. Je hebt de hele zaal plat gekregen.'

Katie bloosde. 'Nee, niet waar,' zei ze hoofdschuddend.

'Hou toch op,' zei Shaun. 'Je bent een ster.'

Daarna was Ali Danaher aan de beurt, Katies beste vriendin, met een gedicht dat ze zelf had geschreven. Shaun glimlachte al voordat ze was begonnen, want hij wist dat het zwart en zwaar zou zijn, net als haar kleding en oogschaduw. Ali had droog, geblondeerd haar en als ze haar mouwen te hoog optrok, kon je de dunne littekens van scheermesjes op haar onderarmen zien. Ze zou nooit toegeven dat ze uit een gelukkig gezin kwam, want daar zou haar kunst onder lijden. Ze besloot haar gedicht op ernstige toon:

... de rotte kern
zwelt op, breekt ten slotte door het ivoren oppervlak
een bezoedelde geschiedenis
niet langer verborgen, te laat om nog te bedekken.

Shauns en Katies gejuich overstemde het beleefde applaus van de ouders. Ed Danaher keek zijn vrouw met rollende ogen aan, maar hij was de laatste die ophield met klappen.

Toen het afgelopen was, liepen Shaun en Katie hand in hand naar de uitgang.

Joe kuste Anna gedag en vertrok met Ed naar Danaher's. Anna draaide zich om, nog steeds glimlachend, en zag Petey Grant, de conciërge van de school, aarzelend haar kant op komen. Petey had een lichtgetinte huid en donkerbruin haar dat te kort was om te krullen. Zijn amandelvormige ogen onder de dikke wenkbrauwen hadden een warme blauwe kleur en ze keken zelden iemand aan. Als hij tegen je praatte, stond hij iets van je afgekeerd, met zijn grote handen voor zijn lichaam en zijn slanke vingers beurtelings gestrekt en gekromd alsof hij op het punt stond een bal te vangen of te gooien.

'Hallo, mevrouw Lucchesi. Wat leuk u vanavond te zien. Hebt u van de voorstelling genoten? Ik vond hem zelf erg goed. Katie kan geweldig zingen. En ze is zo'n mooi meisje. Ik heb haar onlangs horen repeteren.' Hij begon te blozen. 'Is meneer Lucchesi er niet? Ik zou morgen wel naar zijn werkplaats willen komen, als dat goed is. Gaat hij morgen iets doen? Ik heb een vrije dag en zou het leuk vinden om hem te helpen met die tafel waar hij mee bezig is.'

Petey zei altijd alles wat in zijn hoofd opkwam. Van kinds af aan had hij leerproblemen gehad en op school waren er altijd twee kampen geweest: degenen die hem graag pestten en degenen die het voor hem opnamen. Anna was gek op Petey. Hij was beleefd, enthousiast, gevoelig, charmant en zo heerlijk onschuldig voor een jongen van vijfentwintig. Vanaf het eerste begin had Petey in Joe niet alleen een vriend gevonden, maar ook iemand die net als hij geïnteresseerd was in vuurtorens. Die waren Peteys favoriete onderwerp en als hij de kans kreeg het enige waarover hij praatte. Als Joe in de werkplaats met de meubels voor het huis bezig was, kwam Petey vaak bij hem langs, leunde tegen een van de werkbanken en praatte urenlang over de geschiedenis van Ierse vuurtorens.

'Je bent altijd welkom, Petey,' zei Anna. 'Kom maar wanneer je wilt.'

'Hartelijk bedankt, mevrouw Lucchesi. Dat zou ik erg leuk vinden.'

Hij aarzelde, scheen nooit precies te weten wanneer een gesprek afgelopen was.

De sleutels van Seascapes wogen zwaar in Shauns broekzak. Het was zijn taak om daar het gras te maaien en kleine reparaties aan de vakantiehuisjes te verrichten, maar het was inmiddels september en de meeste huisjes stonden leeg. Het plan was om later die avond met Katie naar een van die huisjes te gaan. Ze had tegen haar moeder gezegd dat ze naar zijn huis zou gaan en hij had tegen zijn moeder gezegd dat hij naar haar huis zou gaan. Martha Lawson was niet iemand die zich gemakkelijk liet bedotten, maar ze vertrouwde haar dochter.

'Er schijnt enige verwarring over vanavond te zijn ontstaan,' zei Martha terwijl ze op het tweetal afliep. 'Ik sprak mevrouw Lucchesi zonet en die zei dat jullie naar ons huis zouden komen.'

Shit, dacht Shaun.

'Ik dacht dat we vanavond naar *Aliens* gingen kijken,' zei Katie.

'Nee,' zei Shaun, 'Playstation bij mij thuis.'

'Nou, ik ga nu naar huis, dus jullie kunnen met me meerijden,' zei Martha.

Shit, mimede Katie naar Shaun.

Anna bleef nog twee uur in de toneelzaal om op te ruimen samen met een paar andere 'zwoegmoeders', zoals Joe ze noemde. Het liep tegen middernacht toen ze wegging. In gedachten verzonken wandelde ze langs de kerk.

'Wel, wel, als dat de mooie Anna niet is.' De toon was al helemaal verkeerd.

Ze hield haar adem in en draaide zich toen pas om. Ze kon nauwelijks geloven hoe John Miller er nu uitzag. De glazige blik, het vlekkerig rode gezicht en de onvaste benen kon ze toeschrijven aan zijn dronkenschap, maar al het andere kwam als een schok: het vette, grijze haar, het pafferige gezicht, het overhemd dat strak over zijn bierbuik spande. Wankelend stond hij voor haar.

'Ik weet dat ik er vreselijk uitzie,' zei hij, en hij strekte zijn armen naar haar uit.

'Nee, dat doe je niet,' zei Anna zacht. 'Helemaal niet.'

'Klets niet! Jij bent Frans. Jij bent zo verdomde perfect.'

Ze wist niet wat ze moest zeggen.

'Dus het is nu Anna Loe-zjie-zie of zoiets, heb ik gehoord. Leuk hoor.'

'Lucchesi,' zei Anna, en ze probeerde te glimlachen.

'Dus je bent met je smeris getrouwd? Wat een geluksvogel, zeg! Wat een geluksvogel.' Hij grijnsde. 'Wat dacht je van een snelle wip?'

'Jezus christus, John!' zei ze, en ze keek om zich heen. 'Wat zeg je nu?'

'Dat ik je wil neuken.'

'En waar is je vrouw?'

'Nog in Australië. Ze heeft me eruit getrapt. Ha! Niet te geloven toch? Ik woon hier verdomme bij mijn moeder. De dorpsgek in het eenzame huis op de heuvel. Ik heb zelfs het onderhoud van de boomgaard overgenomen. Het enige waarvan ik gezworen heb dat ik het nooit zou doen.'

'Wat erg voor je, John.' Ze draaide zich om en wilde doorlopen.

'Je bent een fantastische vrouw,' riep hij haar na. 'Een heerlijke vrouw.'

Anna bleef doorlopen. Haar handen trilden en haar gezicht gloeide.

Opeens stond hij weer achter haar, greep haar vast en duwde haar tegen de muur. Zijn adem stonk naar uien en drank en zijn kleren naar vis. Hij had een glimmende veeg op zijn kin en er zaten witte speekselkorstjes in zijn mondhoeken. Ze duwde hem van zich af.

'John, ga naar huis en slaap je roes uit.'

'Je bent altijd een harde tante geweest, Anna... lekker ding van me.' Ze staarde hem aan, speurde zijn gezicht af maar vond geen spoor terug van de John van wie ze ooit had gehouden.

2

Stinger's Creek, Texas, 1978

'Hij bijt je niet, Duke. Het is niet de snavel waarvoor je moet oppassen, maar de klauwen. Zijn klauwen zijn het gevaarlijkst. Hij kan een trekkracht van zestien pond ontwikkelen om het vel van dat dunne armpje van je te trekken.'
Met een bezorgde blik keek Duke op naar zijn oom Bill.

Bill glimlachte. 'Solomon doet je niks. Je geeft hem eten. Hij weet wie zijn vrienden zijn. En als hij je met één klauw aanraakt, schiet ik hem dood.'

'Waag het niet hem dood te schieten, oom Bill. Waag het niet.'

Bill grinnikte en maakte Dukes haar in de war. Toen richtte hij zijn aandacht op de havik die op zijn pols zat, maakte de leren bandjes los en wierp de vogel met een buitenwaartse zwiep de lucht in. Ze keken hem na en zagen hoe hij zachtjes landde in de top van een katoenboom.

'Hoe zit het met jou, Donnie? Wil jij het proberen? Ik geloof dat Duke hier een beetje bang is.'

Duke kneep zijn ogen halfdicht en zijn gezicht begon te gloeien van woede. Hij stormde langs zijn oom heen, wierp zich op zijn beste vriend Donnie en gooide hem op de grond.

'Duke Rawlins is nergens bang voor,' siste hij.

'Jezus, Duke. Rustig aan, jongen, rustig aan. Alles oké, Donnie?'

'Ja, meneer.'

Duke stond op, sloeg het stof van zijn spijkerbroek en stak zijn hand uit naar de leren handschoen. Bill gaf hem die en haalde een stuk rauw vlees uit de tas die op zijn heup hing. Hij drukte het stuk vlees tussen de duim en wijsvinger van de handschoen en gaf Duke instructies.

'Je strekt je linkerarm, die met de handschoen, zo, en dan ga je met die schouder naar hem toe staan. Dan roep je hem en wacht je tot hij op je arm landt.'

Solomon kwam naar beneden zweven, landde op Dukes pols en begon met zijn snavel aan het stuk vlees te trekken totdat het losliet.

'Nu laat je hem je andere hand zien, geopend, zodat hij kan zien dat je er niets in hebt wat hij kan eten.' Duke hield zijn trillende hand op voor de havik.

'Dan pak je de leren bandjes die aan zijn poten zitten en klemt die tussen de vingers van de handschoen, zodat hij niet meer weg kan.'

Duke pakte de bandjes vast en Solomon sloeg zijn vleugels uit, maar hij bleef op de handschoen zitten.

'Goed zo, Duke. En nu laat je hem weer vrij, zoals ik je net heb laten zien.' Duke deed het en Solomon vloog weer weg.

Bill liep naar de vogelstok waarop hij zijn tweede havik had neergezet.

'Kom, Sheba, nu ben jij aan de beurt.' Hij liet de tweede vogel vrij, die boven in een andere katoenboom ging zitten en haar kop met korte rukjes van links naar rechts en weer terug bewoog.

Bill bleef naar de twee haviken kijken. 'Altijd maar kijken om te zien of er iets gebeurt,' zei hij. 'Altijd maar loeren en afwachten.'

Opeens kwam Solomon van zijn tak zeilen, zette een lage zweefvlucht in en vloog tussen Duke en Donnie door. Meteen daarna hoorden ze opnieuw het slaan van vleugels en Sheba was weg, achter Solomon aan. Bill liep de haviken achterna en wenkte de jongens dat ze hem moesten volgen.

'Ze hebben iets gezien. Dat kun je zien aan de manier waarop ze vliegen.'

Ze kwamen bij een kale, droge plek en zagen een enkele boomkwartel.

'Ah, daar hebben ze hun oog op laten vallen,' zei Bill. 'Dat is hun slachtoffer, hun prooi.'

Solomon vloog laag aan, maar net voordat hij bij de kwartel was, zette die een wanhopige sprint in naar het dorre groen bij een rij mesquitebomen. En toen hield de kwartel opeens in. Solomon schoot over zijn prooi heen, was te laat om van koers te veranderen en was gedwongen om hoog in een van de bomen te landen. Maar Sheba was haaks op de kwartel komen aanvliegen en voordat die kon reageren zat ze erbovenop en hakte ze met haar snavel in het vlees. Meteen daarna was ook Solomon weer beneden. Hij hield de kwartel bij de kop in bedwang en beide haviken begonnen wild in hun prooi te pikken.

'Net Jekyll en Hyde,' zei Bill. 'Het ene moment zitten ze op het dak van de wereld en kijken ze neer op Gods schepping, en het volgende moment rukken ze die schepping uit elkaar. En ze helpen elkaar erbij.' Bill knikte trots.

Wanda Rawlins was ooit de topattractie van de Amazon. Dronken, tandeloze mannen die nog nooit buiten Texas waren geweest, zwoeren dat ze veel beter was dan al die Broadway-grieten en waren maar wat blij dat ze in een gat als Stinger's Creek was gebleven om voor hen te dansen. Tien jaar later, toen haar borsten in zuidelijke richting waren gezakt, was een haven in de storm nog het enige wat ze te bieden had. Voor tien dollar deed ze je met de hand, twintig was voldoende voor recht op en neer seks zonder franje en voor vijfentwintig mocht je in haar mond. Voor drugs was alles mogelijk; als je coke had, mocht je het hele weekend blijven. En er waren twee minuten van zo'n weekend met een van haar trouwste fans voor nodig geweest om een last als de kleine Duke te creëren. Hij was nu acht jaar oud, en gaf haar het gevoel dat ze honderd was.

De eerste keer dat Duke zijn moeder verraste, was hij vier jaar oud en dacht hij dat ze gewurgd werd. Toen besefte hij dat ze wel werd gewurgd, maar dat ze dat niet erg scheen te vinden. Een kolossale naakte man zat achter haar, op zijn knieën, tegen haar aan te beuken. Hij hield zijn ene dikke arm gestrekt, zijn hand boven haar hoofd tegen de muur, en in de andere had hij de uiteinden van een roze sjaal die om haar keel zat en die hij strak aantrok. Haar gezicht was donkerrood en ze had een glazige blik in haar halfdichte ogen. De man zag Duke, lalde een paar onsamenhangende woorden en ging door met waar hij zijn goeie geld voor had betaald. Duke draaide zich om en liep de kamer uit. Een paar minuten later kwam zijn moeder de keuken in, naakt onder haar verschoten badjas. Ze keek Duke boos aan. 'Wat is er?' snauwde ze terwijl ze naar het aanrecht liep. 'Smeer hem!' riep ze in zijn oor toen ze met een kop koffie langs hem heen liep. Duke schrok, met een onschuld die voor eeuwig verdween toen haar volgende klant voor de deur stond.

Westley Ames was een vadsige man met tranende ogen, een loopneus en een voorovergebogen houding. Hij had een vrouw met een muizengezicht, die altijd over zich had laten lopen en die hem drie kleurloze dochters had geschonken. Jarenlang had hij zich verzet tegen de ziekelijke verlangens waarvoor hij te slap was om ze ten uitvoer te brengen.

Langzaam slofte hij door de rommel in Wanda Rawlins' voortuin, met een halve gram coke in een zorgvuldig dichtgevouwen papiertje in zijn broekzak. 'Hallo, Westley,' zei Wanda, die tegen de deurpost leunde en haar ogen met haar hand tegen de zon beschermde. In haar tienertijd was ze een mooi meisje geweest, met een licht gebruinde huid, mooie vormen en een lieve glimlach die twee rimpeltjes in de brug van haar neus tekende. Nu was haar lichaam bleek, slap en knokig, waren haar gelaatstrekken scherper geworden en had ze een lege blik in haar blauwe ogen. Haar magere benen stonden iets naar achteren gekromd en haar slappe kuiten schuurden langs de randen van haar witte enkellaarsjes.

Het was de tweede keer dat Westley kwam en deze keer zou hij het hele weekend blijven. Wanda vroeg zich af of ze de maandagochtend zou halen zonder zich dood te vervelen.

Van top tot teen in rood en blauw gehuld kwam de vier jaar oude Duke achter het huis vandaan rennen. 'Wel, wie hebben we daar?' zei Westley terwijl de opwinding door zijn borstkas golfde. 'Jij moet Superman zijn! Wat een knap kereltje ben jij.' Hij glimlachte. Duke keek naar hem op en ging achter het been van zijn moeder staan. Westley keek Wanda aan en zag de paniek in haar ogen. Toen zag hij haar grote pupillen. Hij wendde zich weer tot Duke. 'Je moeder en ik moeten even praten.'

Wanda Rawlins was alleen in de keuken, met de radio hard aan, en ze zong mee met Tony Orlando en Dawn. Op het aanrecht lag het opengevouwen papiertje. Ze boog zich eroverheen om haar lijntjes op te snuiven en sloeg geen acht op het wilde, angstige geschreeuw dat uit de slaapkamer klonk. Twee weken later, toen Duke op het schoolplein liep, zag hij de voorovergebogen gestalte van Westley Ames bij de poort staan, een beangstigend silhouet, scherp afgetekend tegen de felle zon. Hij begon over zijn hele lichaam te beven. Zijn maag keerde zich om en hij kotste over zijn eigen schoenen.

'Ha! Pukey Dukey!' riep Ashley Ames toen ze langs hem heen rende en in de gespreide armen van haar vader sprong.

Duke had een glimlach op zijn gezicht toen hij van oom Bill naar huis liep. Hij had de haviken nog nooit gezien, laat staan er een op zijn arm gehouden. Hij vond het heerlijk om naar oom Bill te gaan. In oom Bills huis werd niemand kwaad gedaan. Behalve die arme kwartel. Bam! Bam! Dood! Hij kon wel een paar mensen bedenken met wie hij dat zou willen doen. En toen hij de straat van zijn huis in liep, zag hij een van die mensen staan wachten, op hem, terwijl hij zijn dunne bruine haar met zijn slanke vingers van zijn voorhoofd veegde. Hij was begin dertig en had een zacht, jongensachtig gezicht. De blauwe ogen achter de zonnebril schoten heen en weer door de tuin en namen alles op. Verder stond hij doodstil, met zijn handen in zijn zij, met zijn keurig gepoetste zwarte schoenen en zijn nauwsluitende overhemd en broek. Duke bleef staan, hield zijn hoofd schuin en nam de man op. Hij huiverde. Dit was echt een heel enge man.

Duke had hem Boo-hoo genoemd, omdat hij tijdens zijn eerste bezoeken altijd zijn tranen had moeten inhouden. Nu was alleen de naam nog over. Zijn tranen waren jaren geleden al opgedroogd.

3

Anna zat op de bank, met een boek over Ierse vuurtorens opengeslagen op haar schoot; tweeëntachtig vuurtorens die een kustlijn van meer dan drieduizend kilometer bewaakten. Ze keek op naar Joe.

'Weet je, de lijfspreuk van de *Commissioners of Irish Lights* is *in salutem omnium*, voor de veiligheid van iedereen. Het is grappig, maar als ik naar onze kleine vuurtoren kijk, voel ik me veilig. Je kunt je bijna niet voorstellen hoe intens dat gevoel moet zijn als je op zee in een storm zit, je schip op de hoge golven beukt en je leven afhangt van dat licht in de verte.'

'Een bewonderenswaardig beroep, vuurtorenwachter.'

'Sam heeft er mooie verhalen over. Sommige vuurtorenwachters pokerden met de plaatselijke bewoners en gebruikten morse om elkaar door te seinen wat voor kaarten ze hadden.' De telefoon begon te rinkelen. Anna sprong op en liep naar de keuken om op te nemen.

'O, hallo, Chloe,' zei Anna. Ze luisterde enige tijd, begon toen te ijsberen en trok het gele telefoonsnoer achter zich aan. Joe volgde haar met zijn blik. Hij zag haar gezicht betrekken.

'Nee, ik wil niet iemand laten overkomen om de traditionele Ierse stijl te imiteren. Gregs werk over IJsland was abominabel, gewoon niet goed genoeg. Ik zat te denken aan die Ierse man, Brendan...'

Ze keek Joe aan en rolde met haar ogen.

'Nee, nee... Luister! Ik heb zijn werk gezien en dat is heel anders. Hij zal al die vreselijke clichés vermijden. Ik heb naar hem geïnformeerd en hij schijnt erg goed te zijn.'

Ze luisterde weer.

'Ik zeg niet dat ik Ierse modellen wil gebruiken! We kunnen Amerikaanse of Franse gebruiken. Maar we hebben het over een reportage over interieurs, Chloe. *Zíj* moeten de aandacht niet trekken.'

Ze hield de hoorn van zich af en bracht hem pas weer naar haar oor toen Chloe uitgepraat was.

'Oké, oké, ik zal hem bellen en vragen of hij je zijn boek stuurt, en die reportage die ik van hem in een Iers tijdschrift heb gezien. Op grond daarvan kun je je beslissing nemen.' Ze hing op.

Joe keek haar verbijsterd aan. Ze was mijlenver van kantoor en nog steeds betrokken genoeg om te stampvoeten.

'Wat hebben we voor de lunch?' vroeg hij op plagende toon.

'Chloe is zo dom,' zei Anna terwijl ze naar de koelkast liep. 'Gehaktballen met brood en barbecuesaus.'

Hij sloeg van achter haar zijn armen om haar heen en drukte haar stevig tegen zich aan. 'Ik ben gek op jouw ballen.'

Ze moest wel lachen. 'Tragisch figuur. O, trouwens, de deuren zouden vandaag komen,' zei ze.

'Open of dicht?'

Ze keek hem alleen maar hoofdschuddend aan.

'Kom op, je houdt van slechte grappen,' zei Joe.

Ze keek hem aan. '*Quel curieux caractère.*' Joe herkende de term van de Franse versie van *Toy Story*. In de Engelse versie was het: Wat ben je toch een pathetisch, merkwaardig mannetje.

Na de lunch kwam Rays busje hobbelend de oprit op rijden. Anna wees naar de vuurtoren. Hij maakte een bocht naar links en reed het hellende grasveldje af om zo dicht mogelijk bij de ingang van de vuurtoren te komen. Hij stapte uit en stak zijn beide armen in de lucht.

'En nu?' riep hij naar haar.

Ze kwam naar buiten en haastte zich naar hem toe.

'Ik zal om assistentie vragen,' zei ze lachend.

'Wat hou ik toch van dat politiejargon.'

'Mag ik kijken?' vroeg ze, knikkend naar het busje.

'Ja, dat mag,' zei Ray. Hij deed de achterdeuren open en trok een groen zeil opzij.

'O mijn god!' zei Anna, en haar hand ging naar haar mond. 'Ze zijn prachtig!'

'Het zijn maar houten deuren,' zei Ray.

'Nee, nee, ze zijn echt beeldschoon. Je hebt geweldig werk geleverd.'

'Dank je. Ik heb de foto van de oude deuren er voortdurend bij gehad.'

'Ze zijn *magnifique*,' zei Anna.

'Als jij het zegt...' zei Ray.

'Hou op!' lachte ze. 'Je loopt me altijd te plagen.'

'Op school plaagde ik alleen meisjes die ik heel leuk vond,' zei Ray met een dikke knipoog.

'Sta je weer met mijn vrouw te flirten?' vroeg Joe, die naast hen kwam staan. 'Ik ben bijna veertig, Ray, en charmeurs van dertig maken me onrustig.' Ray was net zo groot als Anna, maar hij leek kleiner omdat hij zo breed was. Zijn donkere wenkbrauwen en altijd gefronste voorhoofd wekten de indruk dat hij óf heel gevoelig óf ronduit dom was. Ray was geen van beide.

'Die deuren zien er fantastisch uit,' zei Joe terwijl hij zijn hand over het hout liet gaan.

'Hou op,' zei Ray. 'Straks krijg ik het hoog in mijn bol. Oké, nou, hoe gaan we ze erin hangen? Waar blijft je assistentie, Anna?'

'Ik zal Hugh gaan halen.'

Anna liep weg om Hugh bij zijn thee en roddelbladen weg te halen. Met z'n vieren sjouwden ze de deuren naar de vuurtoren en hingen ze in de scharnieren. Anna deed ze dicht en schoof de grendels erop.

'Wauw,' zei ze. 'Ik ben helemaal opgewonden. Ik ben je echt dankbaar.'

Ray trok een wenkbrauw op.

'Niet zó dankbaar, vriend,' zei Joe, en hij legde zijn hand op Rays schouder.

'Eerlijk gezegd wacht ik met smart op de modellen voor de fotoreportage,' zei Ray. 'Die zullen niet bij me weg te slaan zijn als ik het "ruwe bolster-type" speel. Misschien trek ik voor de gelegenheid wel een Aran-jack aan en stop ik mijn spijkerbroek in mijn laarzen.'

'Kan ik verder nog iets doen?' vroeg Hugh.

'Nee, nee, bedankt voor je hulp,' zei Anna.

'Ik ga er ook vandoor,' zei Ray. 'Als die deuren uit het lood zakken, weet je van wie ze het hebben.'

Anna begreep het niet. Joe lachte. Ze draaide zich om en pakte Joe's hand vast.

'Ik zal je mijn nieuwe probleem laten zien.' Ze deed de nieuwe deuren open en ging hem voor de wenteltrap op. Ze kwamen in de dienstkamer en klommen de steile trap naar het lampenhuis op.

'Moet je zien,' zei Anna, en ze haakte de top van haar wijsvinger achter de verf van een van de barsten in de wanden. 'Geen beweging in te krijgen.'

'Afbijtmiddel?' zei Joe.

'Nee, uitgesloten,' zei ze. 'Het kost jaren om het op die manier te doen. En door de temperatuur hier... eh...' Ze bewoog haar handen naar elkaar en van elkaar af.

'Hoger? Lager?'

'Nee, nee, het staal...'

'O, het krimpt en zet uit.'

'Ja, dat,' zei ze. 'Dus ik weet niet wat ik moet doen.'

'Ik kan een paar man laten komen om het af te schrapen.'

Ze schudden allebei het hoofd.

'We bedenken wel iets,' zei Joe. 'Maar moet je die wanden per se doen? Ik bedoel, dat ding werkt toch niet.' Hij keek naar de oude lampvoet met het kwikvat. 'Je kunt toch alleen de buitenkant fotograferen?' Ze wist dat hij niet echt serieus was.

'Op die vraag geef ik niet eens antwoord,' zei ze. Bovendien wist hij niet wat ze echt van plan was.

Shaun gooide zijn tas op de vloer van de kleine Portacabin die de hijskraan eerder die dag op het asfalt naast het voetbalveld had laten zakken.

'Waar zijn verdomme de kastjes?' vroeg hij.

'Dit heet een kleedkamer, Lucky,' zei Robert terwijl hij zijn blik door het kale hok liet gaan. Hij vond het leuk om zijn vriend te plagen. 'Hier kleden we ons om. Zelfs als het zo koud is dat we denken dat onze ballen eraf zullen vriezen.'

Shaun had al gauw ontdekt dat pesten in Ierland 'voeren' werd genoemd, en dat, als je niet werd gepest, er iets mis met je was.

'Uit de weg,' zei een van de jongens terwijl hij zich langs hen heen drong. De rest van het elftal, rillend in hun T-shirts en sportbroekjes, rende in de richting van de felle schijnwerpers. Het veld was kaal en hard als beton, en het was ongemeen koud. Aan de zijlijn, van top tot teen in zwarte Nike-kleding en -schoenen gehuld, rende Ritchie Bates heen en weer. Hij was vijfentwintig jaar oud, een meter achtentachtig lang en hij woog honderdenvijf kilo, waarvan elke gram uit keiharde spieren bestond. Hij had een korte, dikke nek en de bovenkant van zijn hoofd was plat, als dat van Action Man. Ritchie was een 'guard', een afkorting van 'garda', het enkelvoud van 'gardai', de Ierse politiemacht. Tezamen met een brigadier werkte hij in het kleine plaatselijke politiebureau van Mountcannon. Na een uur spelen rende hij nog steeds schreeuwend heen en weer langs de zijlijn.

'Kom op, jongens! Lopen! Meer bewegen!'

'Het is steenkoud,' riep Robert terwijl hij achter de bal aan liep.

'Als je harder loopt, word je vanzelf warm,' zei Ritchie. Robert trok een gezicht. Hij was net het veld op gekomen. Alle anderen hadden al rode, verhitte gezichten en ademden witte condenspluimen uit. Robert was nog heel bleek, maar hij wist dat de geringste inspanning ervoor zou zorgen dat zijn gezicht donkerrood werd en dat zijn ogen gingen tranen. Hij was geen sportman. Hij transpireerde te veel, ademde te zwaar, zijn haar viel steeds voor zijn gezicht en zijn benen waren donker behaard, te dik en te traag. Maar hij kon de ironie van het gebeuren wel waarderen. Hij was de sportverslaggever van de schoolkrant.

Shaun had de bal en rende in de richting van het doel. Hij struikelde en viel hard op zijn gezicht.

'Opstaan, Lucchesi!' riep Ritchie onmiddellijk. Shaun hijgde van woede. Ritchie blies op zijn fluit. 'Oké, jongens, we stoppen ermee. Ga je omkleden. Goed gedaan.' Niemand reageerde.

In de kleedkamer stond Billy McMann, een kleine, magere jongen van twaalf, in de hoek te rillen. Hij probeerde de rits van zijn broek dicht te trekken, maar zijn vingers waren zo verkleumd, dat hij het niet voor elkaar kreeg. Hij zag Shaun kijken en glimlachte gegeneerd. Shaun liep naar hem toe, trok snel de rits omhoog en haalde zijn hand door het haar van de jongen.

'Bedankt,' zei Billy blozend.

'Geen probleem,' zei Shaun.

'Jezus christus, Billy! Kun je niet eens je eigen broek dichtritsen?' Het was Ritchie, die lachend in de deuropening stond.

Shaun keek hem aan. 'Laat die jongen met rust.'

Billy stond met zijn schooltas te hannesen.

'Je moet een beetje harder worden,' zei Ritchie, wijzend naar Billy.

'Er is niets mis met die jongen,' zei Shaun. 'Zijn vingers waren verdomme half bevroren.'

'Let op je taal, Lucchesi,' zei Ritchie. 'Anders heet je straks geen Lucky meer.' Hij keek uitdagend de kleedkamer in.

'Je bent nu niet in uniform,' riep iemand van achter uit.

'Pas jij maar op, Cunningham,' zei Ritchie. 'Anders wacht ik je de volgende keer op als je bier komt kopen bij de slijter.' Hij liep weg.

Een paar jongens kreunden. Toen zei Robert: 'Toch ben je een mietje, Lucky.' Iedereen begon te lachen.

'Wil je een lift naar huis?' vroeg Robert aan Shaun.

'Nee, bedankt,' zei Shaun. 'Mijn pa komt me halen.'

Even later liep hij de school uit, ging voor de poort staan wachten en zag hoe alle andere ouders hun zoons kwamen halen en wegreden. Uiteindelijk stopte Joe in de jeep voor de poort.

'Wat ben je toch een loser,' zei Shaun door het raampje. 'Ik sta hier al twintig minuten te wachten.'

'Ik had het druk. Ik probeer mijn koffer te pakken.'

'Je bent het vergeten.'

'Nee, niet waar. Stap nou maar in, Shaun.'

'Wat is bij jou de volgorde waarin je je dingen herinnert, pa? Op een schaal van één tot tien, waar sta ik dan?'

'Daar gaan we weer,' zei Joe.

'Ja, nou, het is knap irritant. Als het om je werk gaat, herinner je je alles, maar –'

'Hou op,' zei Joe op scherpe toon.

'Hé, relax, man, wil je? Ik ben degene die heeft staan wachten. Voor de zoveelste keer.'

'Hou op, zei ik,' zei Joe, harder dan de bedoeling was. De rest van de rit zwegen ze.

Ze waren net binnen toen de telefoon begon te rinkelen. Joe nam op.

'Kom terug en alles is je vergeven,' zei Danny Markey.

'Je moet me hier niet meer bellen,' zei Joe. 'Dat heb ik je gezegd. Het is uit.'

'Ja, ja, ik weet hoe de rollen verdeeld zijn,' zei Danny. 'Jij hebt de leiding, niet ik.'

Ze lachten allebei. Shaun reageerde met een verbaasd gezicht op de plotselinge humeurverandering van zijn vader.

'Gaat het zo slecht?' vroeg Joe, die Shaun negeerde.

'Je hebt geen idee,' zei Danny. 'Ik werk nu met Aldos Martinez, ofwel All Doze... Saaier kan niet. En alsof dat nog niet genoeg is was ik gisteravond uit, had ik een afspraakje met Maria, toen mijn vrouw naar het bureau belde. En toen heeft dat groentje van de centrale blijkbaar tegen haar gezegd dat ik al uren geleden naar huis was gegaan. Dus ik kom thuis en zeg dat ik een zware avond achter de rug heb. Geeft ze me een knietje in mijn edele delen. Ik zweer het. Vroeger was het standaardantwoord: "Hij is op pad; ik zal vragen of hij u terugbelt." De eerstvolgende keer dat ik die nieuwe tegenkom, ruk ik zijn kop van zijn romp. Die gast is niet goed snik. Clancy heeft hem gebeld, voor de grap, deed alsof hij een of andere pooier was die op zoek was naar een meisje van hem, Juanita Sophia Marguerita of zoiets, en toen heeft die jongen de meldkamer onbemand gelaten om in het cellenblok te gaan kijken. Echt waar. Hoe dan ook, het is er hier niet leuker op geworden.'

'Ik wou dat ik over kon komen om je te steunen,' zei Joe.

'Ja, dat zal wel,' zei Danny. 'En, hoe gaat het met die lelijke Ierse deernes?'

'Daar gaat het heel goed mee,' zei Joe. 'Moet ik ze de groeten van je doen?'

'Graag,' zei Danny. 'Binnenkort kom ik over om die grote konten te bekijken.'

'Hé, Shaun doet het anders niet slecht met zijn Ierse meisje.'

'Nee, maar ik heb foto's van de anderen gezien. Katie is een uitzondering. Als hij ooit genoeg van haar krijgt...'

'Je bent een verdorven mens, Danny. Een verdorven mens.'

'Dat is waar,' zei Danny. 'Trouwens, ik vroeg me af of je terugkwam voor je verjaardag.'

'Hoezo? Je lijkt wel een schoolmeisje.'

'Die is belangrijk voor me. Als ik zo oud ben als jij, wil ik dat mijn verjaardag ook belangrijk voor jou is.'

'Ik weet nog niet wat ik met mijn verjaardag doe, Danielle, maar misschien kunnen we een pyjamaparty houden...'

'Je lijkt mij wel. Ik was alleen maar benieuwd –'

'Hoor eens, ik weet echt nog niet wat ik met mijn verjaardag doe. Maar vanavond ben ik in New York.'

'O ja?'

'Giulio gaat morgen trouwen. Vraag maar niets. Ik weet niet of ik tijd heb om naar de stad te komen. Ik ben er maar een paar dagen.'

'Bel me. Dan kom ik naar het vliegveld en kunnen we daar wat drinken of zoiets.'

'Oké.' Hij zag Anna binnenkomen. 'Danny, ik moet naar het vliegveld. Wacht, misschien kun je met mijn lieve, aantrekkelijke vrouw over mijn verjaardagsplannen praten.'

'Mm, een Frans accent...'

'Tjonge, niemand is veilig voor jou.'

Anna glimlachte en pakte de hoorn van Joe aan.

'*Bonjour*,' zei ze. Joe kon Danny aan de andere kant horen joelen.

De taxichauffeur stuurde de rode sedan over de bochtige weg met bomen aan weerszijden. Een uur geleden had hij bij Shannon Airport zijn eerste vrachtje van de ochtend opgepikt. Vanaf dat moment was hij voortdurend aan het woord geweest.

'Dat is waar we hier behoefte aan hebben... Rudy Giuliani. Die gast mest een grote stad als New York uit en onze politici kunnen hun eigen gat nog niet eens afvegen.' Hij keek in zijn achteruitkijkspiegel. Geen reactie, maar hij praatte gewoon door.

'Weet je, ik ben eens een keer in Harlem terechtgekomen. Ik was de enige blanke daar, ik zweer het. En ik kom uit Cork en in Cork noemen we iedereen "jongen". We zeggen: "Hoe gaat het, jongen?" of: "Wat wil je, jongen?" Nou, ik zal je vertellen, die ene avond in Harlem heeft me voorgoed van die gewoonte genezen. Mijn maat, een zwarte jongen, een reus van een kerel, zegt tegen me: "Als je hier iemand jongen noemt, zetten ze meteen een pistool op je kop." Dus vanaf dat moment noem ik iedereen "man". "Hé, man, hoe gaat het, man?" En nu ben ik weer hier, noem ik iedereen "man" en denken ze allemaal dat ik gek ben.' Hij draaide zich om, keek zijn passagier even aan en reed weer door. 'Oké,' zei hij na twee minuten stilte, 'hier zijn we dan. Is dit iets voor je? Ze hebben meestal wel een paar goeie aanbiedingen.'

'Perfect,' zei Duke Rawlins.

Brandon Motors stond aan een bochtige buitenweg, een vrijstaand gebouw van rode baksteen op een licht aflopend grasveld. Nieuwe en gebruikte auto's stonden zij aan zij in het gras, met prijskaartjes in felgroen en roze achter de ruitenwissers. De 'Auto van de Week' stond op een ovaal houten podium met groen met gouden vlaggen aan weerszijden. De dealer stond ernaast, zag Duke en knikte naar de auto. Duke schudde zijn hoofd.

Aan het eind van de rij stond een Ford Fiesta stationcar uit '85, vol deuken, slecht in de lak en goedkoop. Duke liep eromheen, keek door de raampjes naar binnen, liep terug naar het podium, zette zijn beide handen op de rand en strekte zich.

'Accepteer je contant geld?' vroeg hij.

'Ja,' zei de dealer.

Duke gaf hem het geld en krabbelde een handtekening op de formulieren. Hij stapte in de auto, stak zijn hand op en rukte een heen en weer zwaaiend kerstboompje van de achteruitkijkspiegel. Hij gooide het uit het raampje voordat hij wegreed. Na twintig minuten rijden stopte hij bij een benzinestation waar hij een wegenkaart en een zwarte viltstift kocht. Hij tekende een rondje om de plek waar hij naartoe wilde en volgde de kortste route met zijn vinger. Toen draaide hij de contactsleutel weer om en ging op weg naar Limerick. Aan de rand van de stad stopte hij bij een Travelodge, waar hij een paar uur sliep en een douche nam.

Tegen de tijd dat hij weer vertrok, was het donker geworden en flink druk op de weg naar Tipperary. Al gauw zat hij opgesloten tussen twee reusachtige trucks, beide met zestien wielen. Hij stuurde naar rechts en probeerde een opening te vinden om de voorste truck te passeren, maar het tegemoetkomende verkeer reed bumper aan bumper. Hij stuurde weer naar links en zag een groot bord voor een stad die Doon heette. Op het laatste moment gaf hij een ruk aan het stuur, zwenkte scherp naar links en kwam terecht op een smalle, bochtige weg. In het licht van zijn koplampen zag hij een wit bord met zwarte letters; DEAD RIVER stond erop. Hij stak de stenen brug over en reed het donkere stadje in. Een bocht naar rechts bracht hem in de hoofdstraat van Doon: twee rijen huizen, winkels en een paar pubs. Het was halftwaalf in de avond en de straat was uitgestorven. Hij reed door en stopte ten slotte bij een hek waarachter een weiland lag. Hij klemde zijn handen om het stuur en haalde een paar keer diep adem. Toen stapte hij uit en liep terug naar het stadje. Hij had trek in een biertje. Maar er deed zich een andere mogelijkheid voor.

De oprit was lang en bochtig, met hoge platanen aan weerszijden. Giulio Lucchesi wachtte op zijn zoon in de marmeren foyer. Hij zag er fit, gebruind en keurig verzorgd uit, en zijn grijze haar glansde en was netjes gekamd. Zijn donkerblauwe blazer paste perfect, zijn lichtblauwe overhemd en beige broek waren geperst en zijn suède schoenen geborsteld.

'Joseph,' zei hij op afgemeten, verengelste toon.

'Papa.' Ze schudden elkaar de hand.

'Je kent Pam nog?' vroeg Giulio.

'Ja, hallo,' zei Joe. 'Leuk je weer te zien. Ongelooflijk dat hij je zo ver heeft gekregen dat je ja hebt gezegd.'

Ze glimlachte.

Het was geen verrassing dat Giulio Lucchesi's tweede vrouw in niets op zijn eerste leek. Pam was lang, mager en kalm, een Noordse blondine. Maria Lucchesi was donker en temperamentvol geweest.

Giulio deed een stap achteruit. 'Ik zal je je kamer laten zien.'

'Ik denk dat ik die nog wel kan vinden,' zei Joe. Hij pakte zijn koffer en liep alleen de trap op, naar de kamer die hij in geen twaalf jaar had gezien. Hij deed de deur open en kwam terecht in het sfeerloze interieur dat hem nooit had verwelkomd en dat nu ook niet deed. Van zijn veertiende tot zijn zeventiende was hij elk jaar met de buren naar Rye meegereden om de maand augustus bij zijn vader door te brengen. En elk jaar in september was zijn moeder de trappen van hun kleine appartement in Bensonhurst afgesneld om hem weer thuis te verwelkomen.

Pam nam Joe mee naar de grote kersenhouten eettafel. Ze liep naar de keuken en kwam terug met drie bordjes waarop in balsamicoazijn geblancheerde asperges lagen.

'Je moet er wat parmaham op doen,' zei Giulio, en hij schoof Joe een schaaltje toe.

'Ziet er goed uit,' zei Joe, met zijn vork in de lucht. 'Komt Beck ook? Ik kon haar niet bereiken op haar mobiele telefoon.' Beck was Joe's naam voor zijn oudere zus, die manager filmlocaties was.

'Rebecca is op de set,' zei Giulio. 'Een psychiatrische inrichting, heel toepasselijk.'

'We zijn allemaal even gestoord,' zei Joe tegen Pam. Ze wendde haar blik af.

Giulio reageerde er niet op. 'Hoe gaat het met Shaun?'

'Goed. Hij begint te wennen...'

'... totdat hij weer wordt ontworteld als jullie over een paar maanden naar huis komen.'

Joe keek zijn vader aan. 'Misschien zit het in zijn genen.' Hij wendde zich tot Pam. 'Ik heb mijn kindertijd in Brooklyn doorgebracht, daarna, toen papa die baan op Louisiana State University kreeg, zijn we met z'n allen daarnaartoe verhuisd. Toen ze gescheiden waren, zijn mijn moeder en ik weer teruggegaan naar Brooklyn, waarna ik mijn tijd moest verdelen tussen Brooklyn en Rye toen papa eerst het appartement en daarna dit huis kocht. Ik ben een paar jaar terug geweest naar LSU en daarna in New York gaan wonen. En nu is er natuurlijk Ierland.'

'Wauw,' zei Pam. 'Jij bent vaak verhuisd. Heb je op dezelfde universiteit als je vader gezeten? Dat wist ik niet.'

'Voor even,' zei Joe. Giulio schraapte zijn keel.

Na het eten gingen ze naar de salon met de dikke tapijten, de comfortabele wit met gouden bank en de zware velours gordijnen. Anna's grootste nachtmerrie.

'En, verheugen jullie je op het huwelijksfeest?' vroeg Joe.

Giulio en Pam keken elkaar aan.

'We zijn al getrouwd,' zei Giulio. 'In Las Vegas. Het afgelopen weekend.'

'In Las Vegas.'

'Ik weet het,' zei Pam. 'Het klinkt nogal goedkoop. Maar het was zo mooi...'

'Jezus, pa, weet je, ik ben nooit eerder uitgenodigd voor een huwelijksfeest waarvan de bruid en de bruidegom alvast getrouwd waren voordat ik daar aankwam. Echt iets voor jou. En een heel bijzondere dag voor ons allemaal.'

'Gebeurd is gebeurd,' zei Giulio. 'Maar ik ben blij dat je bent gekomen.'

'Geweldig,' zei Joe. 'Hoor eens, welterusten, oké?'

Hij zette zijn glas neer en ging naar zijn kamer. Hij ging op zijn bed liggen en zette de tv aan. Later, toen hij de deur van zijn vaders slaapkamer hoorde dichtgaan, stond hij op en ging naar de keuken om koffie te zetten. Met zijn mok in de hand liep hij de gang in, als een magneet aangetrokken door de bibliotheek. Hij staarde naar de planken met boeken die een overzicht van zijn vaders carrière gaven: teksten uit de jaren zestig over algemene entomologie, introducties en veldstudies, en daarna agrarische entomologie, kevers en muggen.

Joe was net vier geworden toen Giulio aan Cornell ging studeren. Hij was zevenentwintig jaar oud geweest en had drie bijbaantjes en een banklening gehad om zijn studie entomologie te bekostigen. Hij was de enige vader in de buurt die in de weekends binnenbleef om te studeren. Joe voelde een onbekende trots in zich opwellen. Het jongetje in de tuin, dat zijn bal tegen de muur moest gooien om er vervolgens met de knuppel naar uit te kunnen halen, was hij vergeten.

De overige boeken besloegen het latere specialisme van Giulio en hadden titels die Joe net zo bekend voorkwamen: *Tijdstip van de dood, ontbinding en identificatie: een atlas; Entomologie en de dood; Procedureregels voor forensische entomologie:*

het gebruik van geleedpotigen in politieonderzoek, en ten slotte vier exemplaren van *Weten hoe laat het was: handleiding voor forensische entomologie*, door Giulio Lucchesi. Rijen en rijen boeken over insecten en forensische wetenschappen. Onder aan een liggende stapel herkende Joe de donkerblauwe kaft en de vergeelde bladzijden van een dik manuscript dat zijn hart deed opspringen. Hij trok het uit de boekenkast en streek de kaft glad.

Louisiana State University: Entomologie en het tijdstip van de dood: een veldstudie. Daaronder stonden drie namen. De naam die eruit sprong, was die van hemzelf. Het jaartal was 1982. Joe was negentien jaar oud geweest en had in zijn vierde jaar gezeten. Dankzij het feit dat zijn vader bevriend was met Jem Barmoix, de docent medische entomologie op LSU, was Joe uitgenodigd om deel te nemen aan een nieuw, baanbrekend onderzoeksproject.

'Spijt?' zei Giulio vanuit de deuropening. Joe schrok.

'Nee, pa, geen spijt.'

'Ik denk dat je niet besefte wat je toen had.'

'Ik denk dat jij niet beseft wat ik nu heb.'

'Maar Jem –'

'Ik weet het. Ik weet hoeveel dat onderzoek betekende. Maar in plaats van de hele dag in een microscoop te turen, ben ik nu degene die op pad gaat en de schoften opzoekt die de lijken maken. Geen lijken, geen ontbinding, geen tijdstip van overlijden met behulp van maden en vliegen. Maar zonder moordenaars geen lijken.'

'Opzócht.'

'Wat?'

'Je zei dat jij de schoften opzoekt die de moorden plegen, maar moet dat niet "opzocht" zijn? Was je niet met verlof? Wat ben je nu, Joseph? Anna zegt dat je timmerman bent. Wat bijbels.'

'Wat kan jou dat verdomme schelen?'

'Je had academicus kunnen zijn...'

'Moet je jezelf horen.' Joe richtte dreigend zijn wijsvinger op zijn vader. Toen bedacht hij zich en haalde diep adem. 'Weet je wat? Ik ga er niet op in. Ik weet best waar je op uit bent. Ik heb geen zin om elke keer weer hetzelfde gesprek met je te voeren.' Hij gooide de ingebonden papieren op tafel en liep de bibliotheek uit.

De volgende ochtend, bij het ontbijt, deed Pam vergeefse pogingen de vrede te herstellen. Joe gaf korte, zakelijke antwoorden, tandenknarsend, wat hij de hele nacht had gedaan.

'Ik vind het heel erg dat ik jullie op je trouwdag moet verlaten,' zei hij terwijl hij opstond van tafel en naar de foyer liep, waar zijn bagage al klaarstond. Giulio kwam hem achterna.

'Je hoeft toch niet na één nacht al weg te gaan?'

'Ik ben gekomen voor jullie huwelijksfeest,' zei Joe, 'en dat is nu voorbij. Dat was al voorbij voordat ik hier aankwam. Hartelijk gefeliciteerd. Pam is een enige vrouw. En nu ga ik de rest van de tijd met Danny en Gina doorbrengen.'

'Als jij dat wilt.'

'Ja, dat wil ik.'

Het was donker toen Anna naar buiten ging om het hekje aan het eind van het pad op slot te doen. Ze wilde zich omdraaien en teruglopen naar het huis toen ze aan de overkant van de straat het vuur van een sigaret zag gloeien. John Miller stak zijn hand op om te voorkomen dat ze wegliep.

'Ik was gisteravond helemaal de weg kwijt,' zei hij terwijl hij met gebogen hoofd en een bedroefde blik in zijn ogen naar haar toe kwam lopen. Zijn haar was nog nat van de douche en hij had een schoon maar ongestreken rugbyshirt en een spijkerbroek aan.

Verbaasd keek ze hem aan. Toen wist ze het weer. De eerste avond dat ze elkaar hadden ontmoet, eenentwintig jaar geleden, was hij in een feeststemming geweest. Frankrijk had Ierland in een rugbywedstrijd in Parijs met één punt verschil verslagen. Aan het begin van de avond was John bedroefd geweest omdat ze hadden verloren, maar later, toen hij dronken was, was hij in een juichstemming geraakt omdat de Ieren zo dichtbij waren gekomen.

'Ik kan niet goed tegen whisky,' zei hij, terwijl hij met zijn onderarmen leunde op het hekje, kijkend naar de grond en zijn voet draaiend in het grind.

Anna schudde haar hoofd en zuchtte.

'Het spijt me,' zei hij, en hij keek naar haar op. 'Echt waar.'

'Het is goed,' zei ze, en ze wilde weglopen.

'Kom,' zei John, 'alsjeblieft.'

'Wat wil je dat ik zeg? Het was geen leuke kennismaking na al die tijd.'

'Ik wou dat ik je gisteravond niet was tegengekomen.'

'En wat zou er gebeurd zijn als je me vandaag was tegengekomen?'

'Dan zou ik nuchter geweest zijn, en jij nog steeds even mooi.' Hij had weer die bekende fonkeling in zijn ogen.

Zonder het te willen moest Anna glimlachen. 'Ik moet naar binnen,' zei ze, knikkend naar het huis. Eenmaal binnen, draaide ze de voordeur achter zich op slot. Toen ze in de tussenkamer kwam, draaide Shaun zich om op zijn stoel.

'Moet je zien, mam. Ik sta erop.'

Anna boog zich over hem heen en zag Shauns glimlachende gezicht op de monitor, naast zijn jeugdfoto in zijn soldatenpak.

Onder de foto's stonden zijn naam en een aantal gegevens.

'Is *While You Were Sleeping* jouw favoriete film?' vroeg Anna.
'Hè?' zei Shaun geschrokken.
'Gefopt,' zei Anna.
Shaun keek haar nors aan. 'Wat ben je toch een pestkop.'
'Ik weet het,' zei ze.
Ze las dat Shauns lievelingseten Amerikaans eten was, zijn lievelingsdrank Dr. Pepper, zijn lievelingssport honkbal en zijn favoriete vakantieoord Florida.
'Je begint al een echte Ier te worden, zie ik,' zei Anna, en ze wees naar het scherm.
'Ah, maar mijn favoriete meisje is Iers,' zei Shaun. 'Dat is het grote verschil.'
Ze ging verder omlaag en zag vraagtekens achter de vraag wat hij wilde worden.
'Weet je nog niet wat je wilt gaan doen?' vroeg Anna.
'Nee,' zei Shaun. 'Als ik naar de toekomst kijk, is die nog blanco, begrijp je wat ik bedoel? Zoiets als hier op het klif wonen, in de verte kijken en niks zien.'
'Heb je weer naar *Dawson's Creek* gekeken?'

4

Stinger's Creek, Texas, 1979

Lakschilfers vlogen van de verroeste witte pick-up toen die slingerend over de bochtige weg Stinger's Creek uit reed. Het was na middernacht en Wanda Rawlins hing verdoofd en gedesoriënteerd tegen het rechterportier, met haar magere benen schuin onder het dashboard. Ze was heel bleek en haar lichtblonde haar met de donkere wortels hing in vochtige pieken op haar voorhoofd en wangen. Dukes ogen gingen open. Hij rook de misselijkmakende stank van luchtverfrisser met dennengeur. Hij keek op naar zijn moeder en zijn vingers knepen krachteloos in haar onderarm. Hij zag lichtflitsen over haar gezicht bewegen en donkere kringen van uitgelopen mascara onder haar ogen. Ze zat door de voorruit te staren. Hij wilde iets zeggen, maar zijn keel was kurkdroog en rauw van het schreeuwen. De enige kleur op zijn eigen gezicht was de gloeiende rode bal achter zijn voorhoofd. De traag bonzende pijn echode door zijn hoofd en trok in golven als een kil, tintelend gevoel door zijn armen naar zijn vingertoppen. Ook in zijn zitvlak voelde hij pijnscheuten en hij probeerde iets opzij te schuiven, waarbij zijn donkerblauwe korte broek om zijn benen draaide. Het kostte hem zo veel inspanning, dat hij het bewustzijn weer verloor.

'Hij bewoog!' riep Wanda. 'Volgens mij bewoog hij! Kom op, schatje, kom bij, doe het voor mij.' Ze begon te snikken. Ze drukte zijn hoofd tegen haar maag en haar tranen vielen op zijn gezicht, maar Duke reageerde niet.

'Wat is er met hem gebeurd?' krijste ze. 'Wat hebben ze met hem gedaan?' Ze schudde Duke heen en weer aan zijn schouders, te ver heen om te weten wat ze anders moest doen.

'Hou je gemak, Wanda,' zei de bestuurder. 'Hou verdomme je gemak of ik zet jullie er op de volgende hoek uit.'

Wanda zei de rest van de rit niets meer en wiegde Duke met schokkende bewegingen in haar armen terwijl zijn blote benen over de rand van de stoel bungelden.

Na tien minuten reden ze een parkeerterrein op en kwam de pick-up slippend tot stilstand. Wanda gooide het portier open, stapte uit, trok Duke achter zich aan en nam zijn slappe lichaam in haar armen. Ze duwde de dubbele deuren open en kwam terecht in een felverlichte hal. Heel even gingen Dukes ogen weer open. Een ziekenhuis, dacht hij.

'Hoe haal je het verdomme in je hoofd om door het huis binnen te komen, stomme trut?' siste Hector Batista terwijl hij de deur van de woonkamer achter zich dichttrok. Hij had een zwaar accent. 'Ik heb je gezegd dat je achterom moest komen. Wie denk je dat je bent?' Hij keek naar het braaksel op Dukes T-shirt, schudde zijn hoofd, pakte Wanda bij de elleboog en loodste haar ruw de deur uit waardoor ze was binnengekomen. Hector gebaarde de bestuurder van de pick-up dat hij hen achterna moest rijden.

Een felle lichtstraal drong door het duister in de vieze kamer en bewoog laag over de stalen tafel in het midden. Wanda had Duke op de tafel gelegd. Toen was ze weer gaan snikken en was ze boven op haar zoon gaan liggen. Hector trok haar weg, boog zich over de jongen, trok zijn oogleden omhoog en scheen in zijn ogen.

'De pupillen zien er oké uit,' zei hij. 'Wat is er met hem gebeurd?' Niemand gaf antwoord.

'Toen je belde zei je dat hij zijn hoofd had gestoten,' zei Hector. 'Is dat alles waarnaar ik moet zoeken?'

'Ja,' zei de man van de pick-up.

Hector pakte een grijze vaatdoek van het aanrecht, wrong die uit en legde hem op Dukes voorhoofd. Duke deed zijn ogen open.

'Kun je je herinneren wat er gebeurd is?' vroeg Hector.

Duke probeerde zijn hoofd te schudden.

'Wat voor dag is het vandaag?' vroeg Hector.

'Vrijdag,' zei Duke zacht.

'Hoe heet de president van de Verenigde Staten?'

'Hij weet niet...' begon Wanda.

'Ronald Reagan,' zei Duke trots.

'Het valt allemaal wel mee,' zei Hector. 'Een lichte hersenschudding. Maak hem vannacht maar een paar keer wakker om te zien of het niet erger is geworden en zorg ervoor dat hij de eerstkomende twee weken niet in het rond gaat lopen springen. Hij moet rust hebben.'

Duke draaide voorzichtig zijn hoofd opzij om zijn moeder te kunnen zien. De bestuurder van de pick-up kwam achter haar vandaan. Dukes ogen werden groot en hij opende zijn mond om een kreet van schrik te slaken. Snel drukte Hector zijn hand op de gesprongen lippen van de jongen. Duke probeerde zijn hoofd weg te draaien en keek verwilderd om zich heen. Hij kreeg geen adem.

'Als je ophoudt, haal ik mijn hand weg,' zei Hector, met zijn gezicht vijf centimeter van dat van Duke. Hij bleef zijn hand op de mond houden totdat Duke gekalmeerd was en de energie uit zijn huiverende lichaam was verdwenen.

Hector keek de man van de pick-up aan. '*Los niños pequeños hacen mucho ruido*,' zei hij.

'Ik spreek geen Spaans,' zei de man.

Hector liep naar hem toe en fluisterde: 'Die kleine jongetjes maken een hoop herrie.' Hij lachte.

Duke draaide zich op zijn zij, rolde zich op tot een bal en begon te huilen. Hij voelde de hand van de man van de pick-up op zijn onderrug.

'Geen *boo-hoo's* meer, Dukey. Geen *boo-hoo's* meer.'

Duke huiverde. Het enige wat hij zich kon herinneren was dat Boo-hoo zijn kamer was binnengekomen. Wat hij niet meer wist was dat het lichaamsgewicht van de man boven op hem had gedrukt, steeds zwaarder, en dat zijn voorhoofd keer op keer tegen de muur was geslagen totdat hij onbeweeglijk en buiten kennis op zijn buik op zijn bed had gelegen.

Wanda Rawlins hoorde een zachte klop op de deur en ging opendoen. Met een dikke rookwolk om zich heen stond ze in de deuropening. Ze sloeg ernaar met haar hand.

'Goeiemorgen, mevrouw Rawlins,' zei Donnie. 'Is Duke er?'

'Duke heeft gisteren een ongelukje gehad. Hij ligt te rusten.'

'Wat is er gebeurd?'

'Niks ernstigs. Hij heeft zijn hoofd gestoten.' Ze glimlachte. 'Jullie jonge jongens weten een moeder wel de stuipen op het lijf te jagen.'

'Mag ik naar hem toe?' vroeg Donnie.

'Een paar minuutjes,' zei Wanda, en ze deed een stap achteruit om hem binnen te laten.

Donnie kwam de keuken in en werd getroffen door een bittere stank die in zijn keel bleef zitten. De ovendeur stond open en daarop lag een bakplaat met gebarsten zwarte rondjes erop. Op de vloer lagen nog meer zwarte rondjes.

'De bakplaat was te heet,' lachte Wanda. 'En ik was niet helemaal op tijd.'

'Nou, ze zullen vast prima smaken,' zei Donnie.

Wanda lachte luidkeels. 'Ja, en ik ben een keukenprinses.'

Duke lag op zijn zij, onder een dunne deken. Zijn gezicht was bleek en er stonden zweetdruppeltjes op zijn voorhoofd.

'Hé,' zei Donnie. 'Hoe gaat het?'

Duke wilde iets zeggen maar zijn lippen kleefden aan elkaar. Hij veegde zijn mond af.

'Het gaat wel,' zei hij. 'Mijn keel doet zeer.'
'Hoe kan dat?' vroeg Donnie. 'Ik dacht dat je je hoofd had gestoten.'
'Hij doet gewoon zeer,' zei Duke.
'Ben je uit een boom gevallen?'
Duke aarzelde. Hij opende zijn mond en deed hem meteen weer dicht.
'Ja, dus. Wat een sukkel, zeg.'

Wanda zette haar duim onder haar neus, duwde zichzelf overeind van de keukenstoel en stak haar voeten terug in haar sloffen. Ze pakte de bakplaat en liep naar de deur van Dukes kamer.

'Kijk eens wat ik voor je heb gemaakt, schat,' lachte ze, met wijdopen ogen. 'Om mijn kleine soldaatje op te vrolijken.' Duke tilde zijn hoofd op om naar haar te kijken. Ze zag er belachelijk uit. 'Ze zijn niet helemaal gelukt,' legde ze uit terwijl ze naar de koekjes keek. 'Mama heeft er een zooitje van gemaakt.' Ze lachte weer.

'Ik ben met Donnie aan het praten,' zei Duke.

'Kan er niet eens een bedankje voor je moeder vanaf?' pruilde ze.

'Bedankt, mama,' zei hij op vlakke toon.

'Hè, nou,' zei ze terwijl ze naar het bed kwam lopen. Haar ene hand liet de bakplaat los en alle koekjes vielen op de grond. Ze bukte zich, keek ernaar en raapte iets op.

'Ik heb een chocoladechip voor je gevonden!' zei ze, en ze liet hem een stuk van een verbrand koekje zien. Ze probeerde het in Dukes mond te stoppen. Hij draaide zijn hoofd weg en duwde het in het kussen.

'Nee,' zei hij, 'ik wil het niet.'

'Jezus, Duke, je hoeft niet tegen me te schreeuwen. Wil jij het, Donnie?' Maar het koekje verkruimelde tussen haar vingers. 'Oeps!'

Toen stak ze opeens haar hand op. 'Stil,' zei ze terwijl ze zich probeerde te concentreren. 'Stil.' Ze hoorden twijgjes breken toen er iemand naar de voorkant van het huis liep. Er schoof een schaduw over de jaloezieën van de slaapkamer.

'Donnie,' zei ze, 'jij blijft hier, schat. Ik heb bezoek.' Ze haalde snel haar hand door haar haar en er bleven zwarte koekkruimels in het blond achter.

Ze liep de slaapkamer uit en ging naar de keuken. Westley Ames stond voor de deur.

'Hé, Wanda,' zei hij. 'Komt het uit?'

'Weet je, Westley? Je had beter even kunnen bellen, maar ik denk dat het wel kan.'

'Ik heb wat eersteklas spul voor je,' zei hij, en Wanda zag zijn hand in de zak van zijn jasje bewegen. 'Zo te zien ben je geïnteresseerd,' grinnikte hij.

'Duke heeft een dreun gehad, Westley,' zei ze. 'Hij ligt te rusten.'

Westleys glimlach verdween en de boosheid vonkte in zijn ogen. Zijn hand sloot zich weer om het pakje. Wanda keek hem aan.

'Kom morgen maar terug, Westley,' zei ze, en ze deed de deur dicht. Toen draaide ze zich om. 'Of later vanavond,' riep ze door het open raam naar buiten.

5

'Verrassing!' riep Joe, die met een grote doos de keuken in kwam. 'Wonderafbijt. Een tip van Danny. Dit spul moet die oude troep van de wanden van het lampenhuis krijgen. Tenminste, dat hoop ik.' Hij zette de doos bij de achterdeur. Anna kwam naar hem toe rennen, sprong in zijn armen en sloeg haar benen om zijn middel.

'Hallo!' zei ze. 'Welkom thuis bij je vrouw!'

'Wat een ontvangst,' zei Joe. 'Ik moet vaker weggaan.'

Anna schudde haar hoofd. 'Nee, nee, nooit meer.' Ze kuste zijn hele gezicht.

'Ik heb je gemist,' zei hij. 'Veel te veel.'

Ze ging weer op de grond staan. 'Hoe vatte Giulio het op dat je zo snel wegging?'

'Wat kon hij eraan doen? Hij wist dat hij het zelf had verknoeid. Dat weet hij altijd.'

'Merkwaardige man.'

'Ja, en ik heb een deel van zijn genen.'

'Maak je geen zorgen; dat zal ik nooit vergeten.'

'Het zal wel tijd gaan kosten,' zei Joe, wijzend op de doos met afbijtmiddel. 'Je moet het aanbrengen, afdekken met papier, een paar dagen wachten en dan pas kijken wat er gebeurd is. Een hoop werk voor één tenger dametje.'

'Nou, misschien kunnen een paar van de jongens me helpen. Maar ik wil niet de hele klus uit handen geven.'

'Nee,' zei Joe, 'dat zou een ramp zijn.'

Ze wierp hem een boze blik toe. Joe lachte.

'Ik ga naar de werkplaats,' zei hij. 'Petey wacht op me.'

'Nu al?'

'Ik weet het. Ik kan altijd later gaan slapen.'

Hij was nog maar net binnen toen Petey al begon. 'Weet je hoe vuurtorenwachters vroeger geld bijverdienden?' vroeg hij, en hij wachtte niet op antwoord. 'Ze werden schoenmakers en hielden zich bezig met prostitutie en illegaal drank stoken. In 1862...' Opeens stopte hij. 'Wat is prostitutie?'

'Ha!' zei Joe, en hij keek Petey aan om te zien of hij een grapje maakte. Dat was niet zo. 'Eh, weet je wat seks is?'

Petey begon te blozen. 'Ja,' mompelde hij, en hij sloeg zijn ogen neer.

'Nou, sommige mannen zijn bereid geld te betalen voor seks, en ze doen dat met vrouwen die prostituees worden genoemd. Dat is prostitutie. Ik denk dat die vuurtorenwachters een of meer van hun kamers aan die vrouwen verhuurden.'

'O,' zei Petey, en hij schakelde snel over naar een veiliger onderwerp. 'In de buurt van Waterford kwamen vroeger smokkelaars aan wal met drank, kaarsen en bouwmaterialen en die sloegen de vuurtorenwachters dan op totdat ze die konden verkopen...'

'Zelfs in kleine vuurtorens als deze?' vroeg Joe.

'Ja,' zei Petey, 'ze –'

'Petey!' riep Anna, en ze zwaaide naar hem met een piepende mobiele telefoon. 'Is deze van jou?'

'Reuze bedankt,' zei hij, en hij nam het gesprek aan. Toen hij klaar was, keek hij geërgerd. 'Mijn moeder moet Mae Miller ergens naartoe brengen. Ze wil gezelschap voor op de terugweg. Ik moet altijd met haar mee naar die stomme afspraken.'

'Die vrouw zou hem wat meer vrijheid moeten geven,' zei Anna toen Petey was vertrokken. 'Ze moet hem niet als een klein kind overal mee naartoe slepen.'

Het was drie uur in de middag toen Duke zijn auto parkeerde en de hoofdstraat van Tipperary in liep. Hij stond de etalage van een ijzerwarenwinkel te bekijken toen er een kleine grijze terriër met een losse hondenriem tegen zijn been botste en vol verwachting naar hem opkeek. Duke aarzelde even maar bukte zich toen om het hondje te aaien.

'Hé, mannetje,' zei hij terwijl hij het hondje optilde, tegen zijn borst drukte en zijn gezicht liet besnuffelen. 'Wat een mooi hondje ben jij.'

Zijn baasje, een jonge moeder met een kind op haar heup, kwam naar hem toe hollen.

'Hartelijk bedankt,' zei ze. 'Hij is echt ongelofelijk... stout.'

'Het lijkt me een vriendelijk beestje.'

'Vertel mij wat,' lachte ze. 'Nogmaals bedankt.'

Duke keek haar na, draaide zich om en liep de winkel in. Een paar minuten later kwam hij weer naar buiten met een geel met groene plastic tas onder zijn arm. Hij liep verder de straat in en bleef staan voor een snackbar. Binnen zat een groep tieners, onderuitgezakt op de gele kunststof stoelen die in de smoezelige vloer waren verankerd. Hij keek op naar het uithangbord. AMERICAN HEROES stond erop, met aan weerszijden twee Amerikaanse vlaggen, op een lichtblauwe achtergrond. Hij ging naar binnen en hoorde een zoemer. De serveerster keek zijn kant op en richtte haar aandacht toen weer op haar blocnote. Haar uniform, dat aan operatiekleding deed denken, spande over haar rug en om haar dikke bovenbenen. Haar donkere haar was in banen gevlochten tot op haar hoofdhuid en eindigde in een kort paardenstaartje in haar nek. Duke zag hoe een van de jongens haar blocnote omlaag trok om te zien wat ze had opgeschreven. Hij begon te lachen.

'Spel "glas", Siobhàn,' zei hij op vlakke toon.

'G-L-A-A-S,' zei ze.

Iedereen lachte.

'Juist, "glaas", zei de jongen.

'Dat komt omdat ik te snel schrijf,' zei ze blozend, en ze liep terug naar de counter.

'Of omdat je hersens in je dikke kont zitten,' fluisterde de jongen, hard genoeg om door de anderen gehoord te worden.

De serveerster bleef staan toen ze Duke zag. 'Hallo,' zei ze, onzeker en bereidwillig. 'Ik kom zo bij je.'

Ze schonk een glas vruchtensap voor de jongen en kwam weer achter de counter staan.

'Wat kan ik voor je doen?' vroeg ze.

'Een taco en een cola, alsjeblieft,' zei Duke, die haar in de ogen keek en glimlachte. Toen keek hij naar haar naamplaatje. Siobhàn. 'Si-ob-han? Heet je zo?' vroeg hij.

Ze lachte. 'Je spreekt het uit als Shiv-awn,' zei ze. 'Dat is Iers.'

Duke glimlachte weer. 'Sjivvan? Moeilijke naam.'

Ze liep de keuken in en Duke luisterde naar het opgewonden gemompel achter zich.

'Dat is je moeder niet,' zei een van de jongens.

'Wel,' zei het ene meisje, dat met haar hoofd onder de tafel was gedoken.

'Zelfs al was het zo, dan kan ze niet naar binnen kijken,' zei de jongen. 'Ik zit nu naar haar te zwaaien.'

'Niet doen!' smeekte ze. 'Straks ziet ze je!'

'Jezus christus, doe niet zo paranoïde,' zei de jongen. 'Wat heeft spijbelen nu voor zin als je je zo aanstelt?'

'Is ze weg?'

'Ja, voorzover ze er ooit geweest is.'

'Jij hebt makkelijk praten,' zei het meisje terwijl ze weer rechtop ging zitten. 'Ik sta op de lijst, wat inhoudt dat ik word geschorst als ik nog een keer word betrapt.'

'Nou, ík mis een belangrijk biologie-examen,' zei de jongen. 'Als ik niet met een heel goeie smoes kom, ga ik ook voor schut. Dan word ik een klas teruggezet. Bij de sukkels.'

'Ik mis alleen twee uur muziek en twee huiswerkuren,' zei het tweede meisje glimlachend. 'En meneer Nolan is omkoopbaar.' Ze lachten allemaal.

Siobhàn kwam hun patat brengen en deed wanhopig haar best zich weer bij hun gesprek te laten betrekken. Maar ze werd opnieuw afgewezen door een wrede, neerbuigende opmerking en was al gauw terug bij Duke.

'Mensen zijn gek,' zei Duke.

Siobhàn glimlachte. 'Ach, ze vallen best mee,' zei ze terwijl ze omkeek naar het stel.

'Weet je,' zei Duke, 'je hebt een heel leuke glimlach.'

Ze begon te blozen. 'Ja, dat zal best.'

'Echt waar,' zei hij. 'Dat wilde ik je alleen maar vertellen. Ik bedoel er verder niks mee.'

Ze werd weer weggeroepen, maar Duke bleef bij de counter staan en elke keer als ze vrij was, praatte hij met haar. Hij was de enig overgebleven klant toen ze de snackbar twee uur later afsloot. Ze stonden samen op de stoep terwijl zij het rolluik op slot deed. Toen ze dat had gedaan, keek ze hem vol verwachting aan.

'Ga met me mee,' zei Duke, en hij stak zijn hand naar haar uit. Ze legde de hare erin en glimlachte.

Anna stond bij de vuurtoren met Ray, Hugh en Mark, de tuinman.

'Het gaat om het volgende, jongens,' zei ze terwijl ze witte maskers uitdeelde. 'Er zitten diverse lagen verf op die wanden en daaronder zit roest. Alles moet eraf, totdat we op het kale ijzer zitten. Dat kunnen we in de menie zetten en daarna behoorlijk overschilderen.'

Mark deed zijn mond open.

'Voordat je iets zegt, Mark, nee, we kunnen de verf niet gewoon afschrapen.'

Hij glimlachte en haalde zijn hand door zijn wilde, blonde haar.

'Ik vraag me af waarom ik de moeite nog neem,' zei hij. 'Ik heb geen idee wat ik doe. Je had me bij het groen moeten laten.'

'Nou, ik waardeer je hulp heel erg,' zei Anna. 'Echt waar.'

'Vele handen... enzovoort, enzovoort,' zei Mark.

Anna vervolgde: 'Wat jullie moeten doen is dit spul met een plamuurmes aanbrengen op de wand en afdekken met dit papier. Als alles gedaan is, laten we het een paar dagen zitten. Dan kan het de oude verf losweken. Als we die hebben afgekrabd, kunnen we de echte schade vaststellen en kijken of er panelen vervangen moeten worden. Dat is alles. O, en leg kranten op de vloer voordat jullie beginnen.'

Er stond een flinke wind in de haven van Mountcannon. De boten deinden wild op en neer en de zeilen klapten. Het havenhoofd, tien meter hoger, was verlaten afgezien van Katie die pal in de wind stond met haar handen in de zakken van haar roze jack met capuchon. Ze keerde de boten de rug toe, tuurde over de zee en werd om de zoveel tijd beschenen door het ronddraaiende licht van de vuurtoren aan de overkant.

'Ik krijg hier nog steeds de kriebels,' zei Shaun, die achter haar kwam staan en wees op het twee meter brede pad dat over de hele lengte geen enkele balustrade had. 'Ik bedoel, je kunt hier kiezen tussen op een roestig schip vallen en stikken in een hoop rottende visnetten...' Hij draaide zich om naar de andere kant. '...of op de rotsen donderen en verdrinken.'

'Het is zoiets als: waar verdrink je liever in, in een vat pus of een vat huidschilfers?' zei Katie.

'Wat?' vroeg Shaun.

'Een van de favoriete grappen van mijn opa,' zei Katie. 'Ik zou waarschijnlijk de huidschilfers kiezen.'

'Dat lijkt me een goed idee, totdat ze in je keel gaan kriebelen en ze door het inademen in je longen terechtkomen...'

Katie schudde haar hoofd. 'Gadver.'

Shaun nam haar in zijn armen, drukte haar hoofd tegen zijn borst en klemde haar stevig tegen zich aan. Ze keek naar hem op en hij wist hoe ze zich voelde.

'Ik kan nog steeds niet geloven dat je me mee uit hebt gevraagd,' zei ze.

'Wat? Hoezo niet? Je bent een stuk. Waarom zou ik je niet uit vragen?'

'Ik ben geen stuk,' zei ze, en ze gaf hem een klap. 'Toen jij hier aankwam en eruitzag als een *American football*-speler, met je perfecte gebit, dachten we gewoon allemaal dat geen van ons een kans zou maken. Daarom vind ik het raar dat ik hier nu sta.'

'Je bent gek. Je bent hartstikke mooi, je maakt me aan het lachen en je bent slim...'

'Lief van je om dat te zeggen.'

'Het is waar.'

Hij pakte haar hand vast en tegen de wind in liepen ze de treden af. Ze wandelden langs de haven, langs de beslagen ruiten van Danaher's, een paar winkels en ten slotte namen ze de bochtige weg naar boven. Bij het bordje met de tekst SEASCAPES HOLIDAY HOMES bleven ze staan.

Recht voor hen lag een verlaten doodlopende weg met bomen aan weerskanten. Aan de linkerkant was een steil aflopende weg die uitkwam op een woonerf met vijftien vakantiehuizen, allemaal met vier kamers en allemaal half aan het zicht onttrokken door de rij bomen. In drie van de huizen, alle drie aan het begin van het woonerf, brandde licht. Shauns baas, Betty Shanley, woonde in het eerste huis, maar ze was die avond de stad uit. Shaun en Katie gingen rechtsaf, renden langs de bomen, keken om zich heen of niemand hen gezien had en toen stak Shaun de sleutel in het slot van het laatste huis, nummer vijftien. Lachend struikelden ze de gang in.

'Ik heb de verwarming al eerder aangedaan,' zei Shaun.

'Ja, ik ruik het,' zei Katie, en ze trok haar neus op vanwege de bedompte warme lucht in het huis.

'Heb je het liever koud?' vroeg Shaun.

'Nee.'

'Voel je je schuldig?' vroeg hij.

'Een beetje.'

'Ik ook. Gewoon... door mevrouw Shanley. Ze is altijd goed voor me geweest. En voor mijn moeder ook, toen die haar kinderjuf of au pair of hoe dat ook heet was.'

'Ik weet het. Maar ik weet zeker dat onze ouders dit soort dingen ook hebben gedaan toen ze jong waren.'

'Laten we het daar maar liever niet over hebben,' zei Shaun.

'Nee, jakkes.'

'Ben je klaar voor je verrassing?'

'Heb je een verrassing voor me? Gaaf!'

'Kijk maar in de koelkast.'

Katie hurkte neer en deed de koelkast open. Ze zag een kleine chocoladetaart in de vorm van een hart, een halve fles wijn en een witte roos. Glimlachend keek ze op naar Shaun.

'Dat is het liefste wat iemand ooit voor me heeft gedaan,' zei ze. 'Je bent een schat!'

'Ik weet dat het niet erg origineel is, maar wat maakt het uit?'

'Hou je mond. Ik vind het fantastisch, allemaal. Ik hou van je.'

Joe zat aan tafel met de post die die ochtend was gekomen. Hij keek naar zijn bord: spinazieravioli met broccoli. Daarnaast stond een glas vers geperst sinaasappelsap. Op het aanrecht, bij het fornuis, zag hij zijn dessert staan. Pudding waarop iets bruins dreef. Gewelde pruimen.

'Waarom heb je jezelf niet een hoop moeite bespaard en meteen twee laxeerpillen op mijn bord gelegd?'

'Pillen, pillen,' zei Anna. 'Jouw antwoord op alles. Dat komt door al die moordenaars die jouw interieur hebben geblokkeerd.'

Hij glimlachte om haar vergissing. 'Er mankeert niks aan mijn interieur.' Hij opende een envelop van een goedkope telefoonmaatschappij, bekeek de brief en legde die opzij. Anna praatte door.

'Je ruikt uit je mond. Ik weet wat dat betekent.' Ze wees naar zijn buik.

Joe begon hardop te lachen. 'Het is wel heel gemakkelijk om grof te zijn in een taal die je niet kent. Hoe zou jij het vinden als ik iets smerigs in het Frans tegen je zei?'

Ze haalde haar schouders op. 'Het enige Franse woord dat jij kent is "bonjour". En ik ben niet smerig. Ik moet voor jou zorgen, want jij bent niet goed.' Hij hield van haar kreupele formuleringen. 'Je hebt in een vliegtuig gezeten en je vader heeft je boos gemaakt. Ik weet dat je pijn in je kaak hebt en dat je iets hebt genomen.'

Joe lachte en begon van zijn ravioli te eten.

'Weet je,' zei hij, 'vrijwel alles wat je zegt klinkt sexy met dat accent.'

'Je bent niet goed snik,' zei ze. 'Je lijkt Danny wel.'

Joe glimlachte en pakte een envelop van de bank op. Hij scheurde hem open en fronste zijn wenkbrauwen.

'Waarom is er vierhonderd euro van mijn rekening afgeschreven? Voor een bouwmarkt in Dublin?'

'O, ik ben met de badkamer een beetje over mijn budget gegaan.'

'Wat?'

'De leidingen waren duurder dan ik had verwacht.'

'Dat bedoel ik niet. Hoe kun je dat nu doen? Al weer! Dat tijdschrift gaat dit niet aan mij terugbetalen, neem ik aan.'

'Nee, maar je weet dat dit belangrijk voor me is.'

'Ja, dat weet ik, maar ik ben niet van plan er failliet aan te gaan. Weet je hoeveel ik al heb uitgegeven? Tweeduizend euro, aan een huis dat niet eens van mij is. "Ik ben met de slaapkamer een beetje over mijn budget gegaan, met de woonkamer..."'

'Het is het waard. Ik heb nooit eerder een project als dit gehad, iets wat ik van het begin tot het eind moet doen. Dit project zal mijn carrière veranderen.'

'En als dat niet gebeurt?'

'Hoe bedoel je, als dat niet gebeurt? Het heeft altijd alleen maar over jouw werk gegaan...'

'Ja, en dat werk heeft jou en Shaun de afgelopen achttien jaar financiële zekerheid gegeven. Wat zou er gebeurd zijn als ik jaren geleden ineens iets nieuws was begonnen?'

'Dan zou ik je gesteund hebben.'

'Waarmee, in godsnaam? Jij leeft in een soort fantasiewereld. Gewone mensen hebben budgetten. Het tijdschrift heeft een budget en ik heb verdomme ook een budget. Maar dat is voor jou niet genoeg, hè? Dat is je te gewoon.'

'Dat is niet waar.'

'Wat je aan het doen bent, is egoïstisch.'

'Op de lange termijn zal het werken. Dan ga ik een hoop geld verdienen. Dan ga ik mooie dingen voor je kopen.' Ze probeerde te glimlachen. Joe ging er niet op in.

'Ik heb hier alles wat ik wil, Anna. Ik ben niet op zoek naar meer en beter.' Daarna at hij zwijgend zijn bord leeg.

John Miller hing tegen de bar met een groot glas Guinness in zijn hand en een kleintje whisky ernaast. Ed Danaher stond hem geduldig knikkend aan te horen. Meestal was Ed nors en kortaf. Toch stortten veel mensen hun hart bij hem uit, want als je geluk had, kon hij soms heel zinnige dingen zeggen. Hij draaide aan de uiteinden van zijn zwarte snor en schoof de mouwen van zijn witte overhemd verder omhoog.

'O ja, John?' zei hij. 'Dat klinkt niet best. Wat heb je toen gedaan?'

'Me volgegoten,' zei John met een glimlach. 'En sindsdien niet meer nuchter geweest.'

Ed lachte met hem mee.

'Serieus,' zei John. 'Ik ben bij een vriend ingetrokken. Maar dat was nog een grotere loser dan ik. We dronken ons elke dag wezenloos, 's morgens, 's middags en 's avonds. Toen kwam mijn broer, Emmett – je kent hem wel – me opzoeken. Sally was naar de rechter gestapt en had de bezoekregeling laten ontbinden. Ik mocht de kinderen niet meer zien.' Er kwamen tranen in zijn ogen, maar zijn verdriet veranderde al snel in boosheid. 'Ik mag mijn eigen kinderen verdomme nog steeds niet zien.'

Ed had geleerd zijn mond te houden wanneer beschonken klanten in de achtbaan van hun zelfmedelijden waren gestapt.

'O, maak je geen zorgen,' zei John. 'Ik mag misschien verbitterd klinken, maar ik heb het nog niet opgegeven.' Hij draaide rond op zijn kruk, met zijn ellebogen tegen de rugleuning gedrukt, en liet zijn blik door de pub gaan.

Joe kwam binnen en kwam aan de bar staan.

'Hé, Joe,' zei Ed. 'Hoe staan de zaken? Hoe is het met je vrouw?'

'De zaken staan goed. Anna heeft een paar probleempjes met de vuurtoren, maar je weet hoe ze is...'

'Kijk, hier hebben we iemand,' zei John, wild om zich heen gebarend, 'die alles heeft.'

Joe keek hem aan. John zwaaide zijn arm Joe's kant op.

'John Miller,' zei hij.

'Joe Lucchesi.'

'Ik weet wie je bent,' zei John. 'De man van Anna. De vader van Shaun...'

'Zit je bij de plaatselijke inlichtingendienst?' vroeg Joe, met een korte glimlach.

'Als je hier woont, zit je dat al gauw,' zei John.

'Je meent het,' zei Joe kortaf, en hij wendde zich tot Ed.

'Ik zit je maar te dollen,' zei John.

'Het is goed met je,' zei Joe.

'Hé, je hoeft niet zo raar tegen me te doen,' zei John, en hij gaf Joe een duwtje tegen zijn borst.

'Neem wat te drinken van me,' zei Joe. 'Ed, een Guinness voor mij en een Jameson voor meneer Miller hier.'

'Ik hoef jouw stinkgeld niet,' lalde John. 'Hou je verdomde vrouw en je zoon en je vuurtoren en je perfecte...'

'Ho, rustig aan, vriend...' zei Joe.

'Hoor je wat hij tegen me zegt?' zei John.

Ed zette Joe's glas op de bar en wendde zich tot John.

'Zo is het genoeg. Waarom ga je niet even naar de *jacks*, om buiten wat frisse lucht in te ademen?'

John snoof maar hij stond op en ging naar buiten.

'Let maar niet op hem,' zei Ed. 'Zijn vrouw is bij hem weg en hij mag zijn kinderen niet zien. Die zitten aan de andere kant van de wereld en dat zit hem nogal dwars.'

'Het is niet waar,' zei Joe. 'Maar ik ben niet degene die de sloten heeft veranderd.' Hij glimlachte en liep naar een tafeltje. Hij zag hoe John Millers voet de sport van zijn kruk miste toen hij terugkwam van de wc. Zijn ogen puilden uit en keken verschillende kanten op, als die van een vlieg. Joe zat in zichzelf te glimlachen toen Ray en Hugh binnenkwamen en aan zijn tafel kwamen zitten.

'Waar maak jij je zo vrolijk over?' vroeg Hugh.

'Ik zat naar die zuiplap met zijn bolle ogen te kijken en moest denken aan een experiment met fruitvliegjes dat ooit is gedaan. Het ging over research naar alcoholverslaving, want hoewel fruitvliegjes van gefermenteerd fruit leven, worden ze wel dronken totdat ze erbij neervallen, maar raken ze niet verslaafd.'

'Mogen mensen niet aan dat experiment deelnemen?' vroeg Hugh. 'Ik zou onmiddellijk intekenen.'

Frank Deegan zat bij de deur van Danaher's en keek naar zijn vrouw Nora. De zelfbewuste, welbespraakte, buitengewoon intelligente Nora. Ze had een glas brandy in haar hand en een denkbeeldige sigaret tussen twee slanke vingers. Ze beklaagde zich bij haar vriendin Kitty over een kunstenaar die had opgehangen toen ze hem had gebeld om te vragen of hij zijn werk wilde exposeren in de galerie die ze in het stadje wilde openen.

'Het onderkruipsel,' zei ze, en ze keek Frank aan, 'vergeef me de term. Probeert zich te presenteren als een of ander onvoorspelbaar genie terwijl hij niks meer is dan een redelijk getalenteerde, straatarme, semi-alcoholistische dwerg zonder schoenen. En wat te voorzien was, hij heeft me teruggebeld om te zeggen dat hij het zou doen. En hij doet het – weet ik – omdat hij het geld nodig heeft. Voor sandalen en een nieuw gewaad, waarschijnlijk.'

Frank en Kitty lachten. Nora sloeg het laatste restje brandy achterover en haar oranjerode haar danste langs haar hoge jukbeenderen.

'Brandy, chef,' zei ze terwijl ze haar glas ophield en knipoogde naar haar man.

'Thuis,' zei hij. 'Kijk eens hoe laat het is.' Het was halftwaalf, het officieuze sluitingsuur.

Nora keek Kitty aan. 'Sorry,' zei ze, 'het blijft vervelend.'

Frank stond op, bleef net iets onder de een meter vijfenzeventig van zijn slanke vrouw. Hij haalde zijn hand door zijn dikke grijze haar, streek zijn donkergroene golftrui glad en strekte zijn armen schuin opzij. Nora had hem datzelfde ritueel al veertig jaar zien uitvoeren. Frank zag haar kijken en gaf haar een knipoog.

Ray, Joe en Hugh waren al op weg naar de deur en bleven voor Frank staan.

'O, o,' zei Ray, en hij hield een denkbeeldige megafoon voor zijn mond. 'Mensen, zet uw glazen neer en doe een stap achteruit. Het is al drie punt vier seconden na sluitingstijd. Ik herhaal: zet uw glazen neer.'

Frank glimlachte.

'Heb je hulp nodig bij de ontruiming van dit pand, brigadier?' vroeg Ray. 'Je kunt er een paar de boeien omdoen en Joe zal het vast niet erg vinden ze te fouilleren, nietwaar, Joe?'

Frank en Joe lachten.

Mick Harrington werkte zich langs hen heen naar de deur met een grote bruine papieren zak vol flessen in zijn armen.

'Jezus, Mick,' zei Hugh, 'ben je je eigen pub begonnen?'

Mick liet zijn bekende rondborstige gelach horen. 'Ik zit in de haven opgescheept met een stuk of twintig dronken Spanjaarden die ik in toom moet houden,' legde hij uit. 'Dit is al de tweede lading van vanavond. Hun schip moet gerepareerd worden en ondertussen lallen zij drankliederen waar niks van is te verstaan.' Hij wendde zich tot Joe. 'Trouwens, als Robert bij Shaun is, stuur hem dan naar huis. Iémand kan mijn vrouw maar beter gezelschap houden.'

'Ze zijn uit,' zei Joe.

'Dan ziet het ernaar uit dat ons allebei iets te wachten staat,' zei Mick.

Katie bleef staan, deed haar hoofd achterover en kneep haar ogen dicht. De tranen bleven maar komen. Ze liep snel door, wilde naar huis, naar bed. Opeens gloeiden niet ver voor haar de achterlichten van een auto op, die schuin in de berm geparkeerd stond. Ze knipperde met haar ogen vanwege het licht en ging langzamer lopen, totdat ze dichtbij genoeg was gekomen om te zien dat er iets heel erg mis was.

6

Stinger's Creek, Texas, 1980

Mevrouw Genzel liet haar blik over haar vijfde klas gaan. De leerlingen waren met een geschiedenisproefwerk bezig en schermden met hun onderarmen de antwoorden af. Duke Rawlins had zijn hoofd gebogen en zat furieus te schrijven met zijn potlood. Hij had al zeker twee blaadjes volgeschreven en daarbij zoveel kracht op zijn potlood gezet, dat ze de voren bijna in het papier kon zien staan. Toen keek hij op, zocht naar een antwoord en vroeg mevrouw Genzel zich af wat er achter die lichte ogen plaatsvond. Opeens scheurde hij de laatste bladzijde van zijn blocnote, pakte de andere blaadjes, maakte er een prop van en gooide die op de grond. Alle leerlingen keken zijn kant op. Een zacht gegrinnik verbrak de stilte.

'Stil,' zei mevrouw Genzel. Ze keek Duke aan. 'Alles in orde met je?' vroeg ze zacht.

Duke knikte, kort en snel. Hij had zijn lippen stijf op elkaar geknepen. De vingers van zijn linkerhand trommelden op het blad van zijn tafeltje.

'Wil je opnieuw beginnen?' vroeg ze.

Hij schudde langzaam zijn hoofd. 'Nee, mevrouw.'

Toen leunde hij achteruit op zijn stoel en kneep zijn ogen dicht. Zijn borstkas ging snel op en neer.

Ze bekeek zijn gezichtsuitdrukking. 'Kan ik je even op de gang spreken, Duke?'

Hij stond op en liep de klas uit.

Mevrouw Genzel probeerde hem aan te kijken, maar Duke bleef naar de grond staren.

'Volgens mij gaat het niet helemaal goed met je,' zei ze.

'Ik voel me best,' antwoordde hij.

'Wat was er zonet binnen aan de hand?'

'Niks, mevrouw.'

Ze wachtte.

'Gewoon...'

'Gewoon wat?'

'Ik weet het niet, mevrouw.'

'Waren de vragen te moeilijk?'

'Nee,' zei Duke, 'ik... eh...' Hij keek nog steeds naar de grond.

Toen verraste hij haar door zijn hoofd op te tillen en haar recht aan te kijken. Haar hart sloeg een slag over. Ze stond dichtbij genoeg om de strijd achter die ogen te zien. Duke zag alleen maar vriendelijkheid op haar gezicht, maar die vervaagde al snel en veranderde in beelden die duisterder waren: van gezichten die hij niet kon vertrouwen en reacties die hij niet kon inschatten.

'Het is niks,' zei hij, en hij deed een stapje achteruit. 'Ik kon een woord niet spellen.'

Mevrouw Genzel besefte pas dat ze haar adem had ingehouden toen ze die uitblies.

'Goed dan,' zei ze. 'Kom, dan gaan we weer naar binnen.'

Het kantoor was netjes en huiselijk, met crèmekleurig houtwerk, bloemetjesbehang, lambriseringen en een paar fauteuils met bekleding in een zonnebloemmotief. Mevrouw Genzel zat achter haar bureau. Boven haar zachte, vriendelijke gezicht had ze kort grijs haar in een mannenkapsel.

'Mevrouw Rawlins...'

'Juffrouw,' zei Wanda. 'Ik kan niet met ze samenleven...' Ze schoof heen en weer in de brede fauteuil en perste zich tegen de rugleuning, waardoor haar gekruiste benen en de donkere korst op haar ene knie het eerste was wat de onderwijzeres zag.

'Goed,' zei mevrouw Genzel. 'Juffrouw Rawlins, ik heb u vandaag laten komen om over Duke te praten.'

'Die jongen wordt mijn dood nog eens,' zei Wanda, waarbij ze met haar ogen knipperde en haar hoofd bewoog alsof het los op haar nek stond.

'Hij heeft gisteren gehuild. Hij zei dat zijn hond dood was. Dat iemand zijn hond had doodgemaakt.'

'Sparky,' zei Wanda, waarna ze opeens hard aan haar dijbenen begon te krabben en haar nagels rode striemen op de bleke huid achterlieten. 'Arme Sparky.'

Mevrouw Genzel bekeek het met gefronste wenkbrauwen.

'Is het waar?' vroeg ze.

'Ik ben bang van wel. Ik kwam maandag de tuin in en daar lag het arme stakkertje, zo koud als een eskimotiet... oeps, sorry!'

'Wat was er gebeurd?'

Wanda boog zich naar voren. 'Ik heb geen idee.' Ze leunde weer achterover en schoof heen en weer. Toen zette ze haar ellebogen op de armleuningen, drukte zich op en liet zich weer zakken.

'Ik weet dat Sparky heel belangrijk voor Duke was,' zei mevrouw Genzel. 'Hij heeft een keer een foto van Sparky meegebracht en over hem verteld in de derde klas, en hij maakte vaak tekeningen van hem. Hij moet erg van streek zijn geweest.'

'Ja,' zei Wanda.

'Kunnen we misschien iets doen om dit gemakkelijker voor hem te maken?' vroeg mevrouw Genzel.

'Hij komt er wel overheen.'

'Zo eenvoudig is het niet...'

Wanda probeerde al overeind te komen uit de fauteuil. Ze bood de onderwijzeres haar magere hand aan om haar overeind te trekken.

'Gaat het thuis allemaal goed met Duke?' vroeg mevrouw Genzel.

Wanda was al op weg naar de deur.

'Ik sta er alleen voor, maar ik zorg voor mijn kind.'

'Natuurlijk doet u dat. Ik was alleen maar... bezorgd.'

Wanda draaide zich om en deed theatraal een stap naar haar toe. 'Sssssss!' zei ze terwijl ze een denkbeeldig brandijzer op haar voorhoofd drukte. 'Slechte Moeder.'

Mevrouw Genzel keek haar aan. Wanda's lach eindigde met een korte zucht.

'Hoe dan ook, ik moet gaan.'

Ze liep het kantoor uit en keek op haar horloge. Het was laat genoeg om op Duke te wachten. Ze leunde tegen de poort en stak een sigaret op. Na een tijdje zag ze Duke naar buiten komen, achter de andere kinderen. Hij kwam naar haar toe. Ze maakte zijn haar in de war en gaf hem een speels stompje tegen zijn schouder.

'Die mevrouw Genzel is wel een zeurpiet, zeg,' zei ze.

'Ik mag haar graag,' zei Duke. Op weg naar huis bleef hij voor haar uit lopen. Ten slotte pakte Wanda hem bij de schouders en draaide hem om.

'Jezus, Duke! Ik heb je gezegd dat het me spijt van die stomme hond, oké?' Ze gooide haar sigaret op de grond en trapte hem uit met een enkele draai van haar voet. 'Hoe konden wij nou weten dat een paar schoppen genoeg waren om hem naar zijn graf te sturen? Kef, kef, kef, dat verdomde beest.'

Duke bleef als verlamd staan. Zijn ogen keken dwars door haar heen. Maar Wanda bleef glimlachen.

Het kleine mormel kwam in een wolk stof naar hem toe rennen. Het draaide een rondje om Duke, rende weer weg en wierp een nieuwe stofwolk op. Duke kon geen woord uitbrengen. Hij keek alleen maar. Wanda wachtte op een reactie.

'Schat?' Ze wachtte. 'Schat?' Haar stem sneed als een scheermes door zijn hoofd.

'Schat!'

'Wat is er?' vroeg hij, te hard.

'Wat zeg je dan?'

Dukes hart bonsde. Er liep een zweetdruppel langs zijn ruggengraat. Hij keek op naar Boo-hoo, die knikkend en glimlachend, met de handen in de zij en de benen een eindje uit elkaar, boven hem uittorende. Zijn blik ging weer naar het miserabele beestje dat om hem heen huppelde. Dit was zo vreselijk verkeerd.

'Dank u wel, meneer,' zei Duke.

'Hoe ga je hem noemen?' vroeg Wanda.

'Klotehond,' zei Duke. Wanda gaf hem een harde klap tegen de zijkant van zijn hoofd.

'En nu vertel je hem onmiddellijk hoe je dat leuke lieve hondje gaat noemen!' riep ze. 'Iemand heeft iets heel aardigs voor je gedaan, Duke. Daar mag je best een beetje waardering voor tonen.'

'Het is oké,' zei Boo-hoo. 'Hij verzint binnenkort wel een naam.' Hij aaide Duke over zijn bol en ging met Wanda naar binnen.

Duke ging hen niet achterna. Hij pakte het magere hondje op, nam het tegenstribbelende lijfje onder zijn arm en ging op weg naar het huis van oom Bill. Bill stond op de open plek achter het huis, met zijn arm gestrekt nadat hij net een jonge havik had vrijgelaten.

'Is dat Bounty?' riep Duke. 'Die jonge havik?'

'Ja,' zei Bill. 'Ik zorg voor haar totdat Hank terug is.' Hij keek naar het hondje. 'Is die van jou? Heb je nu al een nieuwe?'

'Daar heeft mijn moeder voor gezorgd.'

'O... Nou, als je maar oppast...'

'Ik ben niet van plan hem los te laten, als u dat bedoelt,' zei Duke.

'Goed zo, want...'

Hij werd onderbroken door een auto die aan de voorkant van het huis stopte. Hij gaf Duke de leren handschoen.

'Ze doet je niks,' zei hij, met een hoofdknik naar Bounty. 'Het vlees zit in mijn tas. Ik ben zo terug. Dan beginnen we met de training.'

Duke zette het hondje op de grond, klemde het tussen zijn enkels en trok de handschoen aan. Toen hij zijn benen van elkaar deed, schoot het hondje weg en begon het wild van de ene boom naar de andere te rennen. Bounty sloeg haar vleugels uit. Haar kop schoot van links naar rechts. In een flits vloog ze op en werd ze door angst naar de ongebruikelijke prooi gedreven. Het hondje begon te janken toen haar klauwen in het vlees drongen. Duke kreeg een matte blik in zijn ogen. Hij was zich maar vaag bewust van het rumoer, de slaande vleugels en de worsteling. Hij dwong zijn ogen weer scherp te zien voor de laatste momenten. Daarna was het stil.

'Wat is hier verdorie aan de hand?' riep Bill, die de takken opzij sloeg en tussen de bomen aan de zijkant van het huis vandaan kwam. Hij bleef staan toen hij het dode hondje zag.

'Heeft Bounty...?'

Duke knikte. Hij staarde naar het plasje bloed dat onder het lijfje vandaan kwam.

'Dat spijt me heel erg,' zei Bill. 'Zeker na wat er met Sparky is gebeurd. Sorry, Duke. Die verdomde vogel is een hondenjager, blijkbaar, te jong om beter te weten. Waarschijnlijk is ze bang geworden...'

'Het geeft niet,' zei Duke.

'Ik had je moeten vertellen dat jonge haviken –'

'Dat hebt u gedaan, oom Bill. Vorige week.' Duke pakte de grote hand van de man.

Zwijgend stonden ze naast elkaar. Ten slotte ging Bill naar binnen. Hij kwam terug met een stapeltje oude kranten, die hij naast het hondje neerlegde om het bloed op te zuigen. Ten slotte rolde hij het kleine kadaver erop en vouwde de kranten eromheen. Achter zich hoorde hij een snik. Hij draaide zich om, zag de tranen over Dukes wangen stromen en zijn schouders schokken.

Oom Bill veegde zijn handen af aan zijn overal. Toen trok hij Duke tegen zich aan en hield hem stevig vast terwijl de jongen huilde om een hondje dat Sparky heette.

7

Joe voelde een steek van schrik in zijn borstkas. Zijn hart ging opeens als een razende tekeer. Hij besefte pas dat de telefoon ging toen Anna haar hand uitstak om op te nemen.

'Hallo?' zei ze, en ze luisterde, met een verbaasde uitdrukking op haar gezicht.

'Nee, Martha. Hij is alleen thuisgekomen, om ongeveer halftwaalf. Tenzij – ik weet het niet. Wacht even.' Ze gaf de hoorn aan Joe.

'Hallo,' zei Joe, en hij liet haar praten. 'Ik heb geen idee,' zei hij ten slotte. 'Ik weet zeker dat er...' Anna kwam de slaapkamer weer in en schudde haar hoofd. Shaun kwam haar achterna.

'Wat is er gebeurd?' vroeg hij, en hij keek zijn beide ouders aan.

'Ze is hier niet, Martha,' zei Joe. 'Hoe laat heb je afscheid van haar genomen?' vroeg hij aan Shaun.

'Ongeveer halftwaalf, kwart voor twaalf,' zei Shaun. Ze keken allemaal naar de klok. Het was halfvijf in de ochtend.

'O mijn god,' zei Shaun, en zijn ogen werden groot.

'Wat wil je dat we doen, Martha? Kunnen we iemand voor je bellen?' vroeg Joe. 'Oké,' zei hij, en hij hing op. 'Ze gaat een paar meisjes van school bellen.'

'Maar ze was niet met meisjes van school,' zei Shaun.

'Het kan geen kwaad,' zei Joe. 'Ze kan op weg naar huis iemand zijn tegengekomen. Waarom heb je haar niet thuisgebracht?' Hij aarzelde even. 'Hebben jullie ruzie gehad?'

Shaun moest zijn blik afwenden toen hij de bezorgdheid in de ogen van zijn vader zag. Het was uitgesloten dat hij hem vertelde wat er de afgelopen avond was gebeurd. Katie zou hem vermoorden als hij dat deed.

'Nee,' zei Shaun. Hij zag eruit alsof hij ieder moment in tranen kon uitbarsten. 'Ze wilde gewoon alleen naar huis.'

'Maak je geen zorgen,' zei Joe. 'Ze komt wel te voorschijn.'

Frank Deegan had de afgelopen twee uur naar het plafond liggen staren. Hij was eerder op de avond op de bank in slaap gesukkeld, maar de rinkelende telefoon had hem zo klaarwakker gemaakt, dat hij niet op zijn gebruikelijke tijd naar bed had kunnen gaan. En toen hij had opgenomen was er nog opgehangen ook, om het nog erger te maken. Hij draaide zich om en keek naar Nora, die slapend naast hem lag. Hij duwde zich overeind, liet zich voorzichtig uit het bed glijden en bleef enige tijd op de rand zitten voordat hij opstond. Hij trok zijn blauwe pyjamabroek op en liep naar de keuken. Hij bleef staan bij het aanrecht en liet zijn korte vingers over het aluminiumfolie van een pak gemalen koffie gaan. Nora wilde anders zijn en was een koffieverslaafde in een generatie van theedrinkers. Wanneer ze bij vriendinnen op bezoek was geweest, klaagde ze achteraf dat ze dezelfde koffie had gekregen die ze haar het jaar daarvoor hadden aangeboden en waarvan de korrels in kleffe klonten op de bodem van de pot bleven liggen. Alleen theezakjes werden in de huishoudens van Mountcannon regelmatig vervangen.

'Smerig,' zei ze achteraf vaak tegen Frank. 'Ronduit smerig.'

Frank keek naar de klok, en hoewel hij zijn maag hoorde protesteren, negeerde hij de roep om cafeïne. In plaats daarvan zette hij een steelpannetje met melk op het gas en ging hij met de krant aan de keukentafel zitten. Hij pakte zijn leesbril met de dikke, vergrotende glazen. Hij had die in een rek bij de drogist gevonden. Nora vond het leuk om hem te plagen met zijn sterk vergrote ogen. Hij deed haar denken aan iemand van wie ze zich de naam niet kon herinneren. Soms keek hij op van zijn boek of krant om haar aan het lachen te maken.

Toen hij weer aan tafel ging zitten, begon de telefoon te rinkelen.

'Hallo,' zei hij, alsof het tien uur in de ochtend was.

'Frank, met Martha Lawson. Katie is gisteravond niet thuisgekomen.'

'Bedoel je donderdagavond?' vroeg Frank.

'Nee, vanavond. Ze had voor middernacht thuis moeten zijn.'

'Het is vijf uur in de ochtend, Martha. Voor een tiener is de nacht nog jong. Zeker in het weekend.' Hij krabde zich op zijn hoofd. 'Was ze naar een van de disco's in de stad?'

'Nee,' zei Martha, 'dat mag ze niet. Ze was in het dorp, met Shaun. Om de een of andere reden wilde ze alleen naar huis lopen en nu is ze niet thuisgekomen. O, wacht even, Frank, er is iemand aan de deur.'

'Ah, daar zul je haar hebben,' zei hij, en hij rolde met zijn ogen.

Toen ze weer aan de lijn kwam, beefde haar stem.

'Het zijn de Lucchesi's maar,' zei ze.

'O, oké,' zei Frank. 'Nou, dan zal ik ook maar naar je toe komen. Maar ik durf te wedden dat ik Katie voor de deur tegenkom.'

'Dank je, Frank. Dat waardeer ik.'

Frank haalde de melk van het gas en maakte het pak Colombiaanse koffie open.

Martha Lawson woonde met haar dochter in een klein, wit vrijstaand huis met een grote tuin, aan een buitenweg op een minuut of tien lopen van de haven, een halfuur van het huis van de Lucchesi's. Binnen was het huis een allegaartje van houtsoorten, materialen en patronen: een mahoniehouten dressoir naast een geverniste vuren salontafel, gebloemde vloerbedekking naast gordijnen met een Azteken-motief. Maar alles was smetteloos schoon.

Frank zat links van Martha op de bruine bank, naar haar toe gekeerd. Haar gezicht was vrij onopvallend, maar het had dezelfde aantrekkelijke gelaatstrekken als die van Katie. Haar ogen waren rood en haar wimpers vochtig van de tranen.

'Ik weet zeker dat alles in orde is met Katie,' zei Frank. 'Ik weet niet waar ze uithangt, om eerlijk te zijn, maar ik ben ervan overtuigd dat ze een goede verklaring voor haar afwezigheid heeft als ze straks door die deur binnen komt lopen.'

'Nee, Frank, dat geloof ik niet. Alsjeblieft, ik kén Katie. Zo is ze gewoon niet. God, straks ligt ze ergens dood langs de weg. Je hoort wel vaker van aanrijdingen waarna ze doorrijden...'

'Zo moet je niet denken,' zei Frank vriendelijk.

'Sorry,' zei Martha. 'Het is gewoon dat ik nooit...' Ze maakte haar zin niet af.

'Ik begrijp het,' zei Frank, en hij klopte zachtjes op haar hand.

'Shaun kwam Katie om acht uur halen,' zei Martha. 'Ze heeft niet eens haar hoofd naar binnen gestoken om me gedag te zeggen, is meteen met hem de deur uit gerend.' Ze dacht daar even over na. 'Ik heb niet eens afscheid van haar kunnen nemen,' huilde ze.

'We weten niet of haar iets is overkomen,' zei Joe, die bij de open haard stond. 'Als we afscheid van onze kinderen moeten nemen elke keer als ze de deur uit gaan, zijn we de hele dag bezig.'

Martha glimlachte en veegde haar neus af met een roze papieren zakdoekje. 'Shaun zei dat ze naar de haven waren geweest en dat ze om de een of andere reden alleen naar huis wilde lopen, en dat hij haar toen heeft laten gaan.' Ze keek Anna en Joe aan. 'Ze zou voor twaalf uur thuis zijn.'

'Waar is Shaun eigenlijk?' vroeg Frank.

'Hij wilde thuisblijven,' zei Joe. 'Bij de vaste telefoon. Voor het geval ze hem daar belt, omdat zijn mobiele telefoon zo'n slecht bereik heeft.'

Shaun keek naar de muur van zijn slaapkamer. Zijn hart bonsde. Hij ijsbeerde door de kamer, ging op verschillende plekken staan om een beter signaal op zijn gsm te krijgen, maar wist dat het niet zou werken. Hij gebruikte de draadloze huistelefoon om zijn voicemail te bellen. Er waren geen nieuwe berichten. Hij belde naar zijn privé-toestel in de slaapkamer. Het ging over. Hij probeerde het antwoordapparaat. Geen berichten. Hij pakte het op, drukte op knoppen, spoelde het bandje terug en zette het weer neer. Nog steeds geen berichten.

Er werd op de deur geklopt. Martha keek iedereen aan. Ze stonden allemaal tegelijk op, maar lieten haar opendoen. Ze hoorden zacht gepraat in de hal. Ritchie Bates, in zijn smetteloze donkerblauwe uniform, moest zijn hoofd buigen om onder de deurpost door te kunnen, en hij knikte toen hij Joe en Anna zag. Hij was bleek maar wakker. Zijn haar was nog nat van de douche. Hij wendde zich tot Frank.

'Hoe is het, Frank?' zei hij ernstige, en hij knikte weer.

Martha kwam achter hem de kamer binnen, met een teleurgestelde en vermoeide uitdrukking op haar gezicht.

'Wil je een kopje thee, Ritchie?' vroeg ze.

'Ik schenk het zelf wel in,' zei hij.

'Nee, dat doe je niet,' zei Martha. 'Ga daar maar zitten.'

Ze kwam binnen met een bordje biscuitjes en thee in een porseleinen kopje dat bijna geheel verdween in zijn grote handen.

'Bedankt,' zei hij.

Na een lange stilte nam Frank het woord.

'Sorry dat ik het moet vragen, maar was er iets aan de hand met Katie?' Hij haalde zijn notitieboekje te voorschijn. De gedachte dat Frank Deegan formeel als politieman op haar bank zat, maakte Martha aan het huilen.

'Hoe bedoel je?' vroeg ze.

'Hadden jullie ruzie gehad of was er iets anders gebeurd?'

'Nee, nee, alles ging prima,' zei ze defensief.

'Had ze misschien op school met iemand ruzie gehad?'

'Als dat zo was, zou ze dat toch niet aan mij vertellen.'

'Je weet hoe het gaat met tienermeisjes, dat ze soms jaloers op elkaar zijn, of dat ze –'

'Nee. Ik weet dat er op school best weleens haat en nijd is, maar daar deed Katie nooit aan mee.'

Frank zocht naar vragen die Martha in dit vroege stadium niet te zeer van streek zouden maken, maar die haar wel de overtuiging zouden geven dat ze serieus werd genomen.

'Ik probeer na te gaan,' zei Martha, 'of ik misschien iets heb gezegd of gedaan wat haar van streek heeft gemaakt.'

'Vertel eens wat ze gisteren de hele dag heeft gedaan.'

'Ze is naar school geweest en daarna meteen naar huis gekomen. Ze had geen huiswerk en is weer weggegaan, naar Shaun, nog in haar schooluniform. Ze is alleen thuisgekomen voor het avondeten en na het eten naar boven gegaan om te douchen. Ze is een flinke tijd bezig geweest om zich op te doffen. Ze had veel make-up opgedaan, wat ze normaliter niet doet. Ik geloof dat ik tegen haar heb gezegd dat het best wel wat minder kon. Misschien heeft dat haar geïrriteerd.' Ze keek Frank aan.

'Daar zou ik me geen zorgen om maken,' zei hij.

'Ik ben toen naar de keuken gegaan en ik neem aan dat ze een jack van de kapstok in de hal heeft gepakt, want ze riep alleen "Tot straks" en is toen met Shaun meegegaan. Ik ben haar achternagelopen, maar ze was al weg.' Er kwamen weer tranen in haar ogen. 'Ik weet niet waarom ik dat zonodig moest zeggen, over die make-up. Ze zag er beeldschoon uit.'

Ritchie Bates had gedurende het hele gesprek gezwegen maar elke keer als Martha iets zei, had hij notities gemaakt. Hij hield de pen zo verkrampt vast, dat Frank zich afvroeg wanneer hij zou breken.

'Misschien had ze een hekel aan me en wist ik dat niet,' zei Martha. Iedereen keek haar aan.

'Nee,' zei Anna, die snel naar Martha toe liep en haar hand op haar arm legde. 'Ze was gek op je. Dat weten we allemaal. Ze is gewoon te laat thuis.'

Frank bleef vragen stellen totdat hij vond dat hij voldoende informatie had. Maar dat betekende niet dat hij enig idee had waar Katie Lawson uithing.

Het huis aan het eind van het met mos begroeide laantje stond acht kilometer buiten Mountcannon en stond al vijftien jaar leeg. De houten planken voor de kapotte ramen moesten het beschermen tegen mensen die minder vastberaden waren dan Duke Rawlins. Hij had ze van de half verrotte kozijnen getrokken en binnen een paar minuten stond hij in de donkere, kleine keuken. Hij snoof de bedompte lucht op, ging aan de slag met de verroeste grendel van de achterdeur en even later zette hij de deur open om wat frisse lucht binnen te laten.

Hij liep het huis door en liet het licht van zijn zaklantaarn gaan over de mahoniehouten meubels, de gescheurde vitrage en de religieuze prenten aan de muren met het bloemetjesbehang. De slaapkamers waren klein en hadden kleine ramen die nauwelijks licht binnenlieten. Op een kast lag een omgevallen lijstje met een foto erin. Door het midden van de foto, waar de zon door een kier in de planken voor de ramen had geschenen, liep een lichte streep.

Duke pakte het fotolijstje, trok de foto eruit en liet die naar de grond dwarrelen. Uit de achterzak van zijn broek haalde hij een eigen foto, die hij in het lijstje schoof. Op de foto stond oom Bill in een verschoten spijkerhemd maat XL, een spijkerbroek en met zijn arm gestrekt. Op de achtergrond de ondergaande zon die een oranje gloed over Bills bruine haar en volle baard legde. De duim van zijn linkerhand zat achter zijn broekriem, waar zijn dikke buik overheen puilde. Hij had een brede glimlach op zijn gezicht. Solomon zat op de vogelstok naast hem, op één poot. Sheba zeilde door de lucht, naar de leren handschoen om Bills rechterhand, om haar beloning in ontvangst te nemen.

'Solomon was koninklijk,' zei Duke terwijl hij de foto tegen zijn borst drukte. 'Echt waar.' Hij strekte zijn beide armen opzij en staarde in het duister. 'Maar Sheba, jij bent het mooiste levende wezen dat ik ooit heb gezien.'

Anna schoof borden, flessen, bestek en mokken opzij om een kan esdoornsiroop op de ontbijttafel te kunnen zetten. Joe keek naar de wafels, de glazen sinaasappelsap, de croissants, de bacon, de eieren, de worstjes, de koffie en de thee. 'Op rekening van wiens kamer zetten we dit?' vroeg hij. Anna lachte, keek naar Shaun en zocht naar een reactie op zijn gezicht. Die was er niet. Er vielen tranen op zijn lege bord.

'Moet ik aan tafel blijven?' vroeg hij. 'Ik voel me niet goed.'

'Nee, nee, ga maar,' zei Anna. Ze pakte zijn kin vast, deed zijn hoofd omhoog en keek hem aan. Shaun wendde zijn blik af en ging van tafel.

Frank stond in de deuropening, keek naar Nora en glimlachte. Ze liet hem nooit in de steek. Hij wist dat ze was opgestaan zodra hij was vertrokken. Ze had iets, zeker als ze die blauwsatijnen kamerjas aanhad, wat hem elke keer weer in zijn hart raakte. Ze had hem niet horen binnenkomen. Ze zat in de hoek van de bank, met haar benen gestrekt en haar voeten op de salontafel. Met haar ene hand bladerde ze in een boek dat haar moest leren meer orde te scheppen in haar leven. Haar andere hand tastte naar haar koffiemok. Ze miste het oortje maar kon de mok nog vastpakken voordat die van de rand tuimelde. Frank lachte. Ze schrok.

'Wat ben je toch een enge man,' zei ze met een glimlach. Ze zette de mok neer en draaide zich naar hem om.

'En?' vroeg ze terwijl ze het boek dichtdeed.

'Ze is nog steeds spoorloos.'

'Echt?'

Frank knikte.

‘Hoe was Martha eraan toe?’

‘Ze is erg overstuur. God sta haar bij, want ze begrijpt er helemaal niets van. Ik heb haar een paar vragen gesteld, maar die maakten haar zo aan het schrikken, dat ik maar niet ben doorgegaan. En ik was aan de serieuze vragen nog niet eens toe gekomen.’

‘Ach, het is extra moeilijk voor iemand als Martha. Ze komt uit een andere eeuw.’

‘Misschien heeft Katie er genoeg van gekregen dat Martha altijd zo streng was en is ze weggelopen om haar iets duidelijk te maken.’

‘Dat kan. En wie weet? Martha is nooit echt over Matts dood heengekomen en het kan zijn dat Katie zich schuldig voelde omdat zij probeerde door te gaan met haar leven.’

‘Dat zou kunnen.’

‘Of dat de atmosfeer in huis het arme meisje verstikte.’

‘Mogelijk,’ zei Frank.

Ze keken elkaar aan. Ze wisten dat ze nu al erg somber klonken.

‘Hoe dan ook, we zullen het snel genoeg weten,’ zei Nora. ‘Nette meisjes als Katie houden het niet lang uit weg van huis. Waarschijnlijk is ze voor de lunch terug.’

‘Ik schaam me er een beetje voor, maar ik heb de ziekenhuizen en een paar andere politiebureaus gebeld. Maar niemand wist iets.’

‘Ik weet niet of dat een goed of een slecht teken is,’ zei Nora.

‘Hm.’

‘En Shaun?’

‘Ik weet niet wat ik van Shaun moet denken,’ zei Frank. ‘Hij was met haar uit, maar hij heeft haar niet thuisgebracht. Hij brengt haar altijd thuis. Dan zien we ze lopen, met dat grappige loopje terwijl ze elkaar stevig vasthouden.’

‘Ja, ik weet het,’ zei Nora.

‘En hij is niet met Joe en Anna meegekomen naar Martha.’

‘Waarom niet?’

‘Hij wilde thuis bij de telefoon blijven voor het geval ze zou bellen, zei Joe.’

‘Dat is een beetje vreemd,’ zei Nora. ‘Je zou denken dat hij op zo’n moment juist onder de mensen zou willen zijn. En als Katie hem niet kan bereiken, dan zou ze haar moeder toch bellen om haar te laten weten dat alles in orde was?’

‘Ik heb hem gesproken nadat ik bij Martha was geweest,’ zei Frank. ‘Die arme jongen is helemaal de kluts kwijt.’

Nora bestudeerde Franks gezicht.

‘Je maakt je zorgen.’

‘Ja, ik maak me zorgen.’ Zijn ogen stonden vermoeid en bedroefd.

Nora wilde hem nog iets vragen, maar hij stak zijn vinger op.
'Ik kan het niet van me afzetten,' zei hij. 'Ik moet met Katies vriendinnen gaan praten, en daarna kan ik in de haven, op het strand en aan de rand van het dorp rondkijken. Als ze dan nog niet terug is, moet ik het aan Waterford melden, om haar officieel als vermist op te geven.'

Shaun liep ruim anderhalve kilometer langs Shore's Rock, via de mooie route vanaf het dorp. Hij klom over het ijzeren hek van Millers boomgaard en volgde het pad. John Miller was in de hoek van de boomgaard, waar hij bladeren op een rokende hoop schepte, ver weg genoeg om niet te zien dat Shaun langs de muur naar de andere kant rende en achter een oude appelboom op de grond ging zitten. Shaun deed zijn ogen dicht en zat nog steeds tegen de boomstam geleund, toen hij tien minuten later opschrok van het geluid van voetstappen.
'Hoi,' zei Ali.
'Hoi. Nog nieuws?'
Ze kwam naast hem zitten en haalde een leeg frisdrankblikje uit haar zak. Het was ingedeukt, de bodem was naar voren geklapt en er waren negen gaatjes in geprikt. Ze haalde een plastic zakje met weed te voorschijn.
Ze keek op naar Shaun. 'Waar denk jij dat ze naartoe is?'
Ze strooide een beetje weed op het blikje en hield de opening tegen haar mond. Ze hield haar aansteker bij de weed en inhaleerde diep. Ze hield Shaun het blikje voor, maar die schudde zijn hoofd.
'Ik weet het niet,' zei hij. 'Ik heb de hele ochtend al overal rondgelopen...'
'Ik ben in het dorp in de winkels gaan kijken, wat natuurlijk nergens op slaat.'
'Het is gewoon niks voor haar om –'
'Ik weet het.'
'Dit was mijn laatste hoop.'
'De mijne ook.'

Frank en Nora keken elkaar aan toen de telefoon begon te rinkelen. Frank zat aan de keukentafel en probeerde een boterham te eten. Hij stak zijn hand uit om de hoorn van Nora aan te pakken.
'Het is Martha,' zei Nora. 'Ze is nog steeds niet terug.'
'Oké,' zei Frank tegen Martha, en hij keek op zijn horloge. Het was twaalf uur. 'Ik zal nu Waterford moeten bellen, er zit niets anders op.' Waterford was het districtsbureau waaronder Mountcannon viel.
Martha hapte naar adem aan de andere kant van de lijn. Toen ze iets zei, kon Frank haar maar amper verstaan.

'Oké, bedankt.'

'Wat inhoudt dat er later vandaag een inspecteur bij je zal langskomen. Is er iemand bij je, Martha?'

'Ja, mijn zus, Jean.'

'Goed. Ik zal je op de hoogte houden.' Hij beëindigde het gesprek en draaide het nummer van Waterford. Het verbaasde hem dat hij zijn hart voelde bonzen. Hij ging in situaties en met personen nooit uit van het ergste, maar hij werd nu beheerst door een angst waarvan hij zichzelf probeerde wijs te maken dat die onterecht was.

Joe boog zich voorover en keek naar de vier lapjes biefstuk onder de grill. De boter begon nog maar net te smelten en de Worcestershire-saus borrelde nog niet.

'Kom weg bij die grill,' zei Anna.

'Kom op, biefstuk op brood. Daar heb je nog nooit nee tegen gezegd.'

'Het enige probleem is dat je weet dat niemand ervan gaat eten. En het laatste waar jij behoefte aan hebt, is iets om op te kauwen.'

Ze klopte zachtjes op haar wang. Joe keek weer onder de grill. Anna slaakte een zucht.

'Ik hoop dat ik het mis heb,' zei Joe, 'maar ik heb het gevoel dat Shaun iets voor ons achterhoudt.'

'Wat dan? Maar hij zal het toch wel tegen Frank hebben gezegd?'

Joe ging rechtop staan, zette de grill uit en liet de biefstukjes in de vuilnisbak glijden.

'Daar ben ik niet zo zeker van,' zei hij. 'Volgens mij is het iets wat hij liever aan niemand vertelt. Niemand heeft hem nog echt onder druk gezet maar... Ik weet het niet... Het lijkt wel of hij ergens bang voor is.'

'Hij maakt zich natuurlijk zorgen. Misschien hebben we hem overvallen toen we thuiskwamen en Frank hadden meegebracht. Hij had waarschijnlijk niet verwacht dat Martha zo snel de politie zou bellen.'

'Dat kan.'

Anna stond op. 'Ik zal een milkshake voor je maken. Die kun je met een rietje opdrinken. En dat is beter voor je dan dat LV8 energiespul, dat stijf staat van de cafeïne.'

'Je spreekt het uit als "Elevate".'

'Dat kan me niet schelen,' zei ze. 'Het enige wat ik weet is dat drankjes met felle kleuren nooit goed voor je kunnen zijn.'

Joe rolde met zijn ogen. Anna ging naar de koelkast en haalde de ingrediënten eruit. Ze nam de mixer van de muur en deed stukjes banaan, twee scheppen ijs, twee theelepels pindakaas en een lepel honing in een maatbeker, vulde die bij met melk en liet hem draaien totdat de milkshake klaar was. Ze schonk hem in een glas, stak er een rietje in en gaf hem aan Joe.

Het politiebureau van Mountcannon was klein en netjes, met grijze vloeren, crèmekleurige wanden en prikborden met posters die voor van alles waarschuwden, van drinken en autorijden tot en met het gebruik van gereedschappen in de buurt van elektriciteitsleidingen. Een cel was er niet, alleen een kantoor, dat van Frank Deegan, een keukentje en een wc. Frank leunde achterover in zijn stoel en zijn lichtblauwe overhemd trok in de oksels. Inspecteur Myles O'Connor was overgekomen uit Waterford, vijfentwintig kilometer verderop, en zat nu op de hoek van Franks bureau, waar hij met een stift gegevens in een slanke, zilverkleurige palmtopcomputer toetste. Hij was de eerste persoon die Frank ooit was tegengekomen die met zo'n ding kon omgaan.

Iedere politieman had van O'Connor gehoord; met zijn zesendertig jaar was hij de jongste politie-inspecteur van Waterford en van heel Ierland. Frank kon niet zeggen waarom, maar O'Connor zag er niet uit als een politieman.

'Ben je op vakantie geweest?' vroeg Frank, die zag dat O'Connors gezicht een licht gebruinde tint had.

'Ja,' zei O'Connor zonder op te kijken. 'Hoe heette de vriend van het meisje ook alweer?'

'Shaun Lucchesi. Waar ben je naartoe geweest?'

'Portugal. En zei je dat ze die avond naar een nachtclub was geweest?'

'Nee,' zei Frank. 'Ze was met haar vriendje in de haven geweest.'

Frank zag dat O'Connors ogen bloeddoorlopen waren. Om de zoveel tijd bracht hij zijn hand naar zijn gezicht alsof hij erin wilde wrijven, maar hij bedacht zich dan en liet zijn hand weer zakken. Frank vroeg zich af of het door het turen naar het kleine beeldschermpje kwam. Of misschien was de man gewoon moe, hoewel hij geen andere tekenen van vermoeidheid vertoonde.

'Goed, vertel me de rest van het verhaal,' zei O'Connor.

Frank nam alle details met hem door. O'Connor luisterde en na afloop toetste hij nog een paar aantekeningen in zijn palmtop.

Ritchie kwam binnen en verbrak de stilte.

'Je kent inspecteur O'Connor?' zei Frank. 'Vanaf nu zal Waterford Katies verdwijning afhandelen. Hoofdinspecteur Brady is ook onderweg hiernaartoe.'

Ritchie wierp O'Connor een brede glimlach toe, schudde hem de hand en bleef voor hem staan om van het vijftien centimeter lengteverschil te genieten.

Maar O'Connor was zelfverzekerd genoeg en liet zich niet imponeren.

'Hallo, Ritchie, leuk je te ontmoeten.' Hij glimlachte en bleef Ritchie aankijken totdat die zijn blik afwendde.

'Oké, wat is jullie mening over deze toestand?' vroeg hoofdinspecteur Brady zodra hij binnen was. Hij was bovenop helemaal kaal, had een smalle band wit haar langs de onderkant van zijn schedel en een volle witte snor.

Frank opende zijn mond om antwoord te geven.

'Ach, ik zou het nog even laten rusten,' zei O'Connor. 'Ze komt wel boven water. Het was vrijdagavond en ze is jong...'

'Frank?' zei Brady. 'Jij kent het meisje en de ouders...'

'Ze was op weg naar huis,' zei Frank. 'Het is gewoon niks voor haar om...'

'We komen allemaal weleens te laat thuis,' zei Ritchie.

'Je hebt gehoord wat Martha vanochtend heeft gezegd,' zei Frank geïrriteerd.

Hij wendde zich weer tot Brady. 'Het zit me niet lekker,' zei hij. 'Ik geloof geen seconde dat Katie Lawson van huis weggelopen zou zijn. En ja, ik ken het gezin al jaren. Ik vind dat we dit niet mogen negeren.'

O'Connor zuchtte. 'Bovendien heeft ze geen geld, geen paspoort...'

'Ik neem dit heel serieus,' zei Frank, en hij knikte.

'Oké,' zei Brady. 'We laten morgenochtend een zoekteam komen, als ze in de tussentijd nog niet teruggekomen is.'

'Wil jij als contactpersoon voor het gezin optreden, Frank?'

'Ik zou zeggen dat Ritchie daar de juiste man voor is.' Frank meende dat Ritchie iets kon leren van het omgaan met een delicate situatie als deze.

Hoofdinspecteur Brady knikte naar de andere mannen.

'Ik laat het aan jullie over,' zei hij. 'We hoeven niet met z'n allen bij de moeder op de stoep te staan en haar de stuipen op het lijf te jagen. Ik zie jullie morgenochtend.'

'Oké,' zei O'Connor, en hij wendde zich tot Frank. 'Ik neem aan dat ik morgen met mevrouw Lawson kan gaan praten?'

'Ze zal het niet leuk vinden als ze alles steeds weer opnieuw moet vertellen,' zei Ritchie.

'Nou,' zei O'Connor, 'als hoofdinspecteur Brady en ik de zaak overnemen, zal er niets anders op zitten. Je weet nooit wat jullie de eerste keer over het hoofd hebben gezien.'

'Wat een eikel,' zei Ritchie toen ze waren vertrokken.

'Nou, je kunt maar beter aan hem wennen,' zei Frank, 'want je zult vanaf nu vaker met hem te maken krijgen.'

'"Je weet nooit wat jullie de eerste keer over het hoofd hebben gezien." Wat een gelul.'

Frank nam niet de moeite om te reageren. In Ritchies wereld was altijd alles gelul.

Joe zat aan tafel en dacht na over wat Shaun zou kunnen verzwijgen. Zijn eerste gok was drank en drugs, maar hij geloofde dat niet echt. Hij wist dat Shaun thuis in Amerika weleens een stickie had gerookt, maar volgens Joe deed hij dat niet meer. En het ergste wat hij kon bedenken was dat Shaun één of twee biertjes dronk als hij uitging. Maar dat deden alle tieners.

En Katie... Die dronk niet en rookte ook niet. Ze was veel onschuldiger dan de meisjes met wie Shaun in New York was omgegaan. Die hadden een roofdierenblik die niet alleen tot Shaun beperkt bleef. Katie had ook een fonkeling in haar ogen, maar die had meer met intelligentie en scherpzinnigheid dan met ondeugendheid te maken. Beschermde Shaun haar ergens tegen? Was er iets gebeurd waardoor ze haar thuis wilde vermijden? Was haar afwezigheid een statement? Was ze in verwachting? Joe wilde er niet meer over nadenken. Een onaangenaam gevoel – bijna zo tastbaar als de doffe pijn in zijn kaken – rommelde binnen in hem.

O'Connor zat in Martha Lawsons keuken en de rechte leuning van de keukenstoel deed zeer aan zijn ruggengraat. De radiator achter hem stond in de hoogste stand. Hij boog zich naar voren. Hij had zijn jasje al uitgetrokken en over de leuning van de stoel naast de zijne gehangen. Hij was begonnen met dezelfde voorzichtige vragen die Frank haar al had gesteld, maar meteen daarna had hij er een schepje bovenop gedaan.

'Had Katie last van depressies?' vroeg hij. De vraag bleef enige tijd in de lucht hangen.

'Ze was pas zestien!' zei Martha. 'Natuurlijk had ze geen last van depressies!'

Frank en O'Connor keken elkaar even aan. Ze waren in de afgelopen vijf maanden op vier plaatsen delict van zelfmoorden geweest, alle vier door tieners.

'Depressies kunnen op jongere leeftijd dan zestien jaar beginnen,' zei Frank vriendelijk. 'Het kan zelfs zo zijn dat je niet eens in de gaten hebt dat het om een depressie gaat.'

'Sliep ze veel?' vroeg O'Connor. 'Was ze emotioneel? Snel geïrriteerd?'

'Is elke tiener dat niet?' vroeg Martha.

'Had u de indruk dat ze zich neerslachtig en hopeloos voelde?' vroeg O'Connor. 'Of kan het zijn dat ze zich ergens zorgen om maakte?'

'Ik weet het niet,' mompelde Martha. 'Ik geloof niet dat ze me dat verteld zou hebben.' Ze boog haar hoofd en liet haar tranen lopen.

Frank keek naar de familiefoto's op de kast. Op de grootste foto stond Katie in haar witte communiejurk, met een gebedenboekje in haar handen geklemd, een wit satijnen tasje aan haar arm en haar beide ouders met trotse gezichten achter haar. Op een andere foto had ze een roze joggingbroek, een wit topje en grote witte sportschoenen aan en zat ze lachend naast haar vader op een bank.

'Denk je dat Matts dood haar hard heeft geraakt?' vroeg Frank.

Martha volgde zijn blik. 'Ze was er kapot van. Ze aanbad hem. Maar ze was jong toen het gebeurde. Ze zal hem altijd blijven missen, dat weet ik, maar ik kan moeilijk geloven dat juist dát haar op deze leeftijd problemen zou opleveren.'

Toen ze zich had omgedraaid, leunde O'Connor langzaam achteruit en draaide hij de knop van de radiator halfdicht. Hij had een rood gezicht, zijn ogen hadden een matte glans en hij moest er steeds mee knipperen.

'Drinkt ze of is er een kans dat ze iets met drugs te maken zou kunnen hebben?' vroeg hij.

Martha draaide zich om en keek hem verbaasd aan. Daarna keek ze Frank aan alsof ze steun zocht. Franks blik was verontschuldigend.

'Nee,' zei Martha vol overtuiging. 'Nee, dat doet ze niet. Dat mag ze niet. Er is geen drank in dit huis. En waar moet een meisje als Katie in hemelsnaam aan drugs komen?'

Haar reactie stelde Frank teleur. Geloofde Martha nu echt dat Katie alleen in hun eigen huis aan drank kon komen? Of dat het voor een tiener zo vreselijk moeilijk was om aan drugs te komen?

'Eerlijk gezegd begin ik nogal nerveus te worden van al deze vragen,' zei ze.

'Maak u geen zorgen,' zei O'Connor. 'Om in een situatie als deze ons werk naar behoren te kunnen doen, moeten we dit soort vragen stellen. We vellen geen oordeel over u of over Katie of over wie ook. Ik ken Katie niet, dus probeer ik me een beeld van haar te vormen. Dat is alles. Dan kunnen we op de juiste plaats naar haar op zoek gaan.' Frank knikte.

'Goed dan,' zei Martha.

'Is er nog iets anders wat we van haar moeten weten, dat ons misschien verder kan helpen?'

'Dat ze een geweldig meisje is.' Martha begon weer te huilen.

Joe schrok wakker op de bank en keek om zich heen in de lege woonkamer. Toen keek hij op zijn horloge. Het was vijf voor vier. Hij rende naar de keuken, pakte een banaan, twee Fuel It energietabletten en paars flesje LV8. Hij pelde de banaan op het stuur terwijl hij naar het dorp reed, maar zodra hij zijn mond opendeed, hoorde hij iets kraken. Dus nam hij in plaats daarvan de Fuel It tabletten, spoelde ze weg met een slok LV8 en wachtte totdat hij de vertrouwde kick voelde. Toen hij bij de school stopte, was het flink druk op de speelplaats. Hij zag Shaun alleen bij de muur staan en liep in looppas naar hem toe.

'Dus je bent toch nog gekomen,' zei Shaun.

'Sorry. Ik was op de bank in slaap gevallen.'

'Dus je hebt er helemaal niet aan gedacht.'

'Jawel. Shaun, het spijt me. Maar je moet ophouden me er elke keer mee om de oren te slaan.' Hij wreef over zijn wangen. 'Sorry, ik heb te veel pijn om nu te praten.'

'Dat zal best,' zei Shaun.

Joe wilde iets zeggen toen iemand twee keer in de handen klapte en iedereen stil werd.

'We zijn hier vandaag tezamen voor Martha Lawson,' zei Frank, 'en ze wil jullie bedanken voor jullie hulp. Misschien hebben jullie zoekacties als deze weleens in het nieuws op tv gezien. Iedereen beweegt zich naast elkaar in een rechte lijn over een aangewezen gebied. In deze rij bevinden zich ook mensen van de politie, die allemaal een nummer hebben om gemakkelijk herkend te kunnen worden. Zoals de meesten van jullie weten, is Katie een meter vijfenzestig lang, slank en heeft ze donker haar tot op haar schouders. We zullen een foto door de groep laten circuleren. Toen ze het laatst werd gezien, was ze gekleed in een wijde spijkerbroek van het merk Minx, een paar roze sportschoenen, een roze sweatshirt met capuchon en het woord CUTIE op de voorkant, en een wit T-shirt. Het kan zijn dat ze een lichtblauwe nylon portemonnee en een zilverkleurige mobiele telefoon bij zich had. Als jullie tijdens het zoeken denken een van deze voorwerpen te zien, blijf dan staan en doe niets. Licht de politieambtenaar in die het dichtst bij je staat. Die zal zijn nummer roepen en op zijn fluit blazen, waarna hij de vondst zal gaan halen. Wanneer je dat hoort, blijf je onmiddellijk staan, zelfs als je zelf iets hebt gevonden. Je blijft staan totdat je het commando "doorgaan" hoort. Probeer praten met de anderen tot een minimum te beperken, maar als je iets moet zeggen, doe dat dan zacht. Ik hoef jullie niet te vertellen dat je tijdens het zoeken geen spullen op de grond gooit. Dus hou wikkels van snoepjes, sigarettenpeuken en andere rommel in je zak totdat je een afvalbak tegenkomt. Bedankt voor de aandacht.'

Met een smekende blik in zijn ogen liep Shaun naar Frank. Die schudde zijn hoofd en legde zijn hand op Shauns schouder.

'Dat lijkt me geen goed idee,' zei hij. 'Je kunt beter naar huis gaan, voor het geval ze belt. Ik weet zeker dat jij de eerste bent die ze zal bellen.'

'Ik heb mijn mobiele telefoon bij me,' zei Shaun.

'Daar zul je niet veel aan hebben als we eenmaal het dorp uit zijn,' zei Frank.

'Ga naar huis, zoon,' zei Joe, die naast hem was komen staan.

'Ik begrijp niet waar jullie je zo druk over maken,' zei Shaun verontwaardigd. 'Wat denken jullie eigenlijk te vinden?'

'Waarschijnlijk helemaal niets,' zei Frank.

'Maar het is gewoon beter dat jij daar niet bij bent,' zei Joe. Shaun liep weg. Frank draaide zich om om met inspecteur O'Connor te praten.

Joe maakte van de gelegenheid gebruik om in zijn zakken naar pijnstillers te zoeken. Hij had niets bij zich. Hij overwoog zijn opties. Hij kon niet weggaan en al deze mensen in de steek laten. Er kneep iemand in zijn arm. Het was een oudere vrouw die buiten het dorp woonde en die hij vaag herkende. Joe wachtte op haar vraag, met meer geduld dan voor hem gebruikelijk was. Toen ze hier pas waren komen wonen, had haar bemoeizucht hem verbaasd.

'Hoe gaat het met de jongen?' vroeg de vrouw, met een hoofdknikje naar de weglopende Shaun. Haar gezichtsuitdrukking was eerder verwijtend dan bezorgd, maar Joe vermoedde dat het gezicht al jaren zo stond. Het enige wat hij kon opbrengen was knikken om haar te laten weten dat Shaun zich wel redde. Maar de vrouw bleef wachten totdat hij iets zou zeggen.

'Is er al iets bekend over het meisje?' vroeg ze.

Joe schudde zijn hoofd en mompelde: 'Hm-mm', zijn gebruikelijke antwoord wanneer hij pijn had.

De vrouw liet een verwijtend *tut-tut-tut* horen. Joe had het allemaal al vaker meegemaakt.

'Ik heb tot St. Jude gebeden,' zei ze, en ze liep weg. Geïrriteerd keek Joe haar na. Hij wist dat St. Jude de beschermheilige van hopeloze gevallen was.

Hij draaide zich om naar Frank, die zonder hem aan te kijken zijn hand in zijn zak stak en hem een paar ibuprofens gaf. Joe spoelde ze weg met een paar slokken van zijn paarse cafeïnedrankje.

Frank wendde zich tot de groep, waar Joe zich ook bij had gevoegd. 'Oké, we beginnen met het centrale deel van het dorp, van Seascapes, langs de winkels, tot aan de haven en dan weer terug naar Shore's Rock.'

Ongeveer veertig mensen liepen langzaam in een rechte rij naar de vakantiehuizen. In de middagzon wierpen de dicht opeen staande bomen donkere schaduwen op de toegangsweg. Joe liep aan het eind van de rij en struikelde bijna over een jongetje dat achter een plataan gehurkt zat. Zijn ogen werden groot van schrik toen hij Joe zag.

'Ik verstop me,' fluisterde het jongetje. Hij bracht zijn wijsvinger naar zijn lippen en wees vervolgens naar zijn ouders, die voor een van de vakantiehuizen bezig waren hun bagage in een stationcar te laden.

'O,' zei Joe. 'Maar daar zullen je vader en moeder misschien heel erg van schrikken. Ik weet zeker dat ze heel bedroefd zullen zijn als ze je niet kunnen vinden.' Hij keek langs de bomen en zag dat er in de achterkamer van het laatste huis licht brandde, die aparte gloed van een gloeilamp bij daglicht. Er stond geen auto op de oprit.

'Ik wil niet naar huis,' zei het jongetje bedroefd.

'Wat sneu voor je,' zei Joe. 'Ik ga je vader en moeder gedag zeggen. Heb je zin om mee te gaan?'

Heftig schudde het jongetje zijn hoofd. Joe zei tegen de man naast hem in de rij dat hij even iets moest nagaan.

Hij liep naar het echtpaar toe. 'Niet meteen kijken, maar jullie zoon zit tussen de bomen recht achter me. Ik heb hem gezworen dat ik niets zou zeggen.'

De man en de vrouw keken elkaar aan en rolden met hun ogen. 'We vermoorden hem.'

'Zijn jullie hier het hele weekend geweest?' vroeg Joe.

'Ja,' zei de vrouw, 'maar voor Owen is dat blijkbaar nog niet lang genoeg.'

'Hebben jullie misschien iemand in het laatste huis gezien?' vroeg Joe, en hij wees.

'Nee,' zei de man. 'En je ziet hier de auto's komen en gaan, omdat het zo stil is.'

'Of je ziet de koplampen,' voegde de vrouw eraan toe. 'We zijn alle avonden binnen gebleven. Vanwege hem.' Ze knikte naar hun zoon.

'Oké,' zei Joe. 'Ik vroeg het me alleen maar af. Goeie reis. Ik hoop dat jullie hem in de auto kunnen krijgen.'

Joe voegde zich weer in de rij om door het dorp naar Shore's Rock te lopen. Nu en dan werd er op een fluit geblazen en bleef iedereen staan terwijl een politieman ging kijken wat er was gevonden. Daarna liepen ze weer in stilte door, totdat ze bij het hekje van de vuurtoren waren gekomen.

'Het begint donker te worden,' zei Frank. 'En in het bos is het sowieso al donker, dus de rest doen we morgen. Jullie allemaal bedankt voor de hulp.'

Ritchies groep was eerder klaar geweest en hij was al op het bureau toen Frank binnenkwam.

'Hebben jullie iets gevonden?' vroeg Ritchie.

'Niks,' zei Frank. 'In ieder geval niks waar we iets aan hebben. Jullie wel?'

'Nee,' zei Ritchie. 'Terwijl elk snippertje papier en andere rommel me is aangewezen. Wikkels van snoepjes die ik niet meer heb gezien sinds ik een klein jongetje was. Kitty Tynan had een gebruikt condoom aan het uiteinde van een stok geprikt en heen en weer gezwaaid voor mijn gezicht. Hoe ver zijn jullie gekomen?'

'We zijn gestopt bij de vuurtoren.'

'Ik kan een groep organiseren om morgenochtend of later het bos te doen.'

'Neem het op met O'Connor, maar mij lijkt het een goed idee.'

Frank schudde zijn hoofd. 'Die arme Katie. Waarschijnlijk is ze vanavond terug en schaamt ze zich dood als ze hoort dat het hele dorp naar haar heeft gezocht.'

Shaun lag op de bank voor de tv, met de afstandsbediening in zijn hand en alsmaar langs de kanalen zappend.

'Heb je dit weekend gewerkt?' vroeg Joe.

'Nee, donderdagavond voor het laatst. Hoezo?'

'Waren er huizen geboekt?'

'Maar drie, voor het weekend.'

'Welke waren dat?'

'Waarom vraag je dat?'

'Je hebt een licht laten branden.'

'Wat?' Shauns hart begon te bonzen.

'Het laatste huis. Tenzij het verhuurd was. Maar ik neem aan dat je er alleen naartoe zou gaan om op te ruimen als er mensen zouden komen.'

'Het is niet verhuurd. Maar ik heb het licht niet laten branden.'

'Nou, het brandt, dus iemand moet het gedaan hebben. Is mevrouw Shanley nog steeds weg?'

'Pa, wat kan dat jou schelen?'

'Wil je niet gaan kijken?'

'Ik heb op dit moment andere dingen aan mijn hoofd.'

'Ik wil wel gaan.'

'Nee, ik ga zelf. Het is *míjn* werk. Maar er brandt geen licht.'

'We kunnen er samen naartoe wandelen.'

'Hoor eens, ik ga zelf wel, oké?'

'Ik kom met je mee.'

'Goed dan, maar ik ga eerst even douchen.'

'Oké. Geef maar een gil wanneer je wilt gaan.'

Shaun haastte zich naar zijn slaapkamer, pakte de telefoon en belde Robert.

'Rob, je moet me een grote dienst bewijzen.'

'Geen probleem.'

'Geen vragen stellen, en je mag het aan niemand vertellen.'

'Oké, wat moet ik doen?'

'Kun je hiernaartoe komen en onder mijn raam gaan staan, zodat ik iets naar beneden kan gooien?'

'Ja hoor. Waarom? Heeft het met Katie te maken? Weet jij waar ze is?'

'Nee, dat weet ik niet. Je moet alleen iets voor me regelen. Ik laat de sleutels van Seascapes vallen, jij gaat naar huisje vijftien, aan het eind van de rij, doet het licht uit en brengt de sleutels weer terug.'

'Oké. Waarom?'

'Mevrouw Shanley is er niet. Ik heb donderdagavond het licht laten branden en het kan zijn dat het doorberekend wordt aan de volgende gasten. Ik wil daar met haar geen problemen over. En ik ben veel te gestrest vanwege Katie om het zelf te doen.'

'Dat klinkt redelijk.'

'Maar zorg ervoor dat mijn vader je niet ziet.'

'Wat heeft die ermee te maken?'

'Je weet hoe ouders zijn.'

'Ja. Wanneer moet het gebeuren?'

'Nu meteen.'

Ray belde aan bij het huis en het duurde enige tijd voordat Anna opendeed.

'Ik wil je niet storen, maar het gaat over het lampenhuis, over die roest en zo. Ik weet niet of het gelegen komt om even te kijken...'

'Ik kom er zo aan,' zei ze, en ze liep naar binnen om haar jack te pakken.

Ze stak het gazon over, liep de treden van de vuurtoren op en beklom de trap naar het lampenhuis. De wanden waren helemaal kaal, tot op het ijzer. Delen daarvan waren flink verroest.

'Het ziet er heel anders uit,' zei Anna. 'Zo donker.'

'Ja, dat is waar,' zei Ray. 'Dat spul werkt echt goed. Het heeft alle lagen verf er in één keer af getrokken. We kunnen er nu een verse laag witte verf op zetten om de boel wat op te vrolijken. Maar ik vind wel dat we een paar panelen moeten vervangen. Je ziet hoe verroest sommige zijn. Dus, moet ik doorgaan en ze vervangen?'

'Dat zou geweldig zijn,' zei Anna. 'Hartelijk bedankt. Ik waardeer jullie harde werk heel erg. Zeg dat ook tegen Hugh, alsjeblieft. Het spijt me dat ik te moe ben om enthousiaster te zijn.'

'Vreemd,' zei Joe. 'Ik zou zweren dat ik licht heb zien branden.' Hij stond in de gang van het laatste huis aan de doodlopende weg van Seascapes, bij de trapleuning, en keek naar de lamp op de overloop, waarvan hij zeker wist dat hij die had zien branden.

'Het kan de zon geweest zijn,' zei Shaun. 'Je weet wel, gezichtsbedrog.'

'Nee, daar geloof ik niks van,' zei Joe. 'Ik heb dat licht aan gezien.' Hij liep de trap op en deed het licht aan en uit. 'Weet je zeker dat je hier na donderdag niet meer geweest bent?'

‘Ik ben vrijdag uit geweest, pa, met Katie. En nu is ze spoorloos. Gisteravond ben ik de hele avond thuis geweest en heb ik me zorgen over haar gemaakt. Je hebt me zelf gezien. Dát zijn de dingen die me bezighouden. Niet die rare vragen van jou, die nergens op slaan. Wat kan het ons schelen of hier licht brandde of niet?’ Hij deed de voordeur open. ‘Kom op, pa, dit is achterlijk.’

Petey stond de vloer van de kantine te moppen, altijd zijn eerste klus op de maandagochtend. Opeens stond Frank achter hem.

‘Hallo, Petey. Ik heb een paar vragen voor je als je een minuutje tijd voor me hebt. Ik ben bij iedereen aan het informeren.’

Frank zag angst in Peteys ogen verschijnen toen die zijn naam en gegevens boven aan de vragenlijst op zijn klembord zag staan.

‘Het gaat over Katie Lawson.’

Petey begon te blozen en keek naar de grond. De steel van zijn mop ging van links naar rechts.

‘Ik heb gehoord dat ze vermist wordt,’ zei Petey, en hij schudde zijn hoofd. ‘Ik vind het heel erg.’

‘Ja,’ zei Frank. Hij wachtte enige tijd. ‘Wat weet jij van Katie?’

‘Dat ze uitgaat met Shaun Lucchesi en dat ze hier op school zit.’

‘Ja, nou, de laatste keer dat ze is gezien was op vrijdagavond. Heb jij haar die avond gezien? Of heb je iets anders gezien?’

‘Nee,’ zei Petey, die nog steeds bloosde en naar de grond keek. ‘Ik was thuis. Ik ga bijna nooit uit.’

Frank voelde een zeker medelijden met de jongen.

‘Kijk me aan, Petey,’ zei hij. ‘Was je moeder die avond bij je?’

‘Nee, die was bridgen. Ze kwam heel laat thuis, met haar vriendin, mevrouw Miller. Die is die nacht bij ons blijven slapen.’

‘Wat heb je gedaan terwijl zij uit was?’

‘Naar tv gekeken. Discovery Channel. Een heel goed programma. Over de ramp in de Fastnet Race van 1979. Van 13 tot 15 augustus, windkracht elf...’

‘Petey, vertel me over Katie. Vind je haar aardig?’ Frank moest moeite doen om oogcontact met de jongen te houden.

‘Ja, ze was een aardig meisje. Ik kon goed met haar opschieten.’ Petey wendde zijn blik af en pinkte een traan uit zijn ogen. Frank klopte hem zachtjes op de schouder. Petey schrok.

‘Het is oké,’ zei Frank. ‘Bedankt voor je hulp. Als het nodig is, komen we nog een keer bij je terug.’ Toen hij de hoek om was gelopen, bleef hij staan om onder aan de lijst een aantekening te maken.

Ritchie stond roerloos op het podium, met zijn benen gespreid en zijn armen over elkaar. Hij keek neer op het groepje tieners die de klassenvertegenwoordigers van de school waren. Frank kwam binnen door de zijdeur.

'Goeiemorgen, allemaal,' zei Ritchie. Een van de jongens van het voetbalteam schoot in de lach en begon te hoesten om het te camoufleren. Even kwam er een boze uitdrukking op Ritchies gezicht.

Frank had gehoopt dat Ritchie meer respect zou genieten, omdat hij jonger was en daardoor dichter bij de leerlingen stond. Hij merkte nu dat dat niet zo was. Ritchie was nooit in staat geweest een goede balans te vinden tussen natuurlijke en geforceerde autoriteit.

'Ik ben hier vandaag om met jullie over Katie Lawson te praten,' vervolgde Ritchie. 'Zoals jullie weten zit Katie in de vijfde klas. Ze is afgelopen vrijdagavond verdwenen en sindsdien hebben we niets meer van haar vernomen.'

Er trok een golf van gespannen energie door het groepje. Ze keken om zich heen en zochten naar een reactie van Shaun, maar die had toestemming gekregen om thuis te blijven.

'Dus als iemand van jullie iets weet,' zei Ritchie, 'het maakt niet uit wat en hoe onbelangrijk en irrelevant het misschien ook lijkt, kom dan alsjeblieft met mij of met Frank praten.' Hij knikte naar de muur waar Frank tegenaan leunde. Sommige leerlingen glimlachten naar Frank en een enkeling zwaaide. Ritchie wachtte even en ging toen door. 'Samen met een paar rechercheurs uit Waterford gaan we de komende één of twee dagen de huizen langs, dus jullie kunnen ons dan ook in het dorp vinden. En alles wat jullie ons kunnen vertellen, zal natuurlijk strikt vertrouwelijk blijven. Dank jullie wel.'

Joe stond in Tynan's om *USA Today* te kopen toen er naast hem op de vloer een stapel *Evening Heralds* plofte. Zijn bekendheid met het gezicht onder de kop op de voorpagina bracht hem even in verwarring. NOG GEEN SPOOR VAN VERMISTE TIENER. Hij scheurde de band los en trok een krant uit de stapel. Kitty Tynan wilde er geen geld voor hebben. 'Ze laten er geen gras over groeien, hè?' zei ze. 'Ze hebben zelfs een foto van de zoekactie. Ik heb geen fotograaf gezien.'

'Ja, ik wel,' zei Joe. 'En een journalist die vragen stelde. Ik heb een paar mensen met hem zien praten.'

'Maar niet met de direct betrokkenen,' zei Kitty.

'Nee, dat doen ze nooit,' zei Joe.

Joe liep naar de haven, ging op een bank zitten en las het artikel over de tragische verdwijning van het schoolmeisje Katie Lawson en de bezorgdheid van anonieme buren.

Anna stond in de keuken, bij het aanrecht, met een hoopje gesnipperde uien op een snijplank voor haar neus. Ze was opgehouden met snijden om naar de ondergaande zon te kijken.

Joe kwam binnen met een nors gezicht en zijn hand over zijn mond. Daarna masseerde hij met beide handen zijn voorhoofd.

Anna draaide zich om. 'Niet weer, hè?'

Joe knikte en trok de la met medicijnen open.

'Dat kan niet goed zijn,' zei Anna, wijzend naar de decongestiva. 'Niemand slikt die dingen zo lang.'

Hij haalde zijn schouders op, nam twee pillen plus twee pijnstillers op recept en spoelde ze weg met een glas water. Hij tikte op zijn horloge en wees naar de woonkamer. Hij ging op de bank liggen en wachtte totdat de medicijnen begonnen te werken. De pijn was in het afgelopen jaar erger geworden. In New York was hij naar artsen geweest die respectievelijk voorhoofdsholteontsteking en oorontsteking hadden gediagnosticeerd, plus de standaard stress die altijd werd aangevoerd zodra ze lazen wat hij voor werk deed. Een jonge arts had yoga voorgesteld. Joe zou er hardop om gelachen hebben als zijn kaken niet zoveel pijn hadden gedaan. Hij was tevreden geweest met een recept voor pijnstillers. Anna drong erop aan dat hij naar een specialist in Dublin zou gaan, maar dat had hij nog steeds niet gedaan, en hij gebruikte de periodes tussen de pijnaanvallen om zichzelf wijs te maken dat hem niets mankeerde.

Na een halfuur kwam hij de keuken weer in lopen. 'Dat vergat ik je nog te vragen... Wat is er verdomme met die Miller aan de hand?'

'John Miller?' vroeg Anna terwijl ze de uien in de pan deed.

'Ja, die zuiplap.' Hij bewoog zijn onderkaak naar voren en naar achteren.

'Waarom vraag je dat?' vroeg Anna, en ze ging weer bij het raam staan.

'Hij zei een paar rare dingen tegen me toen ik onlangs in Danaher's was.'

'Zoals?' vroeg ze terwijl ze een rode peper fijn hakte.

'Hij had allerlei commentaar op me en hij zei dingen over jou. Ken je hem?'

'Hij is die John over wie ik je heb verteld,' zei ze geduldig. 'De John met wie ik ben omgegaan toen ik hier voor het eerst was.'

'O,' zei Joe. 'Wat is er toen gebeurd?'

'Ik ben naar New York gegaan en hij is in Australië terechtgekomen,' zei ze. 'Trouwens, nadat ik het je verteld had, heb je de hele nacht liggen snurken. Ik heb je een paar keer wakker gemaakt, maar dan draaide je je om en ging je weer door.'

'Hoelang zijn die Miller en jij samen geweest?'

'Acht maanden.'

'O. Moet nogal heftig geweest zijn.'

Anna zei niets en bleef doorgaan met hakken.

'Dus jij was degene die hem aan de drank heeft gebracht,' zei Joe terwijl hij achter haar kwam staan, zijn armen om haar heen sloeg en haar in haar nek kuste. 'Mijn schat heeft zijn hart gebroken.'

Anna glimlachte. 'Nee, dat denk ik niet,' zei ze.

'Het zou toch kunnen?' zei hij op plagende toon.

'Kun je een fles Merlot halen?' vroeg ze.

'Ja hoor,' zei Joe, waarna hij de keuken uit liep en naar de wijnkelder ging.

Anna legde het mes neer, deed haar ogen dicht en ademde langzaam uit.

8

Stinger's Creek, Texas, 1981

Geoff Riggs lag op zijn rug op de vuile vloerbedekking, met zijn rechterarm gestrekt boven zijn hoofd. Zijn grijze T-shirt was omhoog geschoven over zijn bleke, behaarde buik. Donnie kwam de kamer binnenstormen zoals hij dat al zo vaak had gedaan en liet zijn rugzak van zijn schouder langs zijn arm op de grond glijden. Hij viel naast zijn vader op zijn knieën, boog zich over hem heen en legde zijn oor op zijn hart. Daarna duwde hij met zijn duimen zijn vaders oogleden omhoog. Hij wist nooit precies waar hij naar moest kijken als hij dat deed, of wat erop duidde dat er iets aan de hand zou zijn. Hij rolde zijn vader op zijn zij, stond op en liet zijn blik door de kamer gaan. De tv stond aan, met het geluid uit. Hij pakte de afstandsbediening en zette het geluid aan, heel hard. Daarna gooide hij de afstandbediening op de bank, pakte zijn rugzak en rende de veranda weer op. Geoff kwam bij kennis, met een stijve nek en zonder gevoel in zijn rechterarm. Hij bewoog zijn arm een paar keer heen en weer en deed hem weer naar beneden.

'Hé,' zei Donnie, die zijn hoofd naar binnen stak.

'Ik had je niet horen binnenkomen,' mompelde Geoff, en hij ging weer op zijn rug liggen.

'Omdat je de tv zo hard aan hebt staan,' zei Donnie, en hij zette de tv uit. 'Kan ik iets voor je maken?'

'Een broodje,' zei Geoff. 'Met vlees.'

Duke zat bij de deur van de boomhut en keek naar een spin die tegen de post omhoog liep. Hij stak zijn hand uit, liet de spin in zijn handpalm lopen en zette hem op de houten vloer, waar hij snel naar een donker hoekje vluchtte.

'Ben je er?' riep Donnie vanbeneden.

'Ja, kom boven,' zei Duke. 'Waar was je?'

'Naar de winkel. Waar was jij?'

'Bij oom Bill. Een vriend van hem kwam foto's van de haviken maken. Wat zit er in die schoenendoos?'

Donnie hurkte voor hem neer. Zijn blik schoot van links naar rechts en weer terug.

'Moet je zien wat ik onder in mijn vaders kast heb gevonden,' fluisterde hij terwijl hij de deksel van de doos nam. Er zaten zakjes met zwart poeder in de doos.

'Kruit,' zei Donnie.

Dukes ogen werden groot.

'Maak je geen zorgen,' zei Donnie. 'Ik weet wat ik doe.'

'Wat gá je dan doen?'

'Het aansteken natuurlijk. Wat dacht jij dan?'

'Hier? Waarom gaan we niet iets opblazen?'

'Dat gaan we ook doen, later. Ik wil eerst zien of het werkt.'

Hij boog zich voorover en gebaarde naar Duke dat hij achteruit moest gaan. Hij leegde een zakje poeder op de houten vloer en streek een lucifer af. Hij draaide zijn hoofd weg, deed zijn ogen dicht, stak zijn hand uit en hield de vlam bij het poeder. Het vatte onmiddellijk vlam. Donnie slaakte een kreet. Zijn handen, armen en de ene kant van zijn gezicht en nek waren zwart. Zijn ogen leken groter dan ooit. In zijn T-shirt, op de borst, zat een groot gat met zwarte randen. Duke begon te lachen. Donnie lachte met hem mee, maar hij verging van de pijn. Geen van beiden had gezien dat de stapel stripboekjes vlam had gevat, totdat het te laat was.

'Godverdomme!' riep Donnie. 'Mijn boomhut!' Ze keken om zich heen, zochten naar iets om het vuur mee uit te slaan, maar er was niets. Het vuur knetterde en al gauw vatte het droge hout vlam.

'We moeten hier weg,' zei Duke, 'voordat de ladder in de fik vliegt.' Ze klauterden door de deur naar buiten, sloegen de meeste sporten van de touwladder over en vluchtten weg voor de hitte. Ze gingen op enige afstand staan kijken hoe hun boomhut afbrandde. De vlammen weerspiegelden in hun ogen. Gebiologeerd keken ze toe totdat het bouwwerk instortte, de gloeiende stukken hout naar beneden vielen en er roetvlokken op hun hoofd neerdaalden.

'Shit,' zei Donnie. 'Ik kan zo niet naar mijn vader. En hij is een eeuw bezig geweest met het maken van die hut. Hij vermoordt me.'

'Nee, dat doet hij niet,' zei Duke. 'Het was een ongeluk.' Donnie keek hem aan.

'We kunnen naar mijn huis gaan,' zei Duke. 'Dan kun je je in ieder geval een beetje wassen.'

Toen ze daar aankwamen, lag Wanda te slapen op de bank. De badkamer was een ravage. De vloer lag vol ondergoed en vuile handdoeken. Donnie liet de wastafel vollopen en pakte een stuk zeep en een washandje. Toen hij het roet van zijn gezicht had gewassen, keek hij in de spiegel en sprongen de tranen in zijn ogen.

'O shit, Duke. O shit, o shit.'

Duke stond op van de rand van de badkuip. 'Wat is er?'

Hij keek Donnie aan en door de restanten van het zwart zag hij schrale, rode huid vol lichte blaren, waarvan sommige open door het wrijven met het washandje. Ze keken allebei naar Donnies armen. Hij begon die ook te wassen en wreef nog meer blaren kapot.

'O shit,' zei Duke. 'Ik ga mijn moeder halen.'

'Wacht,' zei Donnie. 'We moeten eerst een verhaal bedenken.'

Wanda probeerde met Geoff Riggs te praten. Haar haar, vettig en donker, was achterovergekamd en in een rommelig staartje geknoopt. Ze had een vest aan, zonder beha eronder. Haar heupen wiegden in een kort afgeknipte spijkerbroek.

'Kun je het geloven?' zei ze.

'Nee, ik niet,' zei Geoff lijzig. 'Ongelofelijk.' Hij had zijn handen in zijn zakken en wiegde voor- en achteruit op zijn hielen op de onderste tree van de veranda.

'Ongelofelijk,' zei hij weer.

'De dokter zei dat het eerste- en tweedegraads brandwonden zijn,' zei Wanda. 'Misschien houdt hij er wel littekens in zijn gezicht en op zijn armen aan over.' Donnie keek haar geschrokken aan.

'O, sorry Donnie,' zei Wanda, 'dat had ik beter niet kunnen zeggen. Ik weet zeker dat het allemaal weer goed komt.'

'Ik zal je dit zeggen: als ik die jongens van de middelbare school tegenkom, schiet ik ze verrot.'

Donnie en Duke keken elkaar even aan.

'Het tuig,' voegde Wanda eraan toe. 'Kleine jongens in brand steken.'

'Ja,' zei Geoff terwijl hij probeerde Donnie recht aan te kijken. 'Ze hadden daar levend kunnen verbranden.' Hij wendde zich weer tot Wanda. 'Heel aardig van je om hem thuis te brengen,' zei hij.

'Geen enkele moeite,' zei Wanda, die te veel met haar hoofd schudde.

'Moeten we de politie niet bellen?' vroeg Geoff terwijl hij de treden van de veranda op liep.

'Nee!' zei Duke. Iedereen keek hem aan. Duke aarzelde. 'De Heer zal... eh... zondaars zullen... eh... boeten voor hun zonden.'

Donnie proestte het uit.

'Wel, wel, kijk eens aan,' zei Geoff. 'Ben je een ware gelovige van hem aan het maken?' Hij grinnikte. Wanda lachte luidkeels en hol.

9

Het rook naar bacon en eieren in de coffeeshop. Inspecteur O'Connor zat tegenover Frank Deegan, met zijn palmtop voor zich op tafel. Een jonge serveerster kwam hun bestellingen opnemen. Ze glimlachte nerveus en aarzelde voordat ze wegliep.

'We moeten een beetje oppassen,' zei Frank, 'anders luistert het hele dorp mee.'

'Zo gaat het altijd,' zei O'Connor. Hij keek op naar Frank. 'Hoe handhaaft Ritchie zich in deze zaak? Ik bedoel, hij wordt toch min of meer in het diepe gegooid. Het ene moment deelt hij parkeerboetes uit en loert hij op zakkenrollers, en nu dit.'

'Het is voor ons allemaal anders,' zei Frank. 'Ik weet het niet. Ritchie is een taaie. Hij is heel serieus voor zijn leeftijd. Misschien een beetje te gestrest, dat is alles. Maar hij werkt hard. Ik denk dat hij ons zal verbazen.'

'Mooi,' zei O'Connor. 'Hij is heel... gedreven.'

'Ik denk dat ik weet waarom,' zei Frank. 'Ik ken niet het hele verhaal, maar toen hij jong was, een jaar of acht, negen, is een vriend van hem verdronken, Justin Dwyer. Ritchie was erbij. Het schijnt dat hij zijn uiterste best heeft gedaan om de jongen te redden, maar...' Frank schudde zijn hoofd. 'Ritchie is iemand die alles zal doen om Katie te vinden. Ik denk dat hij jarenlang met een schuldgevoel over zijn jonge vriend heeft rondgelopen. Hij zal dat niet weer willen meemaken.'

O'Connor knikte. 'Ik heb nagedacht over Katies interesses en of die al of niet iets met haar verdwijning te maken kunnen hebben.' Hij las de lijst voor van zijn palmtop: vrienden en vriendinnen, lezen, films, zingen, muziek en computerspelletjes.

'Vrienden?' vervolgde hij. 'Nou, we hebben hun verklaringen opgenomen. Lezen? Ik denk dat het veilig is om aan te nemen dat lezen er niets mee te maken zal hebben. Films? Het is mogelijk dat ze naar Waterford is gegaan om een film te zien, maar die avond zou ze daar veel te laat voor zijn geweest.

Oké, zingen of muziek. Kan er ergens een auditie geweest zijn waar ze naartoe wilde, maar wat haar moeder niet goedvond? Een of andere popsterrentalentenjacht? Misschien heeft iemand haar iets beloofd, een carrière in de muziek...'

'Daar zou ze nooit in getrapt zijn.'

'En als het iemand was die ze kende?'

'Dan nog niet. Wie zou dat moeten zijn?'

'Weet ik veel. Iemands broer, neef, vriend...'

'Ze zingt in het schoolkoor,' zei Frank geduldig. 'En in een folkgroep tijdens schoolconcerten. Ze is Tina Turner niet.' Hij leunde achterover op zijn stoel en strekte zijn armen achter zijn hoofd.

De serveerster kwam en zette voorzichtig een paar mokken en een theepot op tafel.

'Bedankt,' zei O'Connor. Hij zette zijn vingers in zijn ooghoeken, drukte zachtjes en knipperde een paar keer met zijn ogen.

'En het internet?' vroeg hij terwijl hij voor allebei een mok thee inschonk. 'Kan ze op het net iemand hebben ontmoet? Dat ze daar misschien naartoe is gegaan?'

Frank schudde zijn hoofd.

O'Connor haalde zijn schouders op. 'Ze was zestien. Het is niet zo moeilijk om een meisje van zestien te paaien.'

'Misschien niet. Maar ze was niet alleen mooi, maar ook intelligent en gelukkig met haar aantrekkelijke jonge vriend.'

'Sommige meisjes houden van het mysterieuze...'

'Katie niet.'

'Ik zit alleen maar hardop te denken. Ik verwacht niet van je dat je op al mijn vragen antwoord geeft. Ik weet dat je die jongelui goed kent, maar ik betwijfel of ze je op de hoogte houden van alles wat ze doen.'

'Dat hoeven ze niet. Ik weet hoe ze zijn. Ik ken ze al jaren.'

'Ik geef je alleen een paar dingen in overweging, dat is alles.'

'Luister, je kunt zelf met haar vrienden gaan praten – Ali Danaher en Robert Harrington zijn de meest voor de hand liggende – maar die zullen je waarschijnlijk hetzelfde vertellen. Katie is recht door zee en zo doorzichtig als wat.'

'Nou, dan blijven er alleen drugs en zwangerschap over...'

Frank schudde zijn hoofd weer. 'Ik vrees dat er iets aan de hand is wat veel erger is. Ze is nu al twee weken spoorloos...'

O'Connor zei niets, trok de palmtop naar zich toe en ging met de stift over het schermpje.

'Dus je sluit zelfmoord nog steeds uit?'

'Ja, dat is nooit een optie geweest en zal dat ook nooit zijn,' zei Frank. 'Ik moet toegeven dat ik in de loop der jaren best wel eens verrast ben door sommige zelfmoorden, maar ik durf er alles om te verwedden dat zij zoiets nooit zou doen. Katie Lawson hééft zichzelf niets aangedaan. Ik ben bang dat iemand anders haar iets heeft aangedaan.'

Shaun zat voor zich uit te staren. Robert zat voor de tv Spiderman te spelen. Anna stak haar hoofd naar binnen en zei: 'Ik ga naar Martha.'

'Die verdomde webwerper,' zei Robert. Zonder te kijken wist Shaun dat zijn vriend de joystick wild heen en weer bewoog.

'Je weet dat dat niet werkt,' zei Shaun. 'Dat geruk.'

'Hou je kop,' zei Robert. 'Ik heb al acht keer dit level gehaald. Acht keer!'

'Geef hier,' zei Shaun, en hij nam Robert de joystick af. 'Je moet het zo doen.'

Het vloeibare spinrag spoot uit Spidermans polsen en hij slingerde zich van het ene gebouw naar het andere. Halverwege de twee wolkenkrabbers maakte hij een salto die hem de extra energie opleverde.

'Daar schiet ik weinig mee op,' zei Robert. 'Ik heb geen idee wat je zonet hebt gedaan.'

Shaun gooide hem de handleiding toe en ging door met spelen.

Ali Danaher werd verrast door de flits van paniek die ze voelde toen ze inspecteur O'Connor de woonkamer binnenliet. Ze ging op de bank zitten. O'Connor nam plaats in een oude fauteuil waar hij in wegzonk, zodat hij lager zat dan zij. Ze onderdrukte een glimlach.

'Ik weet dat je al een hoop vragen hebt beantwoord,' begon O'Connor terwijl hij naar voren schoof tot hij op de rand van de zitting zat, 'maar ik probeer alleen maar een helderder beeld te krijgen. Een beter beeld van Katie. Wat voor iemand is ze?'

'Katie is een schat.'

'Echt?'

'Ja. Een van die zeldzame mooie meiden die dat niet weten. En ze heeft een reusachtig stel hersens... wat me dan weer aan het twijfelen brengt.'

'Waarover?'

'Nou, waarom ze verdwenen is.'

'Heb je daar theorieën over?'

'Nee, maar ik brand van nieuwsgierigheid.' Er kwam een bittere glimlach om haar mond.

'Was ze impulsief?'

'Soms, maar nooit onverantwoordelijk, als u dat bedoelt.'

'Zou je haar extrovert noemen?'
'Half. Ik bedoel, ze was niet verlegen, maar ze zei ook niet alles wat in haar opkwam.'
'Zou ze praten met mensen die ze niet kent?'
'Ik ben meestal degene die dat doet. En zij praat dan met degenen met wie ik een gesprek heb aangeknoopt.'
'In Mountcannon, bedoel je?'
'Er zíjn geen onbekenden in Mountcannon. Ik heb het over als we naar de stad gaan.'
'Was Katie goedgelovig?'
'Zijn intelligente mensen dat doorgaans?'
'Maakte ze gebruik van het internet?'
'Ja, maar niet veel.'
'Wat voor sites?'
'Terroristensites, meestal.'
O'Connor wachtte geduldig.
'Sites waar je muziek kunt downloaden, horoscopen, schooldingen, humorsites, filmrecensies,' zei Ali.
'Zat ze weleens in chatrooms?'
'Gadver, jakkes, nee.'
'Weet je dat zeker?'
'Nou, ik was niet elke minuut van de dag bij haar, maar ik betwijfel het ten zeerste. Ze had het veel te druk met haar echte, levende vrienden.' Ze wees op zichzelf. 'O, ik snap het,' zei ze. 'Jullie denken dat ze ervandoor is met een of andere ouwe engerd.' Ze begon te lachen. 'Nee, weinig kans.'
'Flirtte Katie veel?'
'Eh... hebt u haar vriendje gezien?'
'Ik neem aan dat je bedoelt dat ze hem trouw was?'
'Hij is mijn type niet, maar ja, ik denk dat we kunnen stellen dat de meeste normale meisjes volmaakt gelukkig zouden zijn met iemand als Lucky.'
'Ging ze gauw in op gevlei?'
'Nee, ze had een hekel aan complimenten.'
'Was ze neerslachtig?'
'Nee. Hoor eens, waar wilt u eigenlijk naartoe?'
'Ik stel je gewoon een paar vragen.'
Hij keek op van zijn notitieboekje.
'Goed. Als dochter van een pubeigenaar kom je gemakkelijk in contact met...'
Ali keek hem aan. 'Vuile glazen?'
O'Connor bleef haar aanstaren. 'Ik dacht meer in de richting van alcohol.'

Ze rolde met haar ogen. 'O, ja...'

'Kom op. Dit hoeft niet lang te duren.'

'Luister, dat is wat ik in de pub doe... Glazen wassen. Ik haal ze van de tafeltjes, giet de restjes eruit, snuif de vieze geur van verschaald bier op, zet de glazen in de afwasmachine, zet die aan, maak de tafeltjes en de bar schoon, wacht tot de glazen klaar zijn, doe de afwasmachine open, krijg een wolk gloeiend hete stoom in mijn gezicht, haal de glazen eruit en zet ze op de planken. Ja hoor, dát zal het verband met Katies verdwijning zijn. Dat ik glazen afwas.'

'Je bent niet erg behulpzaam voor iemand van wie de beste vriendin wordt vermist.'

'Omdat ik weet dat ze terugkomt.'

'Wat weet je wat je daar zo zeker van bent?'

'Het gaat niet om wat ik weet, maar om wie ik ken. Ik ken Katie en ze is gewoon niet het type om te verdwijnen en niet meer terug te komen.'

'Hm. Je rookt weed, klopt dat?'

Ali's ogen werden groot. 'Eh... pardon?'

'Je hebt me wel gehoord. Is het waar?'

'Ik neem aan dat u al weet dat het waar is.'

'Ja, we weten ervan. Rookte Katie ook weed?'

'Nee.' Ze lachte. 'Nee, absoluut niet.'

'Weet je dat zeker?'

'Eh... ja. Ze is mijn beste vriendin dus ik denk dat ik dat kan zeggen.'

'Heeft ze je ooit om drugs gevraagd?'

'Zo vaak. Ik ben hier een bekende dealer.'

'Kun je serieus blijven, alsjeblieft?'

'Goed dan. Nee, Katie zou nooit drugs gebruiken.'

'Keurde ze het goed dat jij wel drugs gebruikte?'

'Wat is dat nu voor vraag? We zijn zestien jaar oud. We zijn vriendinnen. We zeggen niet tegen elkaar wat we wel of niet mogen doen.'

'Dat begrijp ik,' zei O'Connor geduldig. 'Ik wilde alleen weten hoe ze over drugs dacht.'

'Hoor eens, ik heb dit allemaal al aan Frank verteld,' zei Ali. 'Dit heeft niks met drugs te maken. Niks. Ze staat er neutraal tegenover, oké? Ze hééft niks met drugs. Die vormen geen deel van haar leven en hebben ook niks met haar verdwijning te maken. Ik rook zo nu en dan wiet, maar ik ben geen junkie. Katie gaat niet met de verkeerde mensen om en ze zit niet ergens in een pakhuis om een wagonlading coke in ontvangst te nemen. We zijn gewoon twee meisjes uit een kustplaatsje van wie de ene af en toe een stickie rookt en die geen van beiden ooit iets hebben gedaan wat spannender is dan... dan... Ziet u wel? Ik kan niet eens iets bedenken. Jezus, wat zegt dat niet over onze beschermde leventjes?'

'Daar is niets mis mee.'

'Zeg nou niet "De wereld is een vreselijk oord en wij hebben het geluk gehad dat we –"'

'Nou, dat zeg ik wel. Jullie hebben inderdaad geluk gehad. Het kan er in de stad ruig aan toe gaan.'

'En het kan hier in het dorp verdomde saai zijn. Goddank dat Katie een beetje onrust heeft veroorzaakt.'

'Dus je denkt dat ze dit heeft gedaan om aandacht te vragen?'

'O, in godsnaam.' Ze rolde theatraal met haar ogen. 'U hebt vast tienen gescoord voor literaire tekstinterpretatie.'

Hij keek haar aan.

Ali stak haar hand op. 'En voordat u iets zegt, ik weet ook wel dat we zo'n vak op school niet hebben.'

Anna zette haar kopje voorzichtig terug op het schoteltje en keek Martha aan. 'Ik ben ook een keer van huis weggelopen,' zei ze. 'Ik heb een kleine reistas gepakt, een briefje voor mijn ouders neergelegd en ben met de bus naar Parijs gegaan. Mijn vriendin en ik zaten in McDonald's en ik zat te huilen. Toen vertelde ze me dat haar moeder haar en haar broers sloeg. En ik zag in dat ik gek was. Want mijn ouders hielden van me en ik had een heerlijk leven thuis. Maar ik wilde meer, ik wilde mijn vleugels spreiden. Ik wilde een stukje onafhankelijkheid, maar toen ik dat had, wilde ik zo gauw mogelijk weer naar huis.'

Martha glimlachte, pakte Anna's hand en gaf er een kneepje in.

'Ik weet zeker dat dit ook zoiets is, Martha. Een jong meisje dat een stukje onafhankelijkheid wil. Ze weet dat je van haar houdt en dat ze een goed thuis heeft. Maar ze is zestien en denkt dat ze klaar is voor het leven. En ze zal gauw genoeg beseffen dat ze dat nog niet is.'

'Dank je,' zei Martha. 'Ik hoop dat je gelijk hebt.' Ze vouwde een papieren zakdoekje dicht en weer open. 'Ik weet dat ik streng voor Katie ben geweest. Ik heb nagedacht over alle dingen die ik haar verboden heb, zoals bij vriendinnen blijven slapen, laat thuiskomen of uitgaan met jongens. Ik heb natuurlijk ingebonden toen ze Shaun had ontmoet. Katie weet het niet, maar ik had ze een keer samen gezien, toen ze van school naar huis liepen, en toen wist ik onmiddellijk dat het zinloos was om te proberen die twee bij elkaar weg te houden.'

Anna glimlachte.

'Ik zou het begrijpen als ze was weggelopen als ik haar verboden had met

Shaun om te gaan. Maar dit? Ik begrijp niet wat er aan de hand kan zijn.' Martha wachtte even. 'Weet je zeker dat Shaun niets weet?'

'Natuurlijk,' zei Anna. 'Als hij iets wist, zou hij het ons vertellen. Hij is er kapot van. Hij zou het zeker tegen ons zeggen.'

'Ja, ik weet het,' zei Martha. 'Het spijt me. Maar ik moest –'

'Het geeft niet.'

Martha glimlachte weer en ging naar de keuken om nog een kopje thee te zetten.

Anna leunde achterover op de bank en haalde een keer diep adem. Katie had niets in zich wat het aannemelijk maakte dat ze ooit van huis zou weglopen. Ze was niet het soort meisje dat op zoek zou gaan naar avontuur; ze was tevreden thuis, dus waarom zou ze willen ontsnappen?

De telefoon begon te rinkelen. Martha liet het dienblad met de theepot uit haar handen vallen en de gloeiend hete thee spatte op tegen haar benen. Ze schonk er geen aandacht aan en rende naar de telefoon. Anna hoorde haar langzaam praten.

'Nee, een spijkerbroek, Frank, absoluut. Zo'n wijde. Ja, de rest klopt, ja.'

Ze hing op en kwam teleurgesteld de woonkamer weer in.

'Iemand had de zondag na Katies verdwijning een meisje met een roze capuchon zien lopen, maar ze had een joggingbroek aan en nu wilden ze weten of ik het misschien mis kon hebben over wat ze aanhad.' Martha ging zitten. 'Ik kan ze natuurlijk niet kwalijk nemen dat ze voor dat soort dingen bellen, maar weet je, elke keer als de telefoon gaat, schrik ik me een hartverlamming.'

Anna keek naar de rode plekken op Martha's benen.

'O, ik overleef het wel,' zei Martha. 'Weet je, mijn moeder haalde vroeger met haar blote handen de eieren uit het kokende water. En ze stak haar hand onder de grill om de worstjes eronder vandaan te pakken. Sterke vrouwen in mijn familie.'

Opeens begon ze te huilen. Anna gaf haar een tissue, ging op de armleuning van de fauteuil zitten en legde haar hand op Martha's schouder.

'Het is toch vreemd, dat je mensen niet echt kent,' zei Martha nadat ze haar neus had gesnoten. 'Heb je John Miller al ontmoet? Hij zat vroeger bij me in de klas. Het was zo'n lieve, aardige, charmante jongen. Hij zou alles voor je doen. Hoe dan ook, na school ben ik naar Londen gegaan en toen ik een paar jaar later weer terugkwam, hoorde ik dat hij naar Australië was geëmigreerd. Nu hoor ik dat zijn vrouw hem uit huis heeft gezet... omdat hij haar sloeg. En het was zijn moeder die het me vertelde, in de supermarkt, als een soort bekentenis. Ik ken Mae Miller mijn hele leven al als een heel gereserveerde vrouw. Ze praat nooit met iemand over dat soort zaken. En dan ineens vertelt ze mij, een vage kennis, over iets wat zo persoonlijk is?' Ze schudde haar hoofd. 'Dus je kent iemand nooit echt. Iedereen kan je verbazen.'

Anna voelde zich schuldig. Dat ze ooit intiem was geweest met iemand die vrouwen sloeg, vervulde haar met afkeer. Een beeld van lang geleden, van John die haar handen boven haar hoofd tegen de muur drukte, flitste aan haar voorbij. Het beeld maakte haar misselijk, want ook zij kwam erop voor, met een glimlach op haar gezicht.

'O mijn god,' zei Ali toen ze de trap in Shauns kamer af kwam lopen. 'Ik heb wat te goed van Katie, en niet zo weinig ook.'

'Waarvoor?' vroeg Shaun.

'Voor een absoluut kotswekkende ervaring. Die kerel die de leiding van het onderzoek heeft, die inspecteur? Hij was bij me thuis, om te praten. Daar was op zich nog niets op tegen. Maar toen zei hij: "We weten dat je weed rookt." Ik ging zowat over mijn nek.'

'Wauw! En wat heb je gezegd?'

'Ik... nou ja... heb het min of meer toegegeven. Maar het is niet zo dat ik geen aderen meer overheb. Dat ik het in mijn kruis moet spuiten, in een telefooncel. Jezus!'

Shaun schudde zijn hoofd. 'Man, dat is wreed.'

'Volgens mij geloven ze dat Katie bij een of andere vage drugsdeal betrokken was. Bizar. Ik zou erom gelachen hebben als ik niet zo doodsbang was geweest. Hij vroeg ook naar internetgriezels.' Ze schudde haar hoofd. 'Ik bedoel, het is een arboretum.'

'Een wat?' vroeg Robert.

'Ze staan bij de verkeerde bomen te blaffen.' Ze liet zich op de bank vallen en kreunde. 'Katie, rotgriet, waar ben je?'

Joe klopte op de deur en kwam de trap af lopen.

'Wie wint er?' vroeg hij.

'Iedereen behalve Rob,' zei Shaun.

'Hallo, meneer Lucchesi,' zei Ali, die op haar ellebogen steunde en breed glimlachte.

'Hallo, Ali. Leuk, je haar.'

'Blauwzwart,' zei ze.

Joe ging op de rand van het bed zitten. 'En, hoe gaat het met jullie?' vroeg hij.

'Het gaat wel,' zei Robert. 'Het is voor iedereen moeilijk.' Hij trok een gezicht en knikte in Shauns richting. 'We zijn in een soort shocktoestand. We weten niet wat Katie heeft uitgespookt.'

Shaun legde de joystick neer en liep de kamer uit.

'God,' zei Robert, 'het was niet mijn bedoeling dat...'

'Maak je geen zorgen,' zei Joe. 'Het is jouw schuld niet.' Hij wachtte even en vervolgde toen: 'Waar waren jullie, op de avond dat Katie...'

Ali was de eerste die antwoord gaf. 'Ik zeg het niet graag, maar ik was thuis, mijn huiswerk aan het doen. Op een vrijdagavond.' Ze schudde haar hoofd.

'En jij, Robert?' vroeg Joe.

'Eh... in de haven.'

'O? Met Katie en Shaun?'

'Nee, met Kevin en Finn. Wij waren meer in de buurt van de reddingsbotenloods en Shaun en Katie waren aan de andere kant, geloof ik.'

'O. Dus je hebt ze niet zien weggaan?'

'Wie zien weggaan?' vroeg Shaun, die met een zak tortillachips in de deuropening stond.

'Jou en Katie, die avond,' zei Robert snel.

'Ik denk alleen maar hardop,' zei Joe.

'Je ondervraagt ons hardop,' mompelde Shaun.

Joe wilde weggaan toen zijn blik op iets viel.

'Hoe kom je aan die schram op je hand, Robert?'

Robert begon te blozen. 'O, met voetbal. Ik ben tegen een doelpaal op gelopen.'

Joe knikte. Shauns ogen fonkelden van boosheid.

'We proberen hier een computerspelletje te spelen, pa.' Toen Joe niet reageerde, snauwde Shaun: 'Oké?'

'Oké,' zei Joe, en hij stond op.

Duke Rawlins was in een kleine levensmiddelenwinkel, waar hij producten van de schappen pakte, de etiketten las en ze vervolgens weer terugzette. Twee tienermeisjes keken toe van achter de toonbank. Duke liep naar hen toe.

'Dames, wat eten jullie hier zoal?'

De meisjes keken elkaar aan en begonnen te giechelen. 'Wat bedoel je?' vroeg het ene meisje.

'Nou, wat zou je me aanbevelen? Wat is bijvoorbeeld jouw lievelingseten?'

'O,' zeiden de meisjes tegelijkertijd. 'Pasta.'

'Van jullie allebei?'

'Ja, iedereen houdt van pasta,' zei het ene meisje. 'Ik zal de lekkere voor je pakken.'

Ze liep naar de vriezer en haalde er twee pakken *penne* uit, met tomaten- en knoflooksaus.

'Hier, vangen!' zei ze, en ze gooide een van de pakken naar hem toe. Duke greep ernaast.

'Sorry,' zei het meisje lachend, en ze liep naar hem toe om hem het tweede pak te geven.

Duke legde ze op de toonbank. 'En twee flessen cola,' zei hij. 'En een fles rode wijn.'

'Ga je haar vertellen dat je dit zelf hebt gekookt?' vroeg het andere meisje.

Hij lachte.

'Ah, shit,' zei hij opeens. 'Ik heb geen pan.'

De meisjes keken elkaar bevreemd aan. 'Bizar,' zei het ene meisje. 'Nou, je kunt ze opwarmen in de magnetron daar. Dan zal ik ze daarna in folie inpakken.'

'Graag,' zei Duke.

'Maar weet je, dan val je wel door de mand,' zei ze.

Duke glimlachte.

O'Connor stond bij het raam van Franks kantoor, met zijn handen in zijn zakken naar de haven te turen.

'Ali Danaher,' zei hij.

'Ah,' zei Frank.

'Weet je, in mijn tijd was het wel anders,' zei O'Connor, die zich omdraaide en glimlachte. Frank zag dat zijn ogen voor het eerst niet rood waren. O'Connor schudde zijn hoofd. 'Ik zou serieus in de problemen zijn geraakt als ik zo tegen een volwassene had gesproken.'

'Heb je een ooginfectie?' vroeg Frank.

'Wat?' vroeg O'Connor. 'O, de rode ogen? Nee, contactlenzen. Ze is wel een bijdehandje, Ali, vind je niet? Hoe dan ook, ze heeft alles ontzenuwd. Ze houdt vast aan nee als het gaat om drank, drugs, iemand van het internet, alles, eigenlijk.'

'Dat heb ik je toch gezegd?' zei Frank. 'Het heeft geen zin om moderne theorieën toe te passen op een ouderwets meisje als Katie. Net zoals het feit dat ik geen contactlenzen zou willen,' voegde hij eraan toe terwijl hij O'Connor zijn bril met de dikke glazen liet zien.

Joe tuurde naar de oude plattegrond van Mountcannon die voor hem op tafel lag. De haven stond erop, de kerk, de pubs, twee restaurants en een coffeeshop, de kustweg langs de vuurtoren en twee wegen die het dorp uit voerden, de ene doodlopend en de andere naar Waterford. Met een zwarte pen zette hij een kruisje in de haven en bij Katies huis. De kustweg liet hij voor wat die was, want die zou Katie verder van haar huis voeren. Hij concentreerde zich op de andere twee wegen, Upper Road en Church Road, die allebei in een bocht liepen en met elkaar werden verbonden door de rechte Manor Road, waardoor er een afgeplatte halve cirkel ontstond. Hij schreef wat aantekeningen aan de witte zijkant van de kaart, vouwde die op en stak hem in de binnenzak van zijn jack. Hij nam de auto, parkeerde die voor de school en liep de korte afstand naar de T-kruising aan de rand van het dorp. Links afslaan zou hem bij Katies huis brengen, heuvelopwaarts, via de route die ze normaliter nam. Als hij rechtsaf ging, zou hij daar uiteindelijk ook komen, maar via een langere route over Church Road richting Mariner's Strand en de weg naar Waterford. Als ze echter bij de kerk linksaf was gegaan, zou ze tot aan Upper Road kunnen lopen en dan links af kunnen slaan om het laatste eindje naar huis te lopen.

Joe koos voor de eerste route, tuurde naar de grond en nam alles in zich op. Hij liep de bocht om en passeerde het huis waar Petey Grant met zijn moeder woonde. Vervolgens liep hij door naar Katies huis. Even voordat hij daar aankwam, maakte hij rechtsomkeert en liep terug naar de T-kruising. Deze keer ging hij de andere kant op, rechtsaf, het smalle, hellende voetpad boven Church Road op. Hij werd tegen de felle wind vanaf Mariner's Strand beschermd door een gedeeltelijk afgebrokkeld muurtje. Hij keek neer op de zee, leigrijs van kleur, die zich in lage, diagonale golven naar het strand bewoog en zich weer terugtrok. Hij keek naar links, naar de oude kerk en de vervallen, rommelige begraafplaats. Op dat moment wist hij ineens wat hij zocht.

O'Connor kwam met twee mokken koffie het keukentje van het politiebureau uit. Hij zette er een op Franks bureau en ging met de zijne bij het raam staan.

Hij nam een slok en zei: 'Wat ik me afvroeg, Frank, is of je misschien niet te dicht bij deze kinderen staat.'

'Wat?'

'Kijk,' zei hij terwijl hij zich omdraaide, 'jouw bijdrage is van grote waarde, want je kent de omgeving en de mensen enzovoort... Maar kan het niet zijn dat jouw oordeel een beetje ingekleurd is?'

'Nee,' zei Frank, zachtjes, om zijn waardigheid te behouden.

Het smeedijzeren hek van de begraafplaats werd dichtgehouden door een oud, dik touw. Joe maakte het los. Zijn voetstappen knerpten in het grind toen hij langs de rijen graven liep en werden stil toen hij een met gras begroeid hellinkje naar een eenvoudig, netjes verzorgd graf op liep.

MATTHEW LAWSON 1952-1977
GELIEFDE ECHTGENOOT VAN MARTHA
ZORGZAME VADER VAN KATIE

En op het graf lag een verwelkte witte roos.

Frank stond op om O'Connor te laten weten dat het tijd was om te vertrekken. Er hing een spanning in het vertrek die hij op dat moment niet kon verdragen. Wat O'Connor zojuist had gezegd, zou in een situatie als deze bij meer mensen door het hoofd gaan, dat begreep hij best. Het verbaasde hem alleen dat O'Connor het nodig had gevonden het hardop uit te spreken.

Toen Joe terugliep naar het dorp maakte zijn opluchting over het bewijs van de weg die Katie had gelopen plaats voor twijfel. Als de roos op het graf van haar vader nu eens een andere betekenis had? Misschien was die een signaal. Haar vader was dood en nu was Katie van plan... Joe schudde zijn hoofd. Niemand was blijkbaar veilig voor zijn vloed van negatieve gedachten.

O'Connor zat in zijn auto en zag Frank de straat naar Danaher's oversteken, met het hoofd gebogen en zijn handen in zijn zakken. O'Connor wist dat hij Frank waarschijnlijk had teleurgesteld in zijn verwachtingen van de jongste inspecteur van het land, wat die verwachtingen ook waren. Maar hij probeerde zichzelf ervan te overtuigen dat hij had gezegd wat hij moest zeggen.

Joe kwam Danaher's binnen, schoof naast Frank op de bank en vouwde de kaart van Mountcannon open op het tafeltje.

'Oké,' zei hij. 'Ze waren hier, en dit zijn de mogelijke routes die ze hebben genomen om het dorp uit te lopen.' Frank fronste zijn wenkbrauwen.

Ritchie kwam terug van de wc.

'Wat moet dit voorstellen? Moeten we die man serieus nemen?'

'Ritchie...' zei Frank.

'Ik probeer alleen na te gaan hoe Katie die vrijdagavond gelopen kan zijn,' zei Joe.

'Waarom?' vroeg Ritchie.

'Omdat ik denk dat ik het weet.'

'Je weet niks,' zei Ritchie. 'Om te beginnen zou ik die kaart maar eens omdraaien en op de achterkant kijken. 1984. Die kaart is antiek. De helft van de dingen...'

'Die heb ik bijgetekend of doorgekrast,' zei Joe. Ritchie keek op de kaart en keek nog eens goed naar de woorden die Joe in nette blokletters in de marge had geschreven. Toen keek hij Joe geamuseerd aan.

'Hoe dan ook,' zei hij, 'jij hebt hier niks mee te maken. We hebben hier een privé-bespreking. Dus als je ons wilt excuseren?'

'Als je heel even wilt kijken. Ik denk dat ze zo is gelopen...'

'De enige reden dat jij iets weet over hoe wij over deze zaak denken, is dat je bevriend bent met Martha Lawson. Maar het kan me niet schelen wat Martha wel of niet tegen jou zegt. Wat me wel kan schelen is dat je daarom denkt dat je deel uitmaakt van het onderzoek. Dus je was vroeger rechercheur in New York? Nou, en? Ik heb vroeger in een bar gewerkt. Je ziet mij hier toch ook geen glazen bier tappen?'

'Ritchie, er wordt een jong meisje vermist,' zei Joe.

'Ja, dat weet ik. De vriendin van je zoon. Dus je kunt maar beter blij zijn dat we alle onderdelen van het onderzoek volgens het boekje doen.'

'Ik wil alleen maar helpen...'

'Arrogante yanks,' zei Ritchie. 'Jullie denken dat je de hele wereld kunt redden.'

10

Stinger's Creek, Texas, 1982

'Mijn kind gaat ze vandaag een poepje laten ruiken,' zei Wanda. 'De eerste sportheld in de Rawlins-familie.' Duke rolde met zijn ogen.

Wanda stapte uit de pick-up, keek naar haar felgele pumps en streek de pijpen van haar spijkerbroek glad. Daarna keek ze naar haar zoon, wiens onderste helft al in *American football*-tenue was gehuld.

'Je ziet er prachtig uit, schat,' zei ze.

Duke haalde zijn schouders op en pakte de rest van zijn uitrusting van de vloer van de auto. Hij deed zijn schouderbeschermers om en trok zijn shirt over zijn hoofd.

'Cougars, nummer 58,' zei Wanda. Ze zag het voor het eerst. 'Wat moet je precies doen? Waar heb ik mijn dertig dollar voor betaald?'

'Ik gooi de bal achteruit tussen mijn benen door en zorg ervoor dat de verdedigers van het andere team onze quarterback niet tackelen.'

'O, nou, dat is leuk, schat,' zei Wanda. Ze zette haar wijsvinger op zijn borst. 'Ik zal op je letten.'

Duke keek langs haar heen naar een ander gezin, in hun zondagse kleren. De vader stond achter zijn zoon, met zijn beide handen op diens schouders en een glimlach om zijn mond.

'Schat, moet je al die leuke cheerleaders zien!' riep Wanda.

In de hoek van het parkeerterrein stond een groep tienermeisjes in donkerblauwe rokjes en strakke topjes met het clubembleem erop die bezig waren in een kring hun danspassen en aanmoedigingen te oefenen. Daarnaast stond een slank, blond meisje op één been terwijl ze het andere achter zich optilde totdat het bijna haar schouder raakte. Anderen oefenden sprongen of zaten in spagaat, allemaal met een brede, onwrikbare glimlach op het gezicht. Duke draaide zich om naar zijn moeder met eenzelfde onechte grijns op zijn gezicht. Wanda fronste haar wenkbrauwen.

'Kijk niet zo eng, schat,' zei ze, en ze gaf hem een stomp op zijn arm.

Bij de ingang van het stadion, in een wolk sigarettenrook, stonden twee mannen luidkeels te lachen.

'Of Wanda Pijp-me?'

'Wanda Kom-in-mijn-gezicht?'

'Het enige wat ik van Gloria krijg is Hou-me-vast.' Ze proestten het uit van het lachen en de ene man gaf de andere een klap op zijn rug. Ze stopten met lachen toen Duke tussen hen door liep en zijn vuisten even in de maag van beide mannen duwde.

'Hallo, maatjes,' zei hij op scherpe toon en toen liep hij door, het stadion in.

De twee mannen keken elkaar aan.

'Twaalf jaar oud,' zei de ene hoofdschuddend.

'Een onvervalst hoerenjong.'

Duke liep naar de weegkamer en ging daarna met zijn moeder en Geoff Riggs naar de laatste minuten van de wedstrijd van de PeeWee's zitten kijken. Donnie kwam het veld af rennen, met een rood, glimmend gezicht. Zijn haar was nat van het zweet.

'Je had hem vandaag bezig moeten zien,' zei Geoff. 'Hij heeft zijn magere beentjes uit zijn gat gerend om die bal te vangen.' Geoff wreef met zijn hand over zijn kaalgeschoren hoofd, waardoor de zweetplek onder zijn arm te zien was, en liet toen een wind.

Wanda boog zich opzij. 'Goed zo, Donnie,' zei ze. 'De held van de Midgets.'

'Donnie is een PeeWee,' zei Duke. 'Ik ben een Midget.'

Wanda glimlachte naar Geoff. 'Duke gaat vandaag een touchdown scoren, hè, schat?'

Duke rolde met zijn ogen. 'Ja, mam... zodra ik een quarterback ben.' Donnie begon te lachen.

'We moeten gaan,' zei Geoff. 'Veel succes, Duke.'

'Bedankt.'

Duke pakte zijn helm en liet zijn moeder achter op de tribune. Vijf rijen voor haar, aan de andere kant van het middenpad, zaten ouders in groepjes te praten en te lachen, en wezen ze naar hun kinderen aan de zijlijn. Wanda keek naar haar voeten en masseerde de roze striemen op haar enkels. Ze kantelde haar voeten naar links en naar rechts en bekeek de rode eeltplekken op haar hielen. Ze boog zich naar voren, zette haar nagel onder de harde, droge huid en wipte die eraf. Crystal Buchanan kwam haar kant op, met haar blonde haar stijf van de lak, opgeschilderd als een stewardess, met een thermosfles koffie onder haar arm en twee plastic kopjes bengelend aan haar pink. Ze kwam naast Wanda zitten.

'Hallo, Wanda,' zei ze met een glimlach. 'Speelt Duke vandaag?'

Wanda keek verbaasd naar haar op. 'Ik weet dat je een goed christen bent...' zei ze.

Crystals glimlach verdween.

'... maar ík ben jouw Maria Magdalena niet, als je dat verdomme maar weet.'

'Ik probeer alleen maar aardig te zijn,' zei Crystal.

'Nee, daar trap ik niet in,' zei Wanda, die haar recht bleef aankijken. 'Je probeert weer een ontspoorde te redden. Oude mensen, gehandicapte kinderen en hoeren. Crystal Buchanan, onze Heer en Herder.'

Crystal stond op. 'Jij bent niet meer te redden.'

'Nou, dát is in ieder geval kristalhelder, Crystal,' zei Wanda. 'O... en doe meneer Buchanan de groeten van me.' Wanda had meneer Buchanan nog nooit ontmoet, maar ze vond het leuk om de brave vrouw de stuipen op het lijf te jagen.

Ze richtte haar aandacht op het veld, waar de midvoor van de Braves de wedstrijd begon. Hij gooide de bal naar de quarterback, die vervolgens de opkomende man blokkeerde. De quarterback zette een sprint in, maar werd getackeld door een stevig gebouwde verdediger en raakte de bal kwijt. De scheidsrechter blies op zijn fluit. De spelers groepeerden zich om de bal, waaierden uit, liepen een paar meter en groepeerden zich weer.

Vlak voor de rust keek Wanda naar het scorebord. De Cougars stonden met één punt voor. Ze zag hoe Duke door de knieën zakte en zich over de bal boog. De spelers stelden zich voor en achter hem op. 'Naar twee!' riep de quarterback. 'Blauw, rood en door!' Duke wierp de bal tussen zijn benen achteruit. Een seconde daarna had de voorste lijnverdediger hem opzij gegooid en tackelde hij de quarterback. Die liet de bal los en de lijnverdediger veroverde hem. Iedereen dook boven op hem. Er werd gefloten. De quarterback draaide zich om naar Duke. 'Knap werk... halve zool.' Maar Dukes ogen waren op de rug van de weglopende lijnverdediger gericht. Hij rende hem achterna, boog zich voorover en beukte hem met zijn helm in de nierstreek.

'Goed zo, Dukey!' schreeuwde Wanda voordat ze haar vergissing inzag. De andere ouders draaiden hun hoofd om en keken haar verbijsterd aan.

De lijnverdediger sloeg tegen de grond en zijn kreten van pijn drongen door de stilte die opeens was gevallen. De moeder van de jongen sprong op en rende naar de zijlijn. Er werd gefloten en er vloog een gele vlag door de lucht, die voor Duke in het gras terechtkwam.

'Eruit!' brulde de scheidsrechter. 'Je bent geschorst. Wegwezen!' Hij wees naar de zijlijn.

Duke bleef hem even aankijken en liep toen weg. Toen hij zijn coach naderde, stak die dreigend zijn wijsvinger naar hem uit. 'Trek dat tenue uit en ga op de tribune zitten!'

De moeder van de lijnverdediger liep het veld op en baande zich een weg naar haar zoon.

Dukes coach rende naar de scheidsrechter.

'Ik wil het niet horen,' zei de scheidsrechter, en hij stak zijn hand op.

'Wat moet ik zeggen, Mike?' zei de coach op gedempte toon. 'Ik ben het met je eens.'

'Dat is goed om te weten,' zei Mike. 'Die jongen is gestoord. Om iemand zo...'

'Jezus christus, ik weet het. Je zou hem tijdens de training moeten zien. Hij begrijpt er helemaal niets van.'

Ze draaiden zich om naar de tribune, waar Wanda zich tussen de stoelen door naar het middenpad bewoog en Duke voor zich uit duwde.

'De arme ziel,' zei de coach.

11

'Ik heb een kreet gehoord,' zei Mae Miller.

Frank wachtte. 'Hadden we uw verklaring al niet opgenomen?' vroeg hij ten slotte.

'Nee. Ik ben weg geweest en heb er pas van gehoord toen ik terugkwam. Als lid van de buurtwacht – je vrouw zit in het comité, natuurlijk – weet ik heel goed hoe belangrijk het is om te letten op verdachte activiteiten en die onmiddellijk te melden, in dit geval zodra ik terug was.'

Mae Miller was zesentachtig jaar oud en tenger. Ze was gekleed in een duur uitziend donkerrood wollen jasje met een lichtere kraag, een beige pantalon en zwarte wandelschoenen. Frank wist niet veel van make-up, maar hij dacht dat ze rode lipstick op had. Mae Miller had veertig jaar lang lesgegeven op de basisschool van Mountcannon. De meeste inwoners van het dorp hadden tussen hun vierde en twaalfde jaar sidderend van angst bij haar in de klas gezeten.

'Het was vrijdagavond,' zei ze terwijl ze plaatsnam op de stoel naast de deur en haar groene leren handschoenen uittrok. 'Mevrouw Grant – Peteys moeder – en ik waren gaan bridgen bij een vriendin in Annestown. Ik wist dat mijn zoon John die avond laat zou thuiskomen, dus ben ik voor de gezelligheid nog een tijdje bij de Grants gebleven. Zoals je weet wonen die op de hoek van de straat die leidt naar het huis van het vermiste meisje, Katie Lawson, die daar met haar moeder Martha woont. Haar vader, Matthew Lawson, is jaren geleden overleden. In 1987, als ik het me goed herinner. Zo'n aardige man.'
Frank knikte geduldig.

'Hoe dan ook, ik zat op mijn kamer een kopje thee te drinken,' vervolgde ze. 'De logeerkamer aan de voorkant, die uitkijkt op de straat.'

'Hebt u naar buiten gekeken?' vroeg Frank, die graag terzake wilde komen. 'Toen u de kreet hoorde?'

'Ja, dat heb ik,' zei ze knikkend, 'en ik zag twee mensen op straat lopen, vanaf het dorp in de richting van Katies huis.'

'Mannen, vrouwen?'

'Een man en een vrouw... nou ja, een jongen en een meisje, zou ik zeggen, zeker niet oud. Hij was groter dan zij.' Ze knikte.

'Herkende u een van beiden?' vroeg Frank.

'Ze zagen er wel bekend uit, maar ik kan niet met zekerheid zeggen dat het meisje Katie was.'

'Hoe gedroegen ze zich?'

'Ontspannen en onbezorgd.'

'Maar die kreet dan?'

'Ja, die hoorde ik pas nadát ik ze had zien lopen.'

'O, ik dacht dat die de reden was dat u naar buiten keek.'

'Nee, ik zat gewoon naar buiten te kijken. Ik draaide me om om mijn thee te pakken, hoorde die kreet en keek weer naar buiten. Maar toen waren ze er niet meer.'

Ze aarzelde. 'Het kan die jongen van Lucchesi geweest zijn die ik heb gezien.' Ze wachtte even en boog zich naar voren. 'Herinner je je zijn moeder, hoe ze vroeger was?'

Frank schudde zijn hoofd. 'We waren hier toen nog niet.'

'Rokjes tot op haar billen. Ik heb haar nooit fatsoenlijke kleding zien dragen. Mijn hart brak toen mijn John omgang met haar kreeg. Ik wilde haar niet in mijn huis hebben.'

Frank liet haar nog enige tijd doorpraten, maar dat leverde geen nieuwe informatie op. Toen ze opstond om te vertrekken, wilde hij haar een hand geven, maar ze trok hem tegen zich aan, omhelsde hem en duwde haar onderlichaam hard tegen zijn dijen. Hij liet het beleefd toe, kneep haar zachtjes in de bovenarmen en draaide haar naar de deur.

'Jezus christus,' zei hij toen hij de deur achter haar had dichtgedaan.

Sam Tallon begon 's ochtends graag vroeg, wanneer iedereen nog sliep. Hij ging rechtstreeks naar de vuurtoren en toen hij de deur van het slot wilde draaien, merkte hij dat die al open was. Hij liep de trap op en bleef halverwege even staan om op adem te komen. Toen hij in het lampenhuis kwam, zag hij dat Anna er al was en dat ze de kranten van de vloer aan het rapen was.

'Ik kon niet slapen,' zei ze toen ze de uitdrukking op zijn gezicht zag.

'Ach, vier uur slaap moet genoeg zijn, als je het mij vraagt,' zei hij. 'Ik ga alles controleren en dan weten we gauw genoeg of we deze oude dame nog brandende kunnen krijgen.'

Joe pakte een plank van de stapel naast de werkbank. Hij zette hem vast met twee klemmen en stond er enige tijd naar te kijken. Van de plank boven de werkbank pakte hij een schaaf. Toen ging hij aan het werk en hij begon de zijkant van de plank af te schaven. Dunne, lichte houtkrullen vielen op de vloer. Vervolgens draaide hij de klemmen los en legde de plank terug op de stapel. Hij schrok toen hij iemand in de deuropening zag staan.

'Martha,' zei hij. 'Je laat me schrikken. Hoe gaat het?'

'Ik vroeg me af of je me kunt helpen, Joe,' zei ze. 'Met Katie. Jij hebt ervaring met dit soort dingen.'

'Ja,' zei Joe. 'Maar –'

'Wat is er volgens jou gebeurd?' vroeg ze.

'Ik weet het echt niet, Martha. Ik heb alle feiten niet.'

'Je was erbij toen de vragen werden gesteld. Ik heb je de afgelopen paar weken zelf het een en ander verteld. Je weet net zoveel als ik, en dat is net zoveel als de politie weet.'

'Die kan informatie hebben die ze niet vrijgeeft,' zei Joe.

Martha keek naar de grond.

'Jij gelooft niet dat ze van huis is weggelopen, hè?' zei ze.

'Dat ís mogelijk,' zei Joe. 'Als je naar me toe bent gekomen vanwege mijn ervaring, zal ik je iets vertellen wat ik heb geleerd, namelijk de mogelijkheden open te houden. Vooral als het om tieners gaat. Je weet met tieners nooit wat er te gebeuren staat. Ik heb soms echt geen idee wat er in het hoofd van Shaun omgaat.'

'Kun je niet iets doen, ervoor zorgen dat je de politie mag helpen?'

Joe glimlachte. 'Op dat punt kan ik weinig doen, vrees ik. Zo werkt het gewoon niet. Wat denken zíj dat er gebeurd is? Waar ze die avond naartoe is gegaan?'

'Wat zij denken klopt gewoon niet. Zij schijnen te geloven dat ze is weggelopen. Maar ze willen me niet vertellen waaróm ze dat denken. Hun theorie is dat Shaun en zij bij de haven uit elkaar zijn gegaan, dat ze door het dorp is gelopen en toen links af is geslagen om naar huis te gaan. En daarna wordt het allemaal nogal vaag. Ik denk dat ze geen idee hebben.'

'Nou, ik kan allicht een paar vragen stellen, denk ik,' zei Joe. 'Om te zien of er iets is wat niet klopt. Maar ik werk niet meer bij de politie, zoals vroeger in de Verenigde Staten, dus ik kan niet meer over mijn gebruikelijke bronnen beschikken.'

Ze knikte bedroefd.

'Hoor eens, misschien helpt het als je me op de hoogte houdt als de politie je iets nieuws vertelt.'

'Goed, dat zal ik doen,' zei Martha. Ze keek hem recht in de ogen. 'En als ze dood is?'

Joe gaf geen krimp. 'Denk eraan, hou de mogelijkheden open,' zei Joe, en hij kneep haar zachtjes in de arm.

Ze knikte. 'Ik denk dat ze dood is.' Snel en zonder om te kijken liep ze de werkplaats uit. Joe vroeg zich af, en niet voor het eerst, waarom mensen ertoe geneigd waren hem dingen te vertellen die ze nooit aan iemand anders zouden vertellen.

Betty Shanley kwam Tynan's uit toen ze Shaun aan de overkant zag lopen. Ze wenkte hem naar zich toe.

'Sorry, schat, ik weet dat je lunchpauze hebt, maar ik wilde je alleen laten weten dat we weekendgasten voor een van de huisjes krijgen. Wil jij dat regelen?'

'Natuurlijk, mevrouw Shanley,' zei hij. 'Op vrijdag?'

'Ja, maar je kunt het na school doen. Ze komen pas om een uur of tien.' Ze omhelsde hem even. 'Ik hoop dat het goed met je gaat,' zei ze. 'Arme ziel.'

'Dank u,' zei Shaun, en hij wilde doorlopen. 'O, welk huisje is het?'

'Nummer vijftien,' zei ze.

Shauns hart sloeg een slag over.

Joe zat in de werkkamer met zijn laptop voor zich.

'Hoi,' zei Anna, die haar hoofd naar binnen stak.

'Deze zaak is verdomme een nachtmerrie,' zei Joe terwijl hij een paar toetsen aansloeg.

'Welke zaak?' vroeg Anna.

Hij wendde zijn blik af. 'Shit. Ik bedoel Katie.'

'Zaak?'

'Sorry. Je begrijpt wel wat ik bedoel. Het is alleen... je weet wel... door er niet aan mee te werken...'

'Ik geloof niet dat ik dit wil horen.'

'Luister, ik zit erbovenop en ik ken de betrokkenen, dus als ik meer informatie zou hebben, zou ik –'

'Ho,' zei Anna. 'Je bent met verlof, rechercheur.'

'Kom op,' zei Joe. 'Je vertrouwt me toch wel?'

'Jij weet niet wat de politie aan het doen is,' zei ze. 'Misschien hebben ze "de dader al in zicht", zoals jullie dat zeggen.' Ze schrok. 'O mijn god, moet je mij horen. Ik ga er al van uit dat iemand haar iets heeft aangedaan, dat iemand...' De tranen sprongen in haar ogen.

'Kom eens hier, schat,' zei Joe.

'Ik weet niet wat erger is,' zei Anna. 'Dat iemand haar heeft meegenomen of dat ze... Ik bedoel...'

'Ik weet het, ik weet het. Daarom wil ik helpen.'

'Dus je meent het?' vroeg ze, en ze veegde haar tranen weg.

'Ja, ik meen het. Shauns vriendin is verdwenen. Die jongen is een wrak.' Hij sloeg zijn ogen neer. 'En Martha heeft me gevraagd of ik wilde helpen.'

'Ah, ik begrijp het,' zei Anna. 'Dus je hebt íémands zegen.'

Joe zei niets.

'Mag ik?' vroeg ze, waarna ze haar hand uitstak en het icoon in de vorm van een stickie onder aan het scherm aanklikte. Meer dan dertig gecomputeriseerde aantekenblaadjes in de kleuren geel, groen en blauw verschenen op het scherm. Ze glimlachte en schudde haar hoofd.

'Wauw.'

Elk blaadje bevatte een feit over Katies verdwijning, met Joe's commentaar eronder. Joe duwde haar hand opzij en klapte het scherm omlaag.

Shauns adem stokte toen hij zag wat er in de koelkast lag. De kruimeltjes van de taart. Ze bleven aan zijn vingertop kleven toen hij ze aanraakte. Hij veegde ze in zijn hand en kwam toen overeind. Toen hij hand boven de spoelbak van het aanrecht hield, vroeg hij zich af of hij sporen vernietigde door ze weg te gooien. Hij keerde zijn hand om, draaide de kraan open en zag de kruimeltjes ten slotte in de afvoer verdwijnen. Daarna liep hij het huis door, keek in alle kamers en controleerde wat hij moest controleren. Ten slotte liep hij de grote slaapkamer in. Zijn hart bonsde in zijn borstkas. Hij ging op het bed liggen en trok het kussen over zijn gezicht. Even later kwam hij weer overeind. De kamer leek zo leeg. Hij deed alle kasten open en dicht. Huilend trok hij de sprei van het bed recht. Hij ging naar beneden, zette de verwarming aan en legde een welkomstbriefje op de tafel. Hij draaide de deur achter zich op slot, legde de sleutel onder de mat en liep naar huis.

Joe kwam het politiebureau binnen en vroeg Ritchie of hij Frank kon spreken.

'Ik denk het wel,' zei Ritchie. 'Frank!' riep hij. 'Meneer Lucchesi wil je spreken.' Zijn glimlach was breed en onecht.

'Nou, jullie mogen het allebei horen, hoor,' zei Joe.

Frank kwam naar de balie.

'Het gaat over wat ik je onlangs in Danaher's probeerde te vertellen. Shaun had Katie op de vrijdagavond dat ze is verdwenen een witte roos gegeven en ik heb die op het graf van haar vader gevonden. Dus ik denk dat ze Church Road heeft genomen en een tussenstop op de begraafplaats heeft gemaakt. Hij ligt er nog steeds. Jullie kunnen zelf gaan kijken.'

'Dat kan wel zo zijn, maar we hebben een getuige die iets anders beweert.' Frank gaf hem een korte samenvatting van zijn gesprek met Mae Miller.

'O,' zei Joe, in verwarring gebracht. 'Tja, sorry, dan moet ik... dan moet het een andere roos... misschien heeft Martha...' Hij draaide zich van hen weg, keek hen weer aan en knikte. 'Bedankt voor het luisteren.'

Anna ging in de vuurtoren kijken. Sam was net klaar en was zijn spullen aan het opbergen in een schone, gele gereedschapskist. Hij veegde zijn handen af aan een lap en glimlachte.

'Ik heb goed nieuws voor je,' zei hij. 'Ik heb niet veel hoeven doen. Er waren een paar brandstoflekken en ik heb de pakkingen van de luchtpompen vervangen.'

Anna had slecht nieuws verwacht.

'Wat ik zeggen wil, is dat ik niet zie waarom ik je zou moeten weerhouden het licht aan te steken.'

Anna omhelsde hem stevig en klopte hem op de rug. 'Geweldig! Ik ben je zo dankbaar, Sam.'

'O, en er is nog iets,' zei hij. 'Dit!' Hij haalde een lichtroze zijden lichtkous te voorschijn.

'Wauw! Nogmaals bedankt.' Ze pakte de kous van hem aan en woog hem in haar handpalm. 'Hij ziet er heel anders uit dan ik had verwacht. Hij is zo licht. Het zou iets kunnen zijn wat mijn grootmoeder vroeger haakte.'

'De goeie dingen van het leven zijn vaak klein,' zei Sam, en hij knipoogde naar haar.

Joe was met zijn gedachten nog bij Frank en Ritchie en Mae Miller toen hij de voordeur achter zich dichtdeed en de gang in liep. Hij voelde zich als een schooljongen die bij elke vraag zijn hand opstak maar dan steeds het verkeerde antwoord gaf. Hij moest terug naar het begin. Hij merkte dat hij langzamer ging lopen. Toen zorgde iets ervoor dat hij bleef staan, een vreemd en vaag gevoel van hoop. Hij stond voor de deur van Shauns kamer. Wat hij van plan was bezorgde hem een steek van pijn, maar voor het overige had hij zijn emoties uitgeschakeld. Hij deed de deur open en liep de trap af. Hij bewoog zich door de kamer en raakte zo weinig mogelijk aan. Alles wat hij oppakte, beeldde hij zich in, zou opgloeien alsof het met Luminol was bespoten zodra Shaun binnenkwam. Het bed was opgemaakt en er lag een filmtijdschrift op de sprei. Er hing maar één poster aan de muur, die van Scarface. Hij zag verder geen foto's van modellen of actrices in de kamer; Shaun had die waarschijnlijk opgeruimd toen hij met Katie begon om te gaan. Joe verwachtte niet dat Shaun ze ooit nog zou ophangen. Bij de kast met de open deur bleef hij staan en keek naar de schoenendozen op de bovenste plank. Op de voorkant zaten afbeeldingen van sportschoenen, in zwartwit, maar ze zaten vol met foto's, oude kaartjes van popconcerten en plastic speelgoedjes van vroeger.

Joe stak zijn hand uit, haalde een Magic 8 Ball uit een van de dozen en rammelde ermee. Het zachte kraken boven aan de trap hoorde hij niet.

'Wat ben jij hier verdomme aan het doen?' riep Shaun vanuit de deuropening.

Langzaam draaide Joe zich om. 'Eh...'

Shaun kwam de trap af rennen en griste de bal uit zijn hand.

'Die is van mij.'

'Ik wilde alleen –'

'Wat?' zei Shaun. 'Me bespioneren?'

'Nee!' zei Joe. 'Nee, ik –'

'Je lult uit je nek!'

'Pas een beetje op je woorden.'

Shaun snoof minachtend. 'We hebben het niet over mijn woorden. We hebben het over inbreuk plegen op mijn privacy. Het huis van een afgeleefde cracksnuiver zou je niet binnengaan zonder een huiszoekingsbevel, maar hier... Waar ben je naar op zoek?'

'Dat weet ik niet. Iets wat ons kan helpen. Ik wil graag helpen. Je wilt toch weten wat er met Katie is gebeurd, of niet soms?'

'Natuurlijk wil ik dat weten,' snauwde Shaun. 'Maar als het antwoord hier te vinden was, zou ik het inmiddels wel gevonden hebben, denk je ook niet? En wat was dat verdomme met Robert? Denk je dat we allemaal achterlijk zijn? "Wat is dat voor schram op je hand?" Geloof je nou echt dat hij niet weet wat je daarmee bedoelde? Je slaat op hol, pa. Jij ziet alleen maar het slechte in mensen. Zelfs in je eigen zoon. Zelfs nu je met die stomme baan van je bent gekapt. Dat is echt zielig.'

De stoelleuning plakte tegen Dukes rug. Zijn oogleden waren zwaar en hij zat te knikkebollen. Ergens in het bos klonk een kreet. Onmiddellijk gingen zijn ogen open. Hij zette zijn handen op de armleuningen van de fauteuil en duwde zich langzaam overeind. Hij liep naar de achterdeur en stapte de tuin in. In het weiland, verderop bij een oude varkensstal, liepen twee jonge mensen met rugzakken, pratend en lachend. Achter hen was een lang pad van geel, platgetrapt gras. Duke werd boos. Hij liep naar de voorkant van het huis en volgde de weg totdat hij bij het begin van het pad was. Daar stond een houten bord waarop met de hand een figuur met een rugzak en een wandelstok was geschilderd. En een pijl die in de richting van de twee trekkers wees. Duke greep het bord vast en rukte het heen en weer totdat het uit de grond kwam. Hij keilde het in het groen, draaide zich om en liep terug naar het huis. Hij stapte in de stationcar en reed totdat hij de zee zag.

Met haar koffiemok in de ene hand en een onderzettertje in de andere liet Nora Deegan zich in de brede fauteuil zakken.

'Hij heeft verstand van koffie,' zei ze terwijl ze de heerlijke geur opsnoof. 'Dat moet ik hem nageven.'

'Joe?'

'Dit is een of andere Colombiaanse melange. Ik zou die geur de hele avond wel kunnen opsnuiven.'

'Aardig van hem om een pak voor je mee te brengen,' zei Frank.

'Ja. Maar zo zijn koffiedrinkers. Wij zijn de rokers van de hedendaagse wereld.'

Frank grinnikte.

'Nee, echt,' zei ze. 'Wij zijn ook paria's geworden. "O mijn god, ik zou 's nachts geen oog dichtdoen als ik zoveel koffie dronk als jij." Of: "Ben je niet bang voor wat koffie met je maag doet?" Of: "Nee, nee, geef mij maar cafeïnevrij." In cafeïnevrij zitten meer chemicaliën dan in...'

'Sommige mensen hebben geen keus,' zei Frank, en hij trok een bedroefd gezicht.

'Ik heb het niet over jou, lief,' zei ze. 'Ik heb het over mensen die geen enkele kwaal hebben en die toch geen koffie drinken. Waanzin.'

'Waar ga je naar kijken?' vroeg Frank, met een hoofdknikje naar de tv.

'Ik ga kijken naar...' Ze zette haar halve leesbrilletje op en bracht de opgevouwen krant naar haar gezicht. '...*De Laatste Dagen van Pompeï*. Het is vanavond geschiedenisavond.'

'Mooi. Dan ga ik naar Danaher's om met Ritchie nog een paar dingen over de zaak door te nemen.'

'Tegen de tijd dat die is opgelost,' zei ze, 'kunnen jullie elkaar niet meer zien.'

'Hm,' zei Frank.

Joe ging aan de keukentafel zitten. Zijn zenuwen waren nog steeds van streek. Wat voor een vader was hij geworden? Hij dacht terug aan de tijd dat hij bij Zedendelicten werkte en dat Anna op een dag met Shaun naar het bureau was gekomen. Joe had haar toen vijf dagen niet gezien. Hij had boven op een bank liggen slapen toen hij door de receptie werd gebeld. Hij was doodmoe geweest na zijn dienst, maar was op het bureau gebleven om door te werken aan een zaak. Naast hem, op de vloer, lag een dossier en daarop lag een glanzende kleurenfoto van een vier jaar oud Latijns-Amerikaans jongetje in een lichtblauwe pyjama met rode vliegtuigjes erop. Het jongetje lachte, leunde achterover en had zijn armen in de lucht gestoken alsof hij van een glijbaan gleed. Joe wist nu nog hoe hij heette. Luis Vicario. Luis was naar een huis gebracht door een jonge prostituee, in opdracht van de bewoner, een onverzorgde, dikke trucker die pas in de buurt was komen wonen. Hij had tegen de prostituee gezegd dat Luis zijn zoon was, die hij van zijn ex-vrouw nooit mocht zien. De prostituee had Luis een vlucht in een echt vliegtuig beloofd, hem naar het huis gebracht en was daarna vertrokken. Drie uur later was Luis' lichaampje gevonden. Hij kon nauwelijks nog ademhalen. Een ambulance had hem naar het ziekenhuis gebracht, waar hij aan de beademing werd gelegd, zijn verwondingen zo goed mogelijk waren behandeld, talloze infuusnaalden in de dunne armpjes werden gestoken en op een hartbewakingsmachine was aangesloten. Drie maanden lang had Joe elke week zijn familie bezocht, totdat hun kind het gevecht had verloren. De trucker was gevlucht. De prostituee had het verhaal in het nieuws gezien en zich bij de politie gemeld. Ze zat in een verhoorkamer op Joe te wachten. Hij was opgesprongen en de trap af gerend, naar Anna. Die hem recht aangekeken en de toen zes jaar oude Shaun naar hem toe geduwd. 'Dit is je zoon, Shaun,' had ze gezegd. Joe had het moeilijk gevonden hem aan te kijken, maar hij had zich gebukt, hem omhelsd en zachtjes op zijn rug geklopt terwijl zijn ogen voortdurend op Anna gericht waren gebleven. Ze had tranen in haar ogen gehad. Na een minuut was hij opgestaan. Anna had Shauns handje vastgepakt en ze waren weggelopen. '*Au revoir*,' had ze over haar schouder geroepen. Hij had geweten dat ze hem niet zomaar gedag zei. Tot ziens, had ze bedoeld. Maar hij had liever gehad dat ze boos op hem was dan dat hij haar had moeten uitleggen waar hij op dat moment mee bezig was.

Dit jaar in Ierland was begonnen als het beste dat hij ooit met Shaun had gehad. Hij wilde absoluut niet dat er iets gebeurde wat daar een eind aan zou maken. Maar wat het allemaal nog kwalijker maakte, was dat hij inderdaad het ergste van Shaun had gedacht toen hij de kamer was binnengegaan. Zijn hart bonsde in zijn keel toen hij bij de schoenendozen stond. Hij had de Magic 8 Ball vastgepakt om iets te voelen wat vertrouwd en zacht was. Nu werd hij alleen nog geplaagd door schaamte.

En waarom zat Mae Miller nog steeds in zijn hoofd, als een cd die bleef steken? Hij kende haar nauwelijks, maar vroeg zich toch af of haar verklaring voor lief genomen moest worden, of dat ze misschien iemand beschermde? Hij kon maar één naam bedenken.

Hij moest naar buiten. Hij liep naar de jeep en reed naar het huis van de Grants. Het was bijna halftwaalf, de tijd dat Katie die avond naar huis was gelopen. Toen hij uitstapte, voelde hij meteen dat er iets mis was. Er waren nog drie huizen in de buurt, maar blijkbaar had niemand daar iets gehoord. Frank zou zeker navraag hebben gedaan om de verklaring met zo veel mogelijk getuigen te ondersteunen. Joe's voetstappen waren voldoende om de eerste hond aan het blaffen te krijgen. Al gauw volgde een tweede, een keffende kleine terriër die zijn kop tussen de spijlen van het hekje probeerde te wringen. Joe keek naar de ramen op de begane grond. In twee huizen brandde licht. In het derde leek alles donker, maar toen hij dichterbij kwam, zag hij dat er achter in het huis nog licht brandde. Het was nog niet te laat om bij de buren van mevrouw Grant aan te bellen.

Hij drukte op de bel van het eerste huis. Een vrouw in een vrolijk gekleurde blouse en een polyester pantalon deed open. Ze begon te blozen toen ze Joe zag.

'Hallo, meneer Lucchesi,' zei ze. 'Hoe gaat het met u?'

'Hallo,' zei Joe. 'Met mij gaat het goed. Ik... ik wilde u vragen of u thuis was op die vrijdagavond, de zesde, toen Katie is verdwenen.'

'Het arme kind,' Ze schudde haar hoofd. 'Ja, ik was thuis,' zei ze. 'Onze jongen was jarig. Ik was de ravage van het feestje aan het opruimen.'

'Rond middernacht?'

'God nee, tot ruim over tweeën.'

'Hebt u iets gehoord?'

'Nee, niks.'

'Was u misschien aan het stofzuigen?'

'Dat zou ik gedaan hebben als dat verdomde ding niet stuk was geweest. Ik zat op mijn knieën popcorn uit de vloerbedekking te pulken. Hebben de jongens u gevraagd mee te helpen met het onderzoek?' vroeg ze, met een fonkeling in haar ogen.

'Nee, nee,' zei Joe. 'Zo werkt het niet. Ik was gewoon nieuwsgierig, dat is alles. Hebt u die avond iets gezien?'

'Nee. Ik had amper tijd om adem te halen, laat staan om uit het raam te kijken.'

'Oké,' zei Joe. 'Bedankt.' Hij deed hetzelfde bij het tweede en het derde huis en reed toen naar Danaher's.

Het was doodstil in het bos bij Shore's Rock. Het enige wat de stilte verbrak waren de voetstappen van Mick Harrington en het gehijg van zijn hond Juno. Ongeveer anderhalve kilometer van het huis van de Lucchesi's baande Mick zich door het dichte groen een weg naar de rand van het klif, een weg die Mick in de afgelopen dertig jaar al talloze malen had gevolgd en die leidde naar een plekje waar hij kon gaan zitten om over zee uit te kijken. Juno liep langzaam voor hem uit op zijn vermoeide, oude poten. Opeens slaakte de hond een doordringende kreet en begon hij te blaffen, net zo lang totdat Mick naar hem toe liep, voorzichtig zijn kop vastpakte en door de knieën zakte om hem aan te kijken. 'Wat is er, knul? Wat maakt mijn ouwe makker zo aan het blaffen?'

Mick volgde de blik van de hond en verstrakte. Hij deinsde achteruit, pakte Juno's riem en had de grootste moeite die vast te maken aan de halsband. Zo snel als hij kon rende hij terug door het bos, waarbij hij Juno achter zich aan trok en de hond uiteindelijk in zijn armen nam om hem met wankele passen naar de auto te dragen.

Frank dronk rustig zijn bierglas leeg toen Joe de pub binnenkwam en naast hem kwam zitten, maar Ritchie was alweer bijna opgestaan. Hij wilde protesteren, maar kreeg daar de kans niet voor toen de deur van Danaher's openvloog. Mick Harringtons verwilderde blik ging langs de aanwezigen en bleef op Frank rusten. Frank stond op en liep naar hem toe.

'Jezus christus,' fluisterde Mick. Hij moest zijn tranen bedwingen. 'Ik was de hond aan het uitlaten. In... in het bos. Ik zag... ik denk... ik weet niet wat het was.' Hij hapte naar adem. 'Ik geloof... dat het Katie was.'

12

Stinger's Creek, Texas, 1983

Duke klopte op de hordeur en liep de treden af om door het raam te kijken. Hij zag een kaal hoofd dat glom in het licht van de tv.

'Meneer Riggs?' riep hij. 'Meneer Riggs?'

Geoff Riggs draaide langzaam zijn hoofd om en gebaarde naar de deur. Hij stond op uit zijn fauteuil, liep naar de deur en gooide die open. Het was vandaag zijn drinkdag.

'Hallo, meneer Riggs,' zei Duke. 'Is Donnie er?'

'Ik dacht dat hij met jou naar de kreek was.'

'O, natuurlijk,' zei Duke. 'We hadden daar afgesproken. Sorry dat ik u heb gestoord.'

'Geen probleem, jongen, ik kan wel wat lichaamsbeweging gebruiken,' zei Geoff, en hij zwaaide met de afstandsbediening.

Duke nam het pad door het bos. Hij riep maar kreeg geen antwoord. Uiteindelijk vond hij Donnie onder een katoenboom bij de kreek, met zijn benen opgetrokken tegen zijn borst en zijn magere voeten die uit de pijpen van zijn strakke spijkerbroek staken. Hij sliep.

'Hé, maat,' zei Duke terwijl hij zich bukte en zachtjes aan een van de voeten trok.

Het duurde even voordat Donnie wakker werd, maar ten slotte draaide hij zich op zijn rug en veegde wat aarde van zijn wang.

'Kon je gisteravond niet thuiskomen?' vroeg Duke.

'Jawel,' zei Donnie, 'maar mijn pa had de deur weer eens op slot gedraaid. Ik kon op de deur kloppen wat ik wilde, maar hij zat in zijn stoel met zijn sixpack op schoot en verroerde geen vin. Hij keek dwars door me heen. "Ga nou maar, jongen," zei hij, alsof ik een hond was.' Hij lachte en schudde zijn hoofd.

'Alles beter dan bij mij thuis wonen,' zei Duke.

'Jouw moeder is oké,' zei Donnie.

'Mijn moeder is helemaal niet oké,' zei Duke. Hij ging naast hem zitten, met zijn rug tegen de boom, haalde een boek te voorschijn en streek het glad.

'Nee,' zei Donnie, en hij stond op. 'Niet lezen. Laten we iets gaan doen.'

'Hou je kop. Dit is iets anders. Dit is cool. Ik heb het van oom Bill gekregen.'

Hij hield het boek op, zonder Donnie aan te kijken, en bladerde erin totdat hij had gevonden wat hij zocht.

'Moet je dit horen,' zei hij, en hij begon langzaam en hortend een passage voor te lezen. '"In de oudheid werd van de havik gezegd dat die over bijzondere krachten beschikte, over een grote kennis, gevoelens van trots, edelmoedigheid, moed, wijsheid..." en een woord wat ik niet kan lezen. Het bracht geluk als je 's ochtends vroeg een havik zag.'

'Dan is je oom Bill de gelukkigste man op de wereld,' zei Donnie.

Duke las verder. 'Als je de schreeuw van een havik hoort, is dat een teken dat je je moet openstellen voor een boodschap, en...' Hij wachtte even en besloot op ernstige toon: '...op je hoede moet zijn. Griezelig, vind je niet?'

'Ja,' zei Donnie. 'Maar toch wil ik iets gaan doen.' Hij begon zijn T-shirt uit te trekken. De ochtendzon voelde warm aan op zijn gezicht. Duke keek naar hem op. Donnie kromde zijn rug en klopte op zijn blote buik. Hij trok de rest van zijn kleren uit en riep: 'Wie er het laatst in is, is er geweest.' Hij rende naar de kreek, waar de ochtendnevel nog boven ging. Duke keek zijn naakte, gebruinde lichaam na. Er trok een koude rilling langs zijn ruggengraat. Hij voelde iets wat hem niet beviel. Hij ging Donnie niet achterna.

Donnie dook in het warme water. Hij kwam weer boven water en zwaaide met zijn beide armen. Hij dook opnieuw onder en toen hij daarna bovenkwam, trok hij zich op aan het touw dat ze aan de dikke tak van hun favoriete boom hadden geknoopt. Hij klom in het touw, zwaaide een keer heen en weer en liet zich weer in het water plonzen. Hij kwam het water uit en stond te rillen in de schaduw.

'Waarom kom je er niet in?' vroeg hij. 'Het water is heerlijk. Hé, wat gaan we na school doen?'

'Weet ik niet,' zei Duke, en hij keek op. 'Jezus, doe me een lol en trek je kleren aan, wil je?'

Wanda Rawlins reed met de pick-up door Stinger's Creek, met een flinke snelheid en een blikje frisdrank tussen haar dijen geklemd. Ze rookte als een man, hield de sigaret tussen haar duim en wijsvinger en inhaleerde elke trek diep. Ze ging op de rem staan toen ze een eenzame gestalte aan de kant van de weg zag en reed zigzaggend achteruit.

'Hé, Dukey!' zei ze. 'Wil je een lift naar huis?'

Duke haalde zijn schouders op.

'Hé, hé, kijk me eens aan. Wat is er mis?'

'Niks.'

'Niks,' herhaalde ze op mokkende toon. 'Vertel op.'

'Ach, ik had met Donnie afgesproken. Het maakt niet uit.'

'Stap in,' zei ze. 'Waar wil je naartoe? Ik breng je wel.'

'Zet me maar bij de winkel af.'

'Nou, dat is niet erg ver, is het wel?'

'Dan loop ik wel.'

'O, in godsnaam, stap in.'

Ze boog zich naar hem toe terwijl ze reed en keek hem van opzij aan als ze iets te zeggen had. Duke staarde recht voor zich uit en zijn ene hand rustte licht op het dashboard.

Donnie roerde zijn milkshake met het groenwit gestreepte rietje.

'Je bent zo grappig,' zei Linda Willard, en ze raakte zijn arm aan.

'Jij ook,' zei Donnie.

Linda prikte een frietje aan haar vork en streek met haar andere hand haar glanzende rode haar achter haar oor.

'Van wat voor muziek hou je?' vroeg ze.

'Dat weet ik niet,' zei Donnie. 'We hebben geen stereo of zoiets. We hebben niet eens een radio. Mijn vader heeft de tv de hele dag aan staan...' Hij haalde zijn schouders op.

'En wat doe je verder? Ik bedoel afgezien van rondhangen met Pukey Dukey?'

'Ach, hij vindt het vreselijk als hij zo wordt genoemd,' zei Donnie. 'Dat is allemaal de schuld van Ashley Ames. Ik mag Duke wel. We kunnen het goed met elkaar vinden.'

Duke zag hun lachende gezichten door de winkelruit, fronste zijn wenkbrauwen en ging op weg naar huis.

Twee uur later reed Linda Willard op haar rode fiets het dorp uit toen ze Duke Rawlins aan de kant van de weg zag staan. Hij zwaaide naar haar.

'Linda,' riep hij, 'kom even hier, wil je?'

'Oké,' zei Linda, en ze zette haar voet op de grond om te remmen. 'Mijn rem is kapot,' zei ze glimlachend.

'Donnie heeft me alles over je verteld,' zei Duke.

'O ja?' Ze begon te blozen.

'Ja,' zei Duke. 'Weet je wat hij zei?'

'Nou?' vroeg Linda terwijl ze zich over het stuur boog en hem geïnteresseerd aankeek.

'Hij zei dat jullie pas samen bij de kreek waren en dat jij toen...'

Duke boog zich naar haar toe en fluisterde het laatste deel langzaam in haar oor. Haar ogen werden groot. Wat Duke zei was walgelijk. Ze wist niet eens dat mensen dat met elkaar konden doen. Wat ze wel wist was dat ze Donnie Riggs nooit meer wilde zien.

13

'Toe maar,' zei Frank toen Ritchie met gebogen hoofd en een lange sliert speeksel aan zijn lip tegen een boom geleund stond. Hij spuugde op de grond en wachtte totdat zijn misselijkheid verdween. Maar hij begon weer te kokhalzen en gaf voor de derde keer over. Een paar meter verderop lag het ontbonden lijk van Katie Lawson, met een naakt onderlichaam. Alleen haar gezicht en benen waren goed te zien, maar de huid had een afschuwelijke donkergroene kleur gekregen en zat vol grote blaren. Het bovenlichaam werd grotendeels bedekt door aarde en bladeren en de roze capuchon was verkleurd tot een vuilbruine tint. Afgezien van de kleding was ze alleen herkenbaar aan het lange donkere haar, dat boven het hoofd uitgewaaierd lag en al begon los te laten van de schedel. De gelaatstrekken waren compleet onherkenbaar, want de huid en het weefsel waren losgelaten van het bot.

'Dat kan door dieren gedaan zijn,' zei Frank. 'Maden. God weet wat voor verwondingen daaronder zitten. Weet je, je zou kunnen denken dat ze gewoon door het bos is gelopen, is gestruikeld en op haar hoofd is gevallen, maar dat daar...' Hij knikte naar de spijkerbroek en het slipje, die om haar voeten gedraaid zaten en waaronder nog één roze sportschoen zichtbaar was.

'Een afschuwelijke zaak,' zei dr. Cabot, de huisarts van het dorp, die een stapje achteruit deed en een blauwwit geruite zakdoek tegen zijn neus en mond drukte. Zijn werk zat erop, de absurde taak om van een ernstig ontbonden lijk de dood vast te stellen. Frank sloeg een kruis. 'Op momenten als deze moet je wel in de ziel geloven,' zei hij met onvaste stem, 'want dat daar... nou, dat is de Katie niet meer.'

Joe zat in Danaher's, naast Mick Harrington, die met trillende hand zijn tweede glas whisky naar zijn lippen bracht. Hij keek naar Micks zwoegende borstkas. Ed had niets gezegd toen hij de glazen voor hen had neergezet. Joe wilde weg. Hij wilde niet beleefd zijn en wachten totdat Micks shock weer wat afgenomen was. Hij wilde, hoe vreemd dat misschien ook mocht klinken, naar de allerbelangrijkste plaats delict die hij ooit zou zien. Maar hij bleef zwijgend aan de bar zitten. Hij had te veel tijd om na te denken over wat er met Katie gebeurd kon zijn. Even had hij haar voor zich gezien als een engel in een wit gewaad, die op haar rug lag met een vage glimlach op haar vredige gezicht. Maar al gauw had dat beeld plaats moeten maken voor meer duistere beelden en herinneringen aan alle slechtheid die hij van zijn leven had gezien. Hij dacht aan het bos, aan het levenloze lichaam dat aan een touw aan een boomtak hing. Hij dacht aan haar gezicht, kapot en verminkt, met matte, starende ogen. Daarna zag hij haar in plastic gewikkeld, of begraven, of in een bepaalde houding neergelegd... Hij keek om zich heen in de pub en wenste dat hij iemand anders was, niet de persoon voor wie het zicht op een goede wereld voorgoed verdwenen was.

Frank hield zijn hand op en voelde de eerste druppeltjes van een regenbui.

'We moeten het lijk afdekken, nu meteen,' zei hij. 'Heb je iets bij je?'

'Alleen een paar regenjacks,' zei Ritchie. 'In de auto.'

'Ga ze halen,' zei Frank terwijl hij de ritssluiting in de kraag van zijn donkergroene jack opentrok en de opgevouwen capuchon eruit haalde. Hij zette hem op en knoopte het koordje vast onder zijn kin. Het was het laatste wat hij deed voordat hij roerloos voor zich uit bleef staren. Elke voet die hij verzette kon de sporen op de plaats delict beschadigen. Hij had al een keer gefaald om Katie Lawson tegen de boze buitenwereld te beschermen en dat zou hem geen tweede keer gebeuren.

Ritchie haalde de jacks uit de kofferbak toen hij van achteren werd verlicht door de koplampen van een snel naderende auto. Hij draaide zich om toen de auto slippend in het grind tot stilstand kwam. Inspecteur O'Connor stapte uit met een zwart notitieboekje in zijn hand en hij werd gevolgd door hoofdinspecteur Brady. O'Connor gebaarde Ritchie dat die niet met de zaklantaarn in zijn gezicht moest schijnen.

'Weten jullie zeker dat ze het is?' vroeg Brady.

'Ja,' zei Ritchie. 'Het lijk wordt nat. We moeten het afdekken.'

'We hebben de tent meegebracht,' zei O'Connor. 'Daar, in de auto. Maar trek eerst zelf zo'n regenjack aan.'

Ritchie rende naar O'Connors auto. Hij haalde de tent uit de kofferbak en kwam in looppas weer terug. De twee mannen volgden hem het bos in en schenen met hun zaklantaarns om zich heen. Ze kwamen aan op de plaats delict, knikten naar Frank, wierpen een vluchtige blik op het lijk en begonnen de tent op te zetten.

'We moeten de technische recherche laten komen,' zei Brady.

De technische recherche was gevestigd in het Phoenix Park in Dublin en begon nooit eerder dan negen uur 's ochtends, wat voor gruwelijke misdaad er die nacht ook was gepleegd. Over acht uur en dertig minuten zou iemand de fax met hun bericht over een verdachte dood in Waterford vinden en zou een technisch team worden samengesteld. De patholoog-anatoom, die het nieuws over het lijk dan misschien al gehoord zou hebben, zou door de technische recherche worden gebeld met het verzoek naar de plaats delict te komen.

Brady keek Frank aan. 'We moeten de plaats delict veiligstellen.'

'Ritchie, jij blijft hier,' zei O'Connor. 'Frank, hoofdinspecteur Brady en ik gaan met Martha Lawson praten, voordat ze het nieuws van iemand anders hoort.'

Het viel Frank op dat O'Connor een bril met een dun metalen montuur op had.

'Oké,' zei O'Connor, en hij gaf het zwarte notitieboekje aan Ritchie. Hij haalde een pen uit de binnenzak van zijn blauwe gewatteerde jack en gaf die ook aan hem. 'Je schrijft de namen op van alle personen die in de buurt van de plaats delict komen, te beginnen met ons vieren. Het moge duidelijk zijn dat je geen sporen mag beschadigen, dus kijk uit waar je loopt of gaat staan. Ademhalen mag, maar voorzichtig. We mogen hier absoluut geen fouten maken, maar dat hoef ik jou niet te vertellen.'

Ritchie knikte, maar er was paniek zichtbaar in zijn ogen. O'Connor aarzelde even, maar liet het gaan.

Mick Harrington kwam thuis, stortte zich in de armen van zijn vrouw en begon te snikken zoals hij nog nooit had gesnikt. Robert stond boven aan de trap, zag zijn ouders en vroeg zich af of er misschien iets met grootvader was gebeurd, totdat hij zag dat zijn ouders zich allebei omdraaiden en hem aankeken.

Joe Lucchesi deed zachtjes de voordeur van Shore's Rock achter zich dicht en schudde langzaam zijn hoofd toen Anna naar hem toe kwam lopen. Hij nam haar in zijn armen en ze klemden zich aan elkaar vast. Daarna liepen ze hand in hand de trap naar Shauns kamer af.

Martha Lawson schreeuwde het uit totdat haar keel kurkdroog was. Ze liet zich in de hal op de grond vallen, drukte haar handen op haar oren en bleef het woord 'nee' herhalen, alsmaar weer, in korte, schorre stoten. Frank, O'Connor en Brady hadden nog niet eens iets gezegd en ze moesten om haar heen stappen om het huis binnen te gaan. Frank was zichtbaar geschokt door haar reactie. Hij bukte zich en sloeg zijn arm om haar schouder, waarna hij haar in een halve omhelzing van de vloer tilde, naar de woonkamer sleepte en op de bank neerzette.

'Ga thee maken, iemand,' zei hij. O'Connor keek Brady even aan en liep toen naar de keuken.

'Ik wil geen thee!' riep Martha. Ze sloeg haar hand voor haar mond. 'O god, het spijt me,' zei ze. 'Het spijt me zo. Waar is ze? Waar hebben jullie haar gevonden?'

'In het bos,' zei Brady zacht. 'Bij Shore's Rock.'

'Wat?' zei ze. 'Maar daar hadden jullie toch al gezocht?'

'Ja, dat klopt,' zei O'Connor. 'Maar misschien zijn we niet diep genoeg het bos in gegaan. Je kunt daar moeilijk komen.'

'Blijkbaar niet zó moeilijk,' riep Martha, 'als Katie daar heeft gelopen.' Ze liet de opmerking in de lucht hangen. 'O mijn god,' zei ze opeens. 'Wat deed ze daar? Wat is er met haar gebeurd? Is ze gevallen? Is ze –'

'Dat weten we nog niet,' zei Brady op vriendelijke toon. 'De patholoog-anatoom...'

'...dokter Lara McClatchie zal later vandaag de autopsie op het stoffelijk overschot verrichten,' maakte Martha voor hem af. 'Ik ken de rest van de zin al,' snikte ze. 'Ik heb het in het nieuws gehoord. Ik zeg nog tegen mezelf: "Jezus, Maria en Jozef, dat arme gezin." Maar dat gezin ben ik! Ik ben dat arme gezin.' Opeens sprong ze op van de bank, rende de gang in en griste een van Katies jacks van de kapstok. Ze rukte de voordeur open en liep struikelend de nacht in. 'Ik moet naar haar toe,' riep ze wanhopig. De drie mannen keken elkaar verbijsterd aan, maar O'Connor had de tegenwoordigheid van geest om haar achterna te gaan. Ver hoefde hij niet te lopen. Martha zat op haar knieën in de voortuin, voorovergebogen, met Katies jack tegen haar borst gedrukt terwijl de motregen zachtjes op haar nachthemd viel.

Vanaf negen uur de volgende ochtend kwamen de mensen uit het dorp naar het bos. Ze parkeerden hun auto's bij de wegafzetting en gingen te voet verder om een blik van de bezigheden verderop in het bos op te vangen. O'Connor had een van zijn meer bedachtzame agenten bij de afzetting neergezet en hem opdracht gegeven alle bosjes bloemen en teddybeertjes in ontvangst te nemen die ze bij de plaats delict wilden neerleggen. Toen die verzameling aanzienlijk begon te worden, drongen de cameramensen en fotografen zich naar voren om een goed shot te maken.

Ritchie stond met zijn rug naar de deur van het bureau en wreef zich hard in het gezicht. Hij had het grootste deel van de nacht bij het lijk gestaan, totdat hij was afgelost door een agent uit Waterford. Hij draaide zich om toen hij voetstappen hoorde en een brunette in de deuropening zag staan. Haar lengte verbaasde hem; ze was minstens een meter tachtig. Automatisch keek hij naar haar voeten. Ze had schoenen zonder hakken aan, beige sportschoenen met zwarte strepen. Hij keek weer naar haar gezicht. Ze was aantrekkelijk en zag eruit alsof ze veel in de buitenlucht kwam, met een gezond, gebruind gezicht, dikke wenkbrauwen, volle lippen en geen make-up. Haar haar was samengebonden in een paardenstaart die hoog op haar hoofd zat.

'We zijn eigenlijk nog niet open,' zei Ritchie, 'tenzij het een spoedgeval is...'

Ze fronste haar wenkbrauwen. 'Hm, ik denk dat het te laat is om het een spoedgeval te noemen,' zei ze, met een west-Brits accent. 'Ik ben hier vanwege de verdachte dode...'

Frank had geprobeerd snel achter de balie vandaan te komen, maar hij was te laat geweest.

'Sorry,' zei hij, en hij knikte naar Ritchie. 'Goeiemorgen, dokter McClatchie. Ik ben Frank Deegan, de brigadier hier.' Hij gaf haar een hand en wendde zich weer tot Ritchie. 'Dokter McClatchie is de patholoog-anatoom. Dit is agent Ritchie Bates.'

Ritchie begon te blozen. 'Ik –'

'Je kent me alleen van de tv. In het echt zie ik er blijkbaar anders uit.' Ze glimlachte.

'Eh... ja.'

'Welkom, dokter,' zei Frank. 'Als dat de juiste manier is om het te formuleren. Ik zal u naar de plaats delict brengen.'

'Alsjeblieft, noem me Lara.'

Frank ging haar voor naar buiten, liep langs haar oude zwarte Citroën en hield het portier van de Ford Focus voor haar open. Tijdens de rit gaf hij haar een samenvatting van de situatie. Sinds Frank de afgelopen nacht was vertrokken, waren er twee busjes met de persmensen gearriveerd en hingen de verslaggevers en cameramensen in de buurt ervan rond. Frank reed ze voorbij en parkeerde achter het busje van de technische recherche. Het eerste wat ze roken toen ze uitstapten was de stank van braaksel.

'Op een plaats delict gaat altijd wel iemand over zijn nek,' zei Lara. Een van de technici kwam naast haar staan.

'Dat was Alan, als je het weten wilt,' zei hij, doelend op een van zijn collega's. 'Maar het had niks met het lijk te maken. Hij had gisteravond gewoon te veel gezopen.'

Ze onderdrukte een lach en keek langs hem heen in de laadruimte van het busje. 'Kan ik mijn spullen pakken?'

'Natuurlijk.'

Over haar zwarte broek en jasje trok ze een witte propyleen overall aan, standaard maat XL, die haar lengte mooi accentueerde maar die ze in de breedte bij lange na niet vulde, zoals sommige van haar zwaarder gebouwde collega's. Daarna trok ze de schoenbeschermers en gummihandschoenen aan en ten slotte zette ze de capuchon van het pak op om te voorkomen dat haar haar ergens aan een boomtak bleef hangen.

'Neem je geen zakken mee?' vroeg Frank.

'Nee,' zei ze, 'alleen een paar kleintjes voor het geval ik iets tegenkom.' Ze liet hem de zakjes zien. 'Mijn werk vindt voornamelijk in het mortuarium plaats.'

Ze liepen naar het blauw met witte afzettingslint. De agent die daar stond, schreef haar naam en die van Frank op en noteerde de tijd erbij.

'Wie zijn al die mensen?' vroeg ze terwijl ze om zich heen keek.

Afwezig wees de agent ze aan. 'Dat daar zijn de mensen van het korps uit Waterford en die man daar is mijn neef. Hij werkt voor de krant.' Lara bleef de agent even aankijken. Frank ging haar over het met lint afgezette pad voor naar het lijk en liep toen weer terug om met de agent bij de afzetting te praten.

Niet zo ver van het lijk stond een andere agent die naar een voetafdruk wees, maar iemand riep: 'Die is vers. Die is van die agent uit Mountcannon. Van toen hij en de brigadier hier aankwamen. Ik zou er geen aandacht aan besteden. Ze hebben gezegd dat er geen voetafdrukken waren toen ze hier aankwamen.'

'Hallo, Alan,' zei Lara tegen de technische rechercheur. 'Hoe was het gisteravond?'

'Praat niet zo hard,' zei hij.

Ze keek om zich heen. 'Dit is afschuwelijk.'

'Wat? Het lijk? Of die halve zolen – vergeef me de term – die op de plaats delict hebben lopen rondstampen?' Hij zag er kalm uit, maar ze wist wel beter.

'Allebei,' zei ze.

Alan knikte langs haar heen. 'Die man daar is trouwens journalist, en hij heeft een klein cameraatje bij zich. Dus denk erom dat je niet glimlacht.'

Ze knipoogde naar hem met haar bruine ogen. 'Ik hou het bij mijn speciale "plaats delict-glimlach". Alleen voor het publiek. Net als jouw beheerste woede. Zodat de mensen die je straks in het nieuws zien niet denken dat je een verdachte bent, en dat ze van mij niet denken: die stomme griet doet mannenwerk.'

Frank keek toe terwijl dr. McClatchie naast het lijk neerhurkte, weer opstond en er langzaam omheen liep. Iedereen keek naar haar en volgde al haar bewegingen alsof de kans bestond dat ze ineens zou opkijken en zou zeggen: 'Even luisteren, allemaal. De moordenaar is die en die en hij woont...'

Het feit dat ze allemaal met zekerheid wisten dat er sprake was van een moordenaar was niet zozeer een schok. Het was vooral een deprimerende realiteit die ze onder ogen moesten zien. Frank wist dat de meeste mannen hier nog nooit een lijk hadden gezien. De enige lijken die hij zelf had gezien waren zelfmoorden, de meest recente van een vijftienjarige jongen die zich had opgehangen in de schuur van de buren. Frank had hem gevonden, althans, een paar seconden nadat zijn moeder hem had aangetroffen.

Het liefst had Frank de tijd willen stilzetten, of, wat veel belangrijker was, willen stilzetten wat zich voor zijn ogen afspeelde. Deze inbreuk op Katies privacy was heel moeilijk te verdragen. Maar hij wist dat de echte inbreuk een paar weken geleden had plaatsgevonden. Wat hier gebeurde had zin: het moest gebeuren en werd gedaan om nog iets voor het slachtoffer te doen.

De toeschouwers deden een stapje achteruit toen dr. McClatchie zich over het lijk boog. Twee technische rechercheurs hurkten aan weerskanten van haar neer. De fotograaf kwam erbij staan. Stuk voor stuk werden de takjes en bladeren van Katies bovenlichaam weggehaald en na elke laag werd er gestopt om het resultaat zowel op foto als op video vast te leggen. Na twee uur was alles van het lijk verwijderd, stonden de drie verstijfd op en deden ze een stap achteruit.

Frank keek toe terwijl er plastic zakken om het hoofd, de handen en de voeten werden gedaan, waarna het lijk in een kunststof lijkzak werd getild en op een brancard werd gelegd.

'Heb je al een idee over de doodsoorzaak?' vroeg O'Connor, die naast dr. McClatchie was komen staan.

'Dát zal ik je na de autopsie vertellen.' Ze keek om zich heen. 'Kan iemand me een lift naar mijn auto geven?'

Duke stond tegen de stationcar geleund. De man die vóór hem geparkeerd stond, had zijn raampje open en zat naar het opgewonden commentaar van een voetbalwedstrijd te luisteren.

'Kom op nou, Din,' riep zijn vriend. 'We kunnen de uitslag later horen.'

Duke keek hen na toen ze beiden met hun boog in de hand naar de ingang van het Dromlin-bos liepen. Daar zat een grote vrouw in een oranje jack achter een picknicktafel met een stapel formulieren voor zich. Ze keek glimlachend op en gaf beide mannen een pen. Toen ze hun formulieren hadden ingevuld, wees de vrouw hen aan waar ze naartoe moesten. Duke wachtte af. Er arriveerden nog meer mannen, die dezelfde procedure volgden. Er waren er ook die zo mochten doorlopen.

'Hallo,' zei Duke tegen de vrouw. 'Din is al naar binnen met mijn boog. Kun je me vertellen wat er precies gaat gebeuren?'

'Veertien bij twee 3D groot wild,' zei ze. 'Jullie zijn al met ruim twintig man. Ben je een vriend van Din?'

'Uit de Verenigde Staten,' zei Duke, met een glimlach.

'Hij is een heel belangrijk man voor de GAA,' zei de vrouw.

'Dat geloof ik graag,' zei Duke. Hij had geen idee waar ze het over had. Hij vulde een formulier in en liep het bos in. Bij de bomen stonden groepjes boogschutters hun bogen af te stellen. In de verte was een man in een canvas jack waarschuwingsbordjes aan het ophangen.

'Die hadden er uren geleden al moeten hangen,' zei een van de mannen. 'We hebben het bos niet eens voor onszelf alleen. Ze laten hier tegenwoordig iedereen maar toe en wij maar wachten totdat ze langs de doelwitten zijn. Dat gaat eeuwen duren.'

'Ik heb geen haast,' zei een tweede man, die zijn jachtboog aan het afstellen was. 'Ik ga even een plasje doen.' Hij legde zijn boog naast zijn vriend neer, maar die stond in de verte te turen, naar het ophangen van de bordjes. Daardoor zag hij niet dat Duke snel en geruisloos de pees van de boog vastpakte en zijn hand toen om het koele, gladde hout sloot. Een seconde later kwam hij een paar meter van de stationcar verwijderd tussen het groen uit. Hij legde de boog achterin en reed met flinke snelheid weg, het eerste stuk aan de verkeerde kant van de weg.

Het mortuarium in Waterford Regional Hospital had ongeveer het formaat van een schoollokaal en de twee snijtafels stonden naast elkaar aan de ene kant. Frank en O'Connor stonden een beetje opgelaten bij het roestvrijstalen aanrecht, beiden met een masker bengelend aan de rechterhand. Lara keek naar hen. Het leek wel een western waarin de een wachtte tot de ander in actie kwam. Ze was gekleed in lichtblauwe operatiekleding met daaroverheen een groene papieren jas die tot haar enkels reikte en die lange mouwen had, en een groen plastic schort. Ze had geen masker op. Ze trok een paar gummihandschoenen aan, wreef haar handen in met een fris geurende handcrème en trok toen een tweede paar handschoenen aan. De mannen volgden haar bewegingen met grote interesse.

'De stank kan me niet schelen,' legde ze uit, 'maar ik wil die niet aan mijn handen als ik straks een broodje eet. Vandaar de dubbele dekking.' Ze draaide zich om en liep naar Katies lijk, dat op de ene snijtafel lag, met een stalen blad vol instrumenten ernaast. De mannen volgden haar, maar bleven op een afstand. O'Connor was een fractie van een seconde eerder dan Frank met het omknopen van zijn masker. Opeens klonk de volle stem van Johnny Cash door het vertrek. Lara had vier cd's in de wisselaar gedaan: twee verzamelcd's met *bluegrass*-muziek, een van Hank Williams en een van Johnny Cash.

'Mijn smaak doorloopt fases,' zei ze tegen de verbaasde mannen. 'Hoewel ik nooit had gedacht dat ik ooit voor country zou warmlopen.'

Daarna zei ze vrijwel niets meer. Frank en O'Connor keken toe terwijl zij en haar team – een assistent, een fotograaf, een ballistisch deskundige en een vingerafdrukkenexpert – aan het werk gingen.

'Hé, wat hebben we hier?' zei ze, en ze hield een donker fragmentje omhoog dat ze met een pincet uit een van de hoofdwonden had geplukt. De ballistisch deskundige hield een plastic zakje voor haar open, waarna ze het erin liet vallen en zich weer over het lijk boog. 'Er is meer,' zei ze, en ze haalde er een tweede en een derde stukje uit.

O'Connor deed een stap naar voren. 'Wat denk je dat het is?'

'Geen idee,' zei ze. 'En waarschijnlijk zal ik het ook niet weten totdat ik voor de rechtbank mijn bewijsmateriaal presenteer.' Ze keek om naar de mannen. 'Jullie zijn degenen die alle uitslagen van het lab terugkrijgen. Mij vertelt nooit iemand iets.' Ze liep om O'Connor heen, die daarna weer bij Frank ging staan. Daar wachtten ze terwijl ze hun lichaamsgewicht van de ene voet op de andere verplaatsten totdat Lara uiteindelijk, vier uur later, haar handschoenen uittrok en hen meenam naar het aanrecht. Hoofdinspecteur Brady was net gearriveerd en hij werd binnengelaten door de agent die op de gang op wacht stond. Hij schrok zichtbaar van de stank, sloeg zijn hand voor zijn mond en kwam naar hen toe lopen. Hij keek om zich heen alsof hij wilde vaststellen waar de muziek vandaan kwam.

'*The man in black*,' zei hij.

Lara knikte en glimlachte.

'Goed,' zei ze. De drie mannen dromden voor haar samen. Ze keek op hen neer en ze deden een stapje achteruit. 'Er zijn sporen van verwondingen aan het hoofd toegebracht door een stomp voorwerp. Ze is diverse keren geslagen, duidelijk met iets wat zwaar was. Er zijn ook sporen van verwurging, schade aan het strottenhoofd en kneuzing van de adamsappel. In de hoofdwonden zijn maden actief geweest. Wanneer vliegen naar een lijk komen – en dat doen ze meestal al binnen een paar uur – zoeken ze naar de meest vruchtbare plaatsen om hun eitjes te leggen. Dan hebben we het over alle lichaamsopeningen: de ogen, de neusgaten, de oren, de mond, de penis, de vagina en de anus. Maar als er verwondingen zijn, genieten die toch de voorkeur. Mijn excuses voor de formulering. Ook op de armen en handen heb ik sporen van activiteit van maden gevonden, wat kan wijzen op de aanwezigheid van verdedigingswonden.'

'En wat is de doodsoorzaak?' vroeg Brady.

'Ik zou zeggen dat ze is gewurgd en daarna op het hoofd is geslagen. Wanneer je gewurgd wordt, ben je niet onmiddellijk dood. Misschien lag ze kokhalzend op de grond, heeft dat de dader aan het schrikken gemaakt en heeft hij het eerste zware voorwerp gepakt dat hij kon vinden om zijn werk af te maken. In dit geval zijn de breuklijnen heel grillig, dus ik zou zeggen een kei.'

'En het tijdstip van overlijden?' vroeg Brady.

'Moeilijk te zeggen. Gezien de toestand van het lijk zou ik zeggen dat het tijdstip ongeveer overeenkomt met dat van haar verdwijning.'

Inspecteur O'Connor fronste zijn wenkbrauwen.

'Ik ben bang dat ik niet specifieker kan zijn,' zei ze. 'Als het lijk binnen een paar dagen gevonden wordt, kan ik een veel nauwkeuriger schatting doen, maar als het om weken gaat, wordt dat een stuk moeilijker.'

'Dus de dader kan haar ergens hebben vastgehouden en haar op een later moment hebben vermoord?'

'Als je me vraagt of het lijk al dan niet is verplaatst, zou ik zeggen dat niets daarop wijst, maar het is aan het sporenonderzoek om hier meer duidelijkheid te brengen.'

'En seksuele vergrijpen?' vroeg Brady.

'Er is indirect bewijs dat daarop wijst,' zei Lara, 'gezien het feit dat haar ondergoed en spijkerbroek naar beneden zijn getrokken. Dat zou op een poging tot aanranding kunnen wijzen, maar definitiever kan ik op dit punt helaas niet zijn.'

'Waarom niet?' vroeg Frank op vriendelijke toon.

'Tijdens het ontbindingsproces zwellen de geslachtsdelen aanzienlijk op...' De drie mannen sloegen hun ogen neer. Lara vervolgde: '...waardoor kneuzingen in het weefsel moeilijker waar te nemen zijn. Het beeld wordt vertroebeld. Onze enige hoop is de uitslag van de vaginale en anale uitstrijkjes. Maar als de dader een condoom heeft gebruikt, hebben we niets.'

'En de positionering?' vroeg O'Connor. 'Het feit dat hij het bovenste deel van het lijk heeft afgedekt?'

'Ik werk met wat een lijk me vertelt. Voor de overige zaken zul je een profielschetser moeten inschakelen.' Ze glimlachte.

'Dat was iets wat ik nooit meer hoop te horen,' zei Joe. Anna lag op de bank en Joe streelde haar gezicht. Ze wist wat hij bedoelde: de schorre, hartverscheurende schreeuw die Shaun had geslaakt. Ze waren tot diep in de nacht bij hem gebleven, totdat hij uiteindelijk in slaap was gevallen. Hij was sindsdien niet meer naar boven gekomen. Joe bleef Anna strelen totdat haar oogleden zwaar werden en haar ademhaling vertraagde. Hij kuste haar warme voorhoofd en liet haar hoofd voorzichtig terugzakken op het kussen. Hij pakte een zaklantaarn uit de la van het kastje bij de voordeur, liep geruisloos naar buiten en ging op weg naar het bos.

Oran Butler zat op de bank, met zijn voeten op de salontafel. Hij hield zijn bord tegen zijn kin en schoof met een lepel witte bonen in tomatensaus zijn mond in. Ritchie kwam de keuken uit.

'Wat ben je toch een beest, Butler,' zei hij. 'Het hele huis is een puinhoop. Kun je niet...'

Oran stak zijn hand op om hem tot zwijgen te brengen. 'Hou op. Ik ben doodmoe.'

Ze hadden samen op de politieacademie gezeten en deelden nu een flat aan Waterford Road, op tien minuten rijden van het dorp. Oran was een van de zes politiemensen die het drugsteam van de politie van Waterford vormden.

'Hoe is het op je werk?' vroeg Ritchie.

'Ach, het ouwe liedje. We volgen de gebruikelijke sporen. Volgende week vrijdag wordt belangrijk. Een inval in het Healy Carpet Warehouse in het Carroll-industriepark. We gaan die sukkels verrassen. O'Connor kwijlt al bij het vooruitzicht. Dit kan zijn grote slag worden.'

Hij boog zich naar voren, trok een blikje bier open en stak het omhoog om ermee te proosten. Hij keek naar Ritchies glas. 'Bronwater? Wat een droefenis.'

'Hou je kop, zuiplap.'

'Scherp én origineel,' zei Oran. 'Het valt me mee dat je me geen sproetenkop noemt.'

Hij nam een slok uit zijn blikje, stak het weer op naar Ritchie en glimlachte.

Joe had verder de heuvel op kunnen rijden, bijna tot aan de plek waar het lijk was gevonden, maar hij wilde niets aan het toeval overlaten. Het licht van de zaklantaarn was zwak en hij kon nauwelijks zien waar hij zijn voeten moest neerzetten. Hij moest ze hoog optillen om over de heidestruiken te stappen en stelde zich voor dat degene die Katie hiernaartoe had gebracht daar ook moeite mee moest hebben gehad, of ze nu nog leefde of al dood was. Een kwartier later zag hij een achtergebleven stuk blauwwit afzettingslint aan een boomstam fladderen en twintig meter verderop lag nog een stuk op de grond. Aandachtig keek hij om zich heen. Toen hij de zwakke lichtstraal op de bodem richtte, vond hij de plek waar het lijk had gelegen. Langzaam liep hij ernaartoe en deed toen weer een stap achteruit. Toen zakte hij door zijn knieën en legde de zaklantaarn naast zich neer. Hij haalde een pen uit de binnenzak van zijn jack en gebruikte die om de bladeren opzij te vegen. Hij boog zich verder voorover om iets beter te bekijken, nam het voorwerpje voorzichtig tussen duim en wijsvinger en hield het in het licht van de zaklantaarn. Het leek op een papieren kokertje, vijf millimeter lang en roodbruin van kleur, puntig aan de ene kant en gekarteld aan de andere. Hij wist wat het was, maar niet wat het te betekenen had.

14

Stinger's Creek, Texas, 1984

'Je hoort me wel, maar je ziet me niet!' zei oom Bill lachend toen hij Duke turend op de achterveranda zag staan. Duke keek in de richting van de stem.

'Hier ben ik!' Bill zwaaide naar hem.

'U hebt me te pakken,' zei Duke en hij lachte. 'Nieuwe camouflagekleren?'

'Jazeker, meneertje,' zei Bill. 'Mijn vorige set was zo verbleekt, dat die bijna wit was. Het mag niet gebeuren dat die herten me meteen zien. En ik heb mezelf een nieuw statief cadeau gedaan,' zei hij, en hij klopte op de poot. 'Zo vast als een rots. Die herten zullen niet weten wat ze overkomt.'

'Hebt u plannen om op jacht te gaan?' vroeg Duke.

'Jup. Over een paar weken rijd ik naar Uvalde voor de openingsdag van het jachtseizoen.'

Hij kwam naar Duke toe en gaf hem een zachte klap op zijn rug.

'Ik moet er nu voor zorgen dat alles in perfecte staat is voordat ik vertrek. Hoe gaat het met je moeder?'

Duke wist dat Bill zijn moeder niet erg mocht.

'Oké... Het gaat oké met haar.'

'Fijn om te horen,' zei Bill terwijl hij zijn boog bestudeerde.

'Denkt u dat u me kunt leren schieten?'

Bill keek op. 'Meen je dat, jongen?'

'Helemaal, meneer,' zei Duke. 'Ben ik er oud genoeg voor?'

'Zolang je luistert naar wat ik zeg, de boog kunt vasthouden en geen gekke dingen doet.'

Duke salueerde.

'Goed dan. Laten we beginnen met hoe je de boog moet vasthouden. Dit hier is een jachtboog. Een schoonheid. Meer bereik, weinig inspanning. Nu moeten we eerst uit zien te vinden met welke hand je de boog gaat vasthouden en met welke je...'

'Ik schrijf met deze hand,' zei Duke, en hij stak zijn rechterhand op.

'Dat doet er niet toe,' zei Bill. 'Het gaat om de ogen.' Hij wees met twee vingers naar Dukes ogen. 'Welke van je ogen dominant is.'

Duke schudde zijn hoofd.

'Oké, we doen het volgende,' zei Bill. 'Kijk in de verte en kies een of ander object uit.'

'Die oude vuilnisemmer?' zei Duke.

'Perfect. Wijs ernaar en doe dan je linkeroog dicht, oké? Daarna doe je je rechteroog dicht. Nou, wanneer je een van beide ogen dicht hebt, lijkt het erop dat je vinger een stukje opzij beweegt. Welk oog is dat voor jou, Duke?'

'Mijn rechteroog,' zei Duke.

'Dan is je rechteroog dominant, net als van je oom Bill.'

'Wat houdt dat in?' vroeg Duke.

'Dat houdt in dat je de boog met je linkerhand vasthoudt en met de rechter de pees achteruit trekt. Nou...' Hij legde zijn hand op Dukes schouder en draaide de jongen in de richting van de bomen. 'Ga rechtop staan, met je voeten een stukje uit elkaar. Sta je stevig?'

'Ja, meneer.'

'Oké. Pak aan.' Hij gaf de boog aan Duke en begon te lachen toen de jongen bijna voorover viel door het gewicht. 'Zwaar, hè?'

Duke glimlachte.

'Je zou een lichter model moeten hebben,' zei Bill. 'Hoe dan ook, het volgende wat je gaat doen is het aanleggen van de pijl, wat inhoudt dat je dit deel hier tegen de pees zet.' Hij nam de boog weer van Duke over en zette de keep tegen de pees. 'De schacht rust hierop.' Hij wees naar de pal aan de zijkant van de boog. 'Misschien kun je beter eerst alleen kijken.'

'Oké,' zei Duke teleurgesteld.

'Wat?' zei Bill. 'Denk je dat ik gek ben? Dat ik een jongen zijn gang laat gaan met zo'n gevaarlijk wapen?' Hij glimlachte. 'Nu haak je je wijsvinger boven de pijl om de pees en je volgende twee vingers eronder, maar je raakt de pijl zelf niet aan. Ontspan je handrug en trek de pees een stukje achteruit.'

Hij bracht de boog een stukje omhoog en hield hem vast tussen zijn duim en wijsvinger. Toen knikte hij naar Duke dat hij goed moest kijken hoe hij hem vasthield.

'Nu strek je de boogarm en breng je de trekarm omhoog, met de elleboog hoog en naar buiten gericht. Dan trek je je arm achteruit totdat je hand tegen je wang rust terwijl je al die tijd doodstil blijft staan. Nu richt je het vizier iets boven het midden van je doelwit. Ik richt op die zinken vuilnisbak bij die boom. Breng alles met elkaar in één lijn en hou de boog loodrecht. Begrepen?'

'Ja,' zei Duke, geërgerd door de onderbreking. 'Kom op! Schiet!' Van ongeduld wipte hij van zijn ene voet op de andere.

'Hou je gemak,' zei Bill, met zijn tanden op elkaar geklemd en zijn kaakspieren gespannen. 'En dan laat je los.'

De pijl schoot weg in een rechte lijn, bereikte het doelwit, boorde zich in het zink en bleef even natrillen.

'Gaaf!' zei Duke.

Bill sloeg zijn arm om Dukes schouders en trok de jongen tegen zich aan. 'Wil jij het proberen?'

'Ja, graag!' riep Duke, en hij straalde.

'Wat je voortdurend in gedachten moet houden is het doelwit,' zei Bill. 'Blijf kalm en concentreer je. Denk aan het doelwit en blijf ernaar kijken, tijdens alle stappen van het schieten. Verlies het niet uit het oog.'

Duke helde weer naar voren toen hij de boog in handen kreeg, maar hij bewoog zich totdat hij in evenwicht stond, met zijn benen een flink eind uit elkaar. Bill ging achter hem staan en glimlachte toen Duke kracht moest zetten om de boog tot schouderhoogte op te tillen.

'Ik moet het allemaal wat sneller doen, oom Bill, want ik kan die boog niet zo lang optillen.'

Bill lachte, luidkeels en hartelijk. Toen zag hij tot zijn verbazing dat Duke precies deed wat hij gezegd had, stap voor stap. Op korte afstand van het doelwit kwam de pijl in de grond terecht, maar alleen omdat het gewicht van de boog Dukes arm op het laatste moment iets naar beneden trok. Duke schopte in het zand. 'Verdomme,' zei hij, en hij perste zijn voet dieper in de bodem. 'Verdomme.'

'Wees niet zo hard voor jezelf, jongen. Het enige wat er niet goed aan dat schot was, was dat de boog te zwaar voor je was. Als je eenmaal je eigen boog hebt, gaat het je prima lukken.'

'Mijn eigen boog?' vroeg Duke.

'Jazeker. Ik zal zorgen dat jij een boog krijgt, als jij me belooft dat je elke dag naar school gaat, goed je best doet en niet in de kreek gaat zwemmen terwijl je in de klas hoort te zitten.'

Duke glimlachte.

'Betrapt,' zei Bill. 'Nou, wegwezen. Ik moet mijn schoten gaan oefenen.'

15

Anna lag op de bank, op haar rug, toen haar ogen opeens opengingen. Ze kreeg haar mond niet open en kon zich niet bewegen. Uiteindelijk slaagde ze erin haar hand naar haar borstbeen te brengen, waar zich onder haar T-shirt een plasje zweet had gevormd. Haar hart bonsde. Vage, afgebroken beelden flitsten door haar hoofd en vertraagden totdat ze hun ware, gruwelijke gezicht aan haar toonden. Haar hart begon sneller te kloppen. Ze wist wat het was... slaapverlamming. Een kwaal die soms toesloeg, vooral in stressrijke periodes, meestal midden in de nacht. Ze wilde dan niet op de wekker kijken om te zien hoe laat het was. Dan bestond immers de kans dat de tijd haar tot de volgende ochtend in zijn greep zou houden. Ze draaide zich dan om naar Joe en vroeg zich af of ze hem wakker moest maken om hem te vertellen over de grote angsten die ze op zulke momenten doorstond. Maar ze maakte hem niet graag wakker. Dus bleef ze naar het plafond staren totdat haar ademhaling weer enigszins tot rust kwam. Dan draaide ze zich op haar zij, legde haar arm op de zijne, schoof dicht tegen hem aan, kuste zijn schouders en rug, deed haar ogen dicht en dwong zichzelf de angst weg te slapen. Deze keer, met Katie en Shaun en al het andere dat op haar drukte, had ze het gevoel dat ze de greep op haar leven verloor. Dat ze er niet mee kon leven. Sinds ze had gehoord dat Katie was vermoord, maakte haar geest de meest wilde sprongen en voelde de paranoia beangstigend echt aan. Joe lag op het bed, op zijn rug, met zijn handen achter zijn hoofd.

'Ik moet je iets vertellen,' zei ze. 'Ik weet niet of het ergens iets mee te maken heeft, maar het zou kunnen en ik wil dat risico niet lopen.'

'Iets te maken met wat?' vroeg Joe.

'Het gaat over John Miller,' zei Anna.

Joe fronste zijn wenkbrauwen.

'Ik ben niet alleen acht maanden met hem omgegaan toen ik studeerde,' zei ze.

'Het kan me niet schelen hoelang je met hem bent omgegaan.'

'Het gaat niet om het hoelang,' zei Anna, 'maar om het wanneer.'

'Ik kan je niet volgen,' zei Joe.

'Ik ben nog een keer met hem samen geweest, toen ik hier terugkwam...'

Langzaam begon tot Joe door te dringen wat ze bedoelde.

'In de tijd dat we verloofd waren?' vroeg hij terwijl hij rechtop ging zitten.

'Ja,' zei Anna. De tranen sprongen in haar ogen. 'Ja, die twee weken dat ik hier was. Ik weet niet waarom.'

'Waarom?' vroeg Joe.

'Ik weet niet waarom,' herhaalde ze. 'Hij was er en...'

'Ik was mijlenver weg en het kon je geen barst schelen,' zei Joe, die zijn stem verhief.

'Nee, zo was het niet. Ik... hoe moet ik het zeggen? Het is al zo lang geleden...'

'Waarom kom je daar nu mee?' Maar Joe wist dat mensen eerder hun hart uitstorten als ze emotionele klappen te verduren krijgen. De best bewaarde geheimen kwamen op de meest duistere momenten te voorschijn.

'Ik weet het niet,' zei Anna. 'Misschien... Ik weet het niet.'

'Ik kan mijn oren niet geloven.' Hij schudde zijn hoofd. 'Heeft hij je iets gedaan?'

'Hij heeft raar tegen me gedaan. Hij heeft me tegen de muur gedrukt en gevraagd of ik met hem naar bed wilde. En toen, laatst in de pub, toen hij tegen jou begon te praten...'

'Heeft hij je gevraagd of je met hem naar bed wilde?' Joe was woedend opgesprongen.

'Ja.'

'En wat heb je toen gezegd?'

'Nee, natuurlijk! Wat dacht je dan dat ik heb gezegd?'

'Dat weet ik niet. Ja, misschien?'

'Het is lang geleden, wat er gebeurd is,' zei ze weer, maar ze was harder gaan praten.

'Geweldig,' zei Joe. 'Dus dan maakt het niet meer uit. Hé, ik ben met iemand naar bed geweest, maar dat was vijf jaar geleden, dus kunnen we gewoon doen alsof er niks aan de hand is.'

'Heb je dat gedaan?' vroeg Anna, met een bange blik in haar ogen.

'O, in godsnaam... Nee, natuurlijk heb ik dat niet gedaan! Wat ik wil zeggen is dat het niet uitmaakt wanneer je ontrouw bent, maar dát je het bent, dat je daarover hebt gelogen en dat er een of andere sukkel was die toch met je is getrouwd, omdat hij niet alle feiten kende. Vind je dat eerlijk? Vind je dat een goede basis?'

'Heb je er spijt van dat je met me bent getrouwd?' vroeg Anna.

'Waag het niet de zaak om te draaien. Je weet heel goed dat dat niet zo is. Maar ik pik dit niet. Ik ben je twintig jaar trouw geweest, Anna. En er zijn maar weinig politiemensen die dat tegen hun vrouw kunnen zeggen. We hebben te maken met beroeps die met hun tieten naar ons lopen te zwaaien, met strippers die bereid zijn alles te doen om onder een drugsveroordeling uit te komen, met vrouwen die op ons uniform kicken, verdomme!'

'Dat is fijn voor je!' riep Anna terwijl ze opsprong van het bed. 'Heel fijn voor je! Je wordt bedankt! Dus je bent niet met een of andere hoer naar bed geweest!'

'O, dat ben ik wel, denk ik,' zei Joe.

Ze staarde hem aan. 'Vuile klootzak.' Hij pakte haar arm vast toen ze langs hem heen liep. Ze rukte zich los en liep door.

Inspecteur O'Connor stond in de teamkamer van bureau Waterford, tegenover Frank Deegan en de dertig politiemensen die aan de zaak werkten.

'Oké, mannen, luister even naar me. Wat we tot nu toe over Katie Lawson hebben is het volgende: het tijdstip van overlijden komt ongeveer overeen met het tijdstip van haar verdwijning, maar het is mogelijk dat ze een paar dagen ergens is vastgehouden voordat ze is vermoord. De ontbinding maakt een preciezere schatting heel moeilijk, zoals jullie allemaal weten. We moeten rekening houden met de mogelijkheid dat ze ergens anders is vermoord en dat het lijk met een speciale reden op die plek is achtergelaten. De doodsoorzaak is een verwonding aan het hoofd, toegebracht door een stomp voorwerp, vermoedelijk een kei, en voorafgegaan door verwurging. Of ze al dan niet is verkracht weten we niet, maar de ontkleding van het onderlichaam wijst in die richting. Op de plaats delict is weinig gevonden wat ons van betekenis lijkt, maar het sporenmateriaal dat op het lijk is gevonden, is naar het lab gestuurd. Daaronder bevinden zich fragmentjes van een onbekend voorwerp, die in de wond in de schedel zijn gevonden. Zodra we uitslagen hebben, zullen die aan jullie worden meegedeeld. Tot het zover is, gaan we door met het buurtonderzoek, concentreren we ons op auto's die in de omgeving zijn gezien en proberen we meer getuigen te vinden. De media hebben toegezegd ons daarbij te willen helpen. En we richten ons ook op de vriend van het slachtoffer, Shaun Lucchesi. We weten dat zijn vader, Joe Lucchesi, een ex-politieman uit New York, op wiens land het lijk is gevonden, gisteravond laat op de plaats delict is geweest en daar mogelijk iets heeft gevonden wat wij tijdens ons eerste onderzoek over het hoofd hebben gezien...'

Uit de stereo van de jeep klonk een lounge-nummer van Gainsbourg. Joe zette de cd-speler uit en reed in stilte van het huis weg, zonder te weten waar hij naartoe ging. Hij was misselijk en in paniek van woede over iets waar hij niets aan kon doen, ten prooi aan een angst waarvan hij wist dat die helemaal niets aan de situatie veranderde. Anna had hem bedrogen. Onverdraaglijke gedachten en beelden kropen zijn hoofd binnen. Hij had zich altijd een beetje zelfingenomen gevoeld wanneer hij huwelijken om zich heen zag mislukken en híj de zekerheid had dat hij gewoon naar huis kon gaan, naar zijn beeldschone vrouw, omdat zij anders waren. Maar nu waren ze net zoals ieder ander: bedrogen, verraden, boos, vol schuldgevoelens en beschadigd. Hij klemde zijn handen strakker om het stuur, ging steeds harder rijden en wist dat hij moest stoppen. Hij zette de jeep stil en merkte dat hij aan het eind van de laan naar Millers boomgaard terecht was gekomen. Hij draaide de rugleuning van zijn stoel achteruit, liet zijn hoofd tegen de hoofdsteun rusten, deed zijn ogen dicht en deed ze meteen weer open toen hij aan de andere kant van de weg een kort gekuch hoorde. Hij draaide langzaam zijn hoofd om en zag John Miller daar staan, die met het uiteinde van een sigaret op de achterkant van het doosje tikte. Joe probeerde zich voor te stellen hoe hij er zeventien jaar geleden had uitgezien, toen Anna, met haar verlovingsring al om haar vinger, die twee weken met hem had doorgebracht. Ze was nog jong geweest, net eenentwintig, maar Joe had gedacht dat ze wist wat ze wilde toen ze hem zo snel haar jawoord had gegeven. Toen ze naar Ierland was vertrokken, had hij haar naar het vliegveld gebracht en staan huilen in een van de hokjes van de herentoiletten nadat het vliegtuig was opgestegen. Op weg was gegaan naar John Miller. Joe zag hoe hij in een geroutineerd gebaar zijn sigaret opstak. John was groot en breed en had de bouw van een rugbyspeler, hoewel hij in de loop der jaren minstens twintig kilo aangekomen moest zijn. Maar Joe zag alleen zoals hij nu was: een zielige figuur met een afgezakte grijze broek, een hemd vol kreukels en goedkope schoenen aan zijn voeten. En dat beeld deed hem eigenlijk nog meer pijn.

Katie zou geen schijn van kans hebben gehad tegen een man van dat formaat, ook al was hij uit vorm. Het lichaamsgewicht alleen zou al voldoende zijn geweest. John Miller was een verbitterd mens. Hij had Anna niet kunnen krijgen, dus had hij iemand uit haar naaste omgeving gepakt, een jong meisje dat bijna net zo oud was als Anna toen hij haar voor het eerst had ontmoet. Miller hoefde maar anderhalve kilometer te lopen om het verkeer van en naar Shore's Rock te kunnen zien. Katie zou geen reden hebben gehad om hem te wantrouwen. Vermoedelijk zou ze medelijden met de man hebben gehad.

Joe wachtte totdat John terugliep naar het huis, startte de auto en reed weg.

Anna kwam naar buiten rennen toen ze de claxon hoorde. Ray stapte uit het busje en liep eromheen naar de achterkant.

'Hallo, Ray,' zei Anna. 'Knap werk, weer.'

'Geen probleem,' zei Ray. 'Ik heb alle drie de panelen bij me. Ik kan ze er zo in schuiven waar we de verroeste eruit hebben gehaald.'

'Dat is geweldig,' zei Anna. 'Vind je het erg om ze zelf naar de vuurtoren te brengen?'

'Geen probleem. Ik heb de kerosinetanks ook, als Sam daar het groene licht voor geeft.' Hij keek naar de grond. 'Is alles oké met je? Je ziet er...'

'Ja, met mij gaat het goed,' zei ze. 'Het is alleen... vanavond...'

'Ik weet het,' zei Ray. 'Het is afschuwelijk. Ik kan het nog steeds niet geloven.' Hij klopte op de zijkant van het busje. 'Hoe dan ook, ik ga aan de slag. Hopelijk duurt het niet al te lang. En ik zie je natuurlijk bij het uitvaartcentrum.'

'Het is opvallend,' zei Anna. 'Als er een kind sterft, maken de mensen gebruik van alle mogelijkheden om er afscheid van te nemen. Ze nemen aan alle onderdelen deel: ze gaan in het uitvaartcentrum kijken, ze bidden voor het kind en ze gaan de volgende dag naar de begrafenis. Dat is een goede zaak, denk ik.'

Joe's jeep kwam achter hen tot stilstand. Hij stapte uit, mompelde een kort 'hallo' tegen Ray en liep snel langs hen heen.

Hij liep rechtstreeks naar de telefoon in de tussenkamer en sloeg het telefoonboek van Dublin open om het nummer van Trinity College op te zoeken.

'Afdeling Zoölogie.'

'Hallo, kan ik een entomoloog spreken, alstublieft?'

'Dan moet u Neal Columb hebben, maar die heeft op dit moment een college.'

'Kan ik mijn nummer achterlaten en wilt u vragen of hij me terugbelt?'

Toen hij het gesprek had beëindigd, keek hij op zijn horloge en ging eerst even bij Shaun kijken voordat hij een douche nam en zich weer aankleedde. Hij stond in de badkamer, met zijn voet op de deksel van de wc-pot, en poetste zijn zwartleren schoen met de hoek van een witte handdoek toen Anna binnenkwam.

'O, in godsnaam,' riep ze. 'Er liggen poetsdoeken onder het aanrecht.' Joe keek naar haar op.

Er kwamen tranen in haar ogen. 'Ik weet niet hoe hij dit moet verwerken.'

'Samen met ons,' zei Joe. Zijn stem klonk kortaf.

'Het spijt me zo,' zei ze.

'Zeg maar niks.'

Frank stond met O'Connor bij de ingang van het uitvaartcentrum. O'Connor had dezelfde bril op die hij had gedragen op de avond dat Katie was gevonden. Voor het eerst waren zijn ogen niet rood, zag Frank.

'Wat heb je met je contactlenzen gedaan?' vroeg hij.

'Die heb ik weggegooid,' zei O'Connor. 'Wist je dat negentig procent van de misdaden waarmee onze jongens te maken hebben in de sfeer van alcohol en openbare orde liggen? Daar moeten ze zich mee bezighouden. Het is compleet uit de hand gelopen. En het publiek is laaiend. Mensen bellen naar radioprogramma's om te klagen dat er veel te veel wordt gedronken, maar niemand weerhoudt zijn kinderen ervan om uit te gaan en zich vol te gieten. Niemand wil geloven dat zijn eigen kinderen een deel van het probleem vormen. Het is echt niet te geloven. Paul Woods bracht onlangs een meisje thuis dat te dronken was om uit de auto te komen, laat staan naar de voordeur te lopen. Hij moest de moeder gaan halen. Die wilde hem in eerste instantie niet geloven, maar kwam uiteindelijk toch naar buiten, waar ze haar dochter, vijftien jaar oud, achter in de patrouillewagen zag liggen, compleet gevloerd, in een minirokje dat haar billen nauwelijks bedekte en dat de moeder nooit eerder had gezien. Wat deze mensen ondertussen niet beseffen, is wat voor enorme problemen wij met drugs hebben. Een probleem waar mijn mannen nauwelijks aan kunnen werken, omdat ze het te druk hebben met het schoonmaken van hun auto's, de kots van de achterbank te vegen. Terwijl er een goed georganiseerde bende criminelen bezig is de stad en de omgeving van drugs te voorzien.'

'Je meent het,' zei Frank effen.

'Vorige maand, bijvoorbeeld,' vervolgde O'Connor, 'kwamen we met één bepaalde groep in de buurt van ons allereerste doorbraakje sinds maanden. We hadden in de weken daarvoor elke zaterdagavond een discoclub in de gaten gehouden. Op die bewuste avond stopte er opeens een busje voor de club en kwamen er twee jonge gasten naar buiten die er rechtstreeks naartoe liepen. Wij kwamen ook dichterbij, quasi-achteloos, maar toen schoot het busje er als een raket vandoor. Die jongens wilden natuurlijk niks zeggen, maar de volgende dag had de hele stad ervan gehoord en belden de ouders naar het bureau, alsof het de eerste keer was dat dit gebeurd was. Een van onze kranten heeft het verhaal zelfs op de voorpagina gezet. Dus de druk staat op de ketel. Ik zit absoluut niet te wachten op een of andere gestoorde die het op jonge meisjes heeft gemunt.'

'We doen wat we kunnen,' zei Frank. 'We gaan op pad om met mensen te praten en we gaan de eerdere verklaringen na nu...' Hij viel stil toen hij Ritchie zag aankomen.

'Ik heb gehoord dat het gisteravond laat is geworden,' zei O'Connor glimlachend.

Oran stond bekend om de wilde drankverhalen die hij op zijn werk vertelde.

'Ja,' mompelde Ritchie, met een korte glimlach. 'Maar ik heb er tenminste geen kater aan overgehouden.'

'Goed zo,' zei O'Connor terwijl hij Frank met rollende ogen aankeek.

Joe zag Shaun naar de zijdeur van het uitvaartcentrum lopen. Hij was vijftien centimeter langer dan de meeste van zijn vrienden en zag er opvallend volwassen uit in zijn nieuwe zwarte pak. Ze deden allemaal hun uiterste best om met hun verdriet om te gaan, maar ze waren allemaal nog te verbijsterd om te praten.

Joe's blik ging naar de politiemannen bij de ingang. Hij vroeg zich af wat de rolverdeling tussen hen was. De inspecteur uit Waterford richtte zich rechtstreeks tot Frank, die om de zoveel tijd beleefd naar hem knikte. Ritchie voelde zich zo te zien weinig op zijn gemak bij de twee oudere mannen. Ze stonden alle drie van Joe afgewend, vermoedelijk onbewust maar voldoende om hem visueel buiten te sluiten. Frank stond op meer dan één manier tussen twee vuren. Hij leek het niet erg te vinden om tijdelijk van Ritchie verlost te zijn, maar hij vond het minder leuk dat die plaats had gemaakt voor iemand die hem dwong enigszins geforceerd te doen om daardoor een beetje ruimte te scheppen. O'Connor was de enige die in de gaten hield wie er kwam en ging.

'Wat denk *jíj* daarvan?' vroeg Anna, en ze legde haar hand op Joe's arm. Hij draaide zich weg en keek haar hoofdschuddend aan. 'Ik zei net dat we in het weekend misschien een paar van hun klasgenoten konden laten komen, om te proberen ze te helpen...' Joe trok een gezicht dat 'nee' uitdrukte.

Hij had haar na hun ontmoeting in de badkamer niet meer aangekeken. De Ieren hadden een uitdrukking voor een reactie op een onaangename of confronterende situatie: langs je heen laten gaan. Alles wat Anna sinds die ochtend had gedaan of gezegd, was langs hem heen gegaan. Hij vond het goed dat ze nu naast hem stond, ter wille van Shaun... en misschien van de buren, als hij helemaal eerlijk was. Of om John Miller te provoceren. Beelden van Miller en Anna schoten weer door zijn hoofd. Hij vroeg zich af of hij zich druk moest maken om iets wat bijna twintig jaar geleden was gebeurd, maar hij besefte dat het juist zijn liefde voor Anna was die daarvoor zorgde. Joe huiverde. Hij voelde dat ze naar hem keek. Hij had een bonzende hoofdpijn en de pijn in zijn kaken voelde mechanisch aan, als een voortdurende ritmische beat. Hij bleef voor zich uit staren.

Martha Lawson zat tegenover de kist met daarin haar enige kind terwijl de zachte, gedragen muziek door de overvolle aula van het uitvaartcentrum klonk.

'Moeder Maria, vol van genade, de Heer zij met U, gezegend zijt Gij...' Oudere vrouwen lieten de kraaltjes van hun rozenkrans door de vingers glijden, met het hoofd gebogen, in gebed verzonken. Groepen verwarde tieners in grijze schooluniformen mompelden de regels mee die ze kenden, voelden zich op merkwaardige wijze getroost door het ritueel, maar vroegen zich tegelijkertijd of het ook echt zin had. Zo nu en dan gingen hun blikken naar de eikenhouten kist die voor in de aula stond en voelden ze zich gedeprimeerd door het gesloten deksel. Dit waren kinderen die gewend waren dat een kist open was, dat ze de handen van hun grootouders of oudere familieleden konden aanraken en een laatste kus op het koele marmer van hun voorhoofd konden drukken. Maar een kist met een zestien jaar oud meisje hadden ze nog nooit gezien.

Martha Lawson zat tegen haar zuster Jean aan geleund, met een levenloos gezicht en een lege blik in haar donkere ogen. Ze was een devoot katholiek en meende elk woord van de rozenkrans dat ze zei, want ze geloofde... in God, in het gebed, in het goede in de mens. Ze zou zich haar geloof niet laten afnemen door een moordenaar. Maar ze begreep het niet. Ze begreep niet waarom ze hier voor de tweede keer in acht jaar tijd zat, intens verdrietig, nadat eerst haar man aan kanker was overleden en haar nu haar dochter was afgenomen door een moordenaar. Ze keek naar de kist en kon onmogelijk accepteren dat Katies verminkte lichaam erin lag. Haar kind, haar beeldschone dochter, onder het dichte deksel. Toen de gebeden waren beëindigd, ging iedereen naar buiten, waar een rouwkoets wachtte om de kist naar de kerk te brengen.

Pastoor Flynn, de oude geestelijke van het dorp, werkte zich door de dienst. Zijn woorden klonken hol, alsof hij ze al te vaak had uitgesproken. Hij had blijkbaar nooit geleerd dat elke begrafenis nieuw verdriet met zich meebracht. De aanwezigen begonnen heen en weer te schuiven op hun stoelen. Martha dacht aan de volgende dag, wanneer haar neef Michael uit Rome zou overkomen om een dienst voor Katie te houden. Hij zou wél weten wat hij moest zeggen.

Na de korte dienst stonden de mensen op en schoven ze in een trage rij door het middenpad naar Martha. 'Veel sterkte met je verdriet,' mompelden ze tegen haar en ze gaven haar een hand, waarna ze door schoven naar het korte rijtje andere nabestaanden.

In het gras voor de vuurtoren stond een rij hoge brandende fakkels. Brendan, de fotograaf die voor *Vogue* werkte, stond erbij en richtte zijn lichtmeter erop. Shaun mompelde iets en liep door naar het huis. Joe keek Anna aan.

'Ik kon er niets meer aan veranderen,' zei ze. 'De afspraak met hem is al weken geleden gemaakt.'

'Dat weet ik,' zei Joe.

'Ik moet er vanavond bij blijven,' zei ze.

De volgende ochtend was het ijzig koud. De zon scheen echter, wat de rouwende mensen in ieder geval een gespreksonderwerp opleverde. Ze gingen de kleine kerk aan de rand van het dorp binnen, die al gauw vol was, zodat ze naast de banken moesten blijven staan. De klok werd geluid en de gemeente stond op toen de pastoor binnenkwam met twee misdienaars in zijn kielzog. Hij tikte op de microfoon.

'Gaat u zitten, alstublieft.' Hij keek op naar de aanwezigen en begon op zachte toon te praten. 'Toen Katie drie jaar oud was, heb ik haar twee woorden uit een lijst van *Reader's Digest* geleerd. Het ene woord was "meeleven" en het andere was "aanmoedigen". De dag daarna vroeg ik haar wat het woord was voor wanneer je begreep wat een ander doormaakte. Ze keek me aan en fronste haar wenkbrauwen. Ze wist het niet meer. Ik zei niets. Ik hielp haar niet, wachtte alleen maar. Ten slotte stak ze haar kleine handje uit, gaf me een klap op mijn arm en zei: "Kom op, Michael, moedig me aan."

Vandaag, hier tezamen gebracht door deze afschuwelijke tragedie, ja... leven we mee met de familie en vrienden van Katie Lawson. Maar wat nog belangrijker is, we kunnen hen ook aanmoedigen. We kunnen mensen aanmoedigen in hun geloof, om sterk te zijn voor elkaar, om sterk te zijn voor Katie. Want dat zou zij gewild hebben. Ik weet dat de liedjes die voor vandaag zijn uitgekozen door haar vriend Shaun en door haar klasgenoten positieve liedjes zijn, liedjes vol hoop en steun, en, zoals ik eerder zei, aanmoediging.' Hij knikte naar het zanggroepje op de galerij en Katies tot tranen geroerde plaatsvervanger zette met trillende stem haar eerste solo in.

Daarna nam pastoor Michael opnieuw het woord. 'We zijn hier vandaag bijeen om meer redenen: omdat we van Katie hielden, om Martha en de familie Lawson te steunen, om Shaun te steunen, met ons geloof en onze hoop, maar ook omdat niemand van ons kan begrijpen dat dit gebeurd is. Omdat we niet begrijpen hoe het mogelijk is dat een zestien jaar oud meisje dat zo levenslustig was, die iedereen zoveel te geven had en iedereen ook zoveel heeft gegeven, zo plotseling van ons is afgenomen. Welke haat moet iemands hart beheerst hebben om zo'n wrede en gewelddadige daad te plegen?' Hij stopte.

Het enige geluid dat in de doodse stilte hoorbaar was, was van de journalisten achterin, die verwoed in hun notitieboekjes schreven.

'Misschien zullen we het nooit te weten komen,' vervolgde Michael. Enkele mensen keken automatisch in de richting van Frank Deegan en Ritchie Bates. 'Maar wat we wel weten, is dat we nooit kunnen toestaan dat ons hart wordt beheerst door haat. Want haat zorgt ervoor dat we lijden. En ons hart moet liefhebben, moet vervuld zijn van het goede, net zoals Katies hart dat was.'

Joe was de langste van de dragers, dus moest hij zich iets vooroverbuigen om zich aan te passen aan de andere vijf mannen met wie hij de lichte kist droeg. De parochianen, met Martha voorop, schuifelden achter hen aan. Ze liepen het kerkhof op, hielden hun blik gericht op het zestig centimeter brede en twee meter lange en diepe gat en zetten de kist ernaast neer, waarbij ze gedwongen waren om even op het aangrenzende graf te gaan staan.

Shaun kwam het dichtst bij het graf te staan. Hij merkte dat hij geen verband kon leggen tussen het meisje van wie hij had gehouden en wat er op dat moment gebeurde. Opeens drong het tot hem door dat het háár lichaam was dat zich in de kist bevond. Lichamelijk was ze maar enkele tientallen centimeters van hem vandaan, maar ze was dood en ze lag in een kist. Hij vroeg zich af hoe ze erbij lag, of ze het merendeel van de ruimte in beslag nam of klein en verloren tussen de satijnen bekleding lag. Hij begon oncontroleerbaar te snikken.

Iedereen die zich tijdens de plechtigheid had weten te beheersen, brak toen de kist langzaam maar definitief in de grond zakte en Shaun met trillende hand een enkele witte roos op het glanzende deksel legde.

Na de begrafenis gingen de meeste mensen mee naar het huis van Martha Lawson. De buren waren sinds de vroege ochtend bezig geweest met het klaarzetten van eten en drinken. Anna liep de gang op toen ze John Miller zag weglopen uit de rij wachtenden bij de wc en hem de achtertuin in zag gaan. Ze was geschokt door wat hij van plan was te doen, maar zo te zien was zij de enige die het gezien had. Toen hij achter het schuurtje vandaan kwam, stond ze hem op te wachten.

'Wat is er mis met jou, John?' vroeg ze op scherpe toon. 'Wat is er van je geworden?'

'Jezus, ik heb alleen even staan pissen,' zei hij, glimlachend naar niemand in het bijzonder.

Zijn gulp stond nog open. Ze knikte ernaar, kokend van woede. Hij knipoogde naar haar.

'Je hebt hulp nodig,' zei ze.

Hij keek haar aan alsof hij iets wilde zeggen. Toen draaide hij zich om en liep half wankelend terug naar het huis.

Ritchie en Frank stonden achter in de gang, allebei met een kop thee en een sandwich in hun handen.

'Sorry dat ik jullie stoor,' zei Joe, 'maar –'

'We zijn op dit moment niet geïnteresseerd,' zei Frank zonder op te kijken.

Joe was verbaasd. 'Maar –'

'Ach, kom, maak ons maar aan het lachen,' zei Ritchie. 'Wat is je nieuwste theorie?'

Joe stond voor de twee politiemannen met de kaart in zijn handen en hij voelde zich belachelijk. Maar hij wist dat hij op het goede spoor zat.

'Hij heeft zijn kaart bij zich,' zei Ritchie.

'Hoor eens,' zei Joe, 'laat me nu even mijn verhaal vertellen.'

Toen Joe zijn theorie over Mae Miller had verteld, zei Ritchie: 'Hoe weet je dat geen van de andere buren iets heeft gehoord?'

'Omdat ik ze dat gevraagd heb,' zei Joe, die wist waar dit naartoe ging.

'Hou je erbuiten!' snauwde Ritchie, die zijn stem verhief maar meteen weer temperde. 'Wat maakt het verdomme uit of Katie op de begraafplaats is geweest, als ze daarna haar gebruikelijke route langs Mae Miller heeft genomen en – waar was het ook alweer? – ten slotte in die klote-achtertuin van jou wordt gevonden?'

Frank kromp ineen.

'Dat bos is openbaar terrein, klootzak,' zei Joe. 'Wat jij zegt over de route die ze heeft gelopen, slaat gewoon nergens op. En dat weet je best, eigenwijs stuk vreten.'

Ritchie stond te koken van woede. Frank greep in. 'Nou, wat er ook gebeurd is,' zei hij op kalmerende toon, 'ze is langs het huis van de Grants gelopen en Mae Miller heeft een schreeuw gehoord.'

Joe schudde zijn hoofd en liep weg.

Frank wendde zich tot Ritchie. 'Je moet je wat meer ontspannen.'

'Hoe bedoel je, ontspannen?'

'Je bent zo lichtgeraakt als... als ik weet niet wat. Dat is niet de juiste manier om dit soort werk te doen. Volgend jaar ben ik er niet meer en ik wil niet dat in mijn laatste paar maanden als politieman de gemoederen in het dorp te zeer verhit raken.'

'Ik wil niet grof zijn maar inderdaad, dan ben je er niet meer. En ik ben er dan nog wel. Mijn werk is mijn leven en ik wil niet dat mijn staat van dienst uitgemaakt wordt door een onopgeloste zaak. Die Lucchesi's zijn buitenlanders, indringers. Die man of zijn zoon, of allebei, zijn zo vaag als de pest, als je het mij vraagt.'

'Wat ik je vraag, Ritchie, is of je je een beetje wilt gedragen. Je bent op een begrafenisplechtigheid, vergeet dat niet.' Hij nam een slokje thee. 'Als Joe Lucchesi "vaag" is, zoals jij het zegt, zullen we toch ons werk volgens de regels moeten doen. En ik zal je één ding vertellen, ik heb liever een onopgeloste zaak dan een onterechte veroordeling op mijn geweten. Trouwens, dit onderzoek wordt geleid vanuit Waterford. Jouw toekomstige carrière hangt niet af van of je wel of niet...'

'Maar –'

'Luister naar me. Je luistert niet. Wat op de lange termijn uitmaakt, is hoe je met jezelf en andere mensen omgaat. Je kunt je niet met de botte bijl door een onderzoek werken. In werk als het onze jaag je mensen daarmee tegen je in het harnas, vergeet dat niet. Er is niet zoveel respect voor de politie als er in mijn tijd was. Toen ik mijn opleiding in Templemore deed, zei een van de rechercheurs tegen ons: "Als je in een straat loopt en je geeft elke auto een bon, vindt de hele stad je een klootzak. Als je door dezelfde straat loopt en je geeft geen enkele auto een bon, vinden ze je ook een klootzak."'

'Dus we zijn klootzakken,' zei Ritchie. 'Einde verhaal.'

'Nee, niet einde verhaal. Het is aan ons om te proberen de mensen te laten zien dat we dat niet zijn.'

'Maar kan het je wat schelen?'

'Ja, dat kan me schelen,' zei Frank, 'en daar ben ik trots op.'

Anna liep zachtjes de trap in Shauns slaapkamer af. Hij lag op zijn bed in zijn wijde spijkerbroek en baseballshirt, met zijn voeten een eind uitstekend over de rand van het matras. Hij sliep en zijn wang was rood van de warmte. Zijn arm lag boven zijn hoofd en was om het kussen geslagen. Hij had zo geslapen sinds hij een klein kind was. Eigenlijk was hij nog steeds een kind, dacht ze. Er gleden twee tranen over haar wangen. Langzaam gingen Shauns ogen open en hij ging op zijn rug liggen. Anna zag het allemaal gebeuren op zijn gezicht, dat afschuwelijke ontwaken uit een wereld die goed was en die dat binnen twee seconden helemaal niet meer was. Zijn gezicht betrok. Hij ging rechtop zitten tegen het hoofdeinde, trok zijn knieën naar zijn borst en begon te huilen. Anna's hart brak. Ze liep naar het bed, ging erop zitten en sloeg haar armen om hem heen. Hij begon harder te huilen en elke snik deed haar pijn. Ze wiegde hem zachtjes heen en weer maar zei niets. Er viel niets te zeggen. Een beeldschoon zestienjarig meisje hoorde niet in de hemel, er was geen sprake van bevrijding en er kon geen enkele spirituele les uit worden geleerd.

'Ik hou van je,' fluisterde ze alleen maar in zijn vochtige haar. 'We houden allebei van je, schat.'

Na een tijdje werd het snikken minder.

'Ik begrijp het niet,' zei Shaun. 'Ik begrijp het gewoon niet. Waarom? Waarom zou iemand... Ze was zo perfect. Ze...' Hij begon weer te huilen en twee uur lang hield Anna hem in haar armen, aaide hem zachtjes over zijn hoofd, totdat hij ten slotte weer in slaap viel en ze zijn hoofd voorzichtig teruglegde op het kussen.

Ze ging naar haar eigen slaapkamer en toen ze haar T-shirt uittrok, dat nat was van Shauns tranen, barstte ze zelf in snikken uit.

Het was bijna middernacht en Danaher's zat nog steeds vol met mensen die er rechtstreeks na de begrafenis of na hun bezoek aan Martha's huis naartoe waren gegaan.

'Succes,' zei Ray toen Joe opstond van zijn barkruk om buiten naar de wc te gaan. Pas toen hij stond voelde hij de invloed van de alcohol op zijn lege maag. Het enige wat hij die dag had gehad was de zure milkshake die hij 's ochtends had klaargemaakt, plus zes pijnstillers, twee LV8's en drie grote pinten bier.

De wc met de deur was bezet dus ging hij de andere binnen, trok zijn ritssluiting omlaag en wachtte tot zijn lichaam zich zou ontspannen. Hij wiegde zachtjes voor- en achteruit op zijn hielen.

'Ik neem aan dat ik de goeie wc bezet hou?' hoorde hij iemand in het andere hokje zeggen.

'Ja, ik denk het,' zei Joe terwijl hij omlaag keek en nog steeds wachtte tot er iets zou gebeuren.

'Weet je...'

Joe bereidde zich voor om beleefd te lachen, zoals je dat met onbekenden doet, wat de opmerking ook zou zijn.

'...je kunt ook even wachten en deze gebruiken, als je iets kwijt moet. Ik zal de bril voor je warm houden.'

Joe merkte dat hij na een beleefd lachje niet wist wat hij verder nog moest zeggen. Hij merkte ook dat er beneden nog steeds niets gebeurde.

Het bleef even stil. Hij hoorde iets in het hout krassen en toen: 'Het wil niet erg lukken daar, hè?' De stem klonk nu dichterbij en gedempt, alsof de man was gaan staan en zijn mond vlak bij het dunne afscheidingswandje hield. Joe verstrakte. Toen hoorde hij de deur krakend opengaan en over het cementen vloertje schrapen.

'Een goeiemorgen,' zei de stem.

In de pub hoorde Ray de klik en het zoemen van Danaher's geluidsinstallatie, die werd aangezet.

'Wil de eigenaar van de auto met kentekennummer 92W 16573 alsjeblieft naar buiten gaan en dat verdomde ding opzij zetten?' riep Ed om.

'Jezus, je hoeft die microfoon niet in je mond te stoppen,' riep Ray.

'Kop dicht, grapjas,' zei Ed in de microfoon. Ray stond op en haalde zijn autosleutels uit zijn zak.

'Ja, het is jouw auto,' lachte Ed toen Ray naar de deur liep.

'Leuk haar,' zei Ray tegen de man die buiten naast zijn auto stond. Het haar van de man was blond, bovenop kort en met gel bewerkt en lang en steil in de nek.

'Is dit jouw auto?' zei de man. 'Zet hem dan weg.'

'Geen paniek,' zei Ray terwijl hij in zijn auto stapte. 'Moet je naar de kapper of zo?'

'Zet die kloteauto weg,' zei de man, die zijn handen in zijn broekzakken had, zijn lichaamsgewicht van de ene voet op de andere verplaatste en zijn hoofd gebogen hield.

Ray reed achteruit weg van zijn plek totdat de stationcar die voor hem stond genoeg ruimte had om weg te rijden.

'*Woa-oh, we're half way there, oh-oh, livin' on a prayer*,' zong Ray terwijl hij terugliep naar de pub.

Opeens werd zijn schouder van achter hem vastgepakt en werd hij met een ruk omgedraaid. Het volgende moment stonden de twee mannen dreigend tegenover elkaar en geen van beiden was bereid terrein prijs te geven. Toen Ray een stap vooruit deed, gaf de man hem een harde duw. Ray greep zich vast aan het jack van de man om zijn evenwicht te bewaren, maar zijn handen schoten los en hij viel op de grond. De man sprong in zijn auto en reed met hoge snelheid het parkeerterrein af. Verbijsterd kwam Ray overeind. Toen zag hij iets op de grond liggen. Een klein glimmend goudkleurig voorwerp dat op het zwarte asfalt lag.

Joe was terug en zat achter een verse pint bier.

'Wat is er met jou gebeurd?' vroeg hij toen hij Ray zag.

'Een of andere *weirdo*, buiten, op het parkeerterrein. Een Amerikaan, natuurlijk. Compleet gestoord. Matje in de nek, geruit hemd, strakke spijkerbroek, cowboylaarzen. Hij zag er best goed uit, maar hij was hartstikke gek. Hij gaf me een duw omdat ik een opmerking over zijn haar maakte...'

'O nee! Help! Niet zijn haar!' riep Hugh, die in gespeelde afschuw zijn handen in de lucht wierp.

'Ik vond zijn haar juist prachtig,' zei Ray. 'Hoe dan ook, moet je zien wat hij heeft laten vallen. Een of ander nichtensieraad.' Hij gooide iets op de bar. Joe keek ernaar en had meteen het gevoel dat zijn borstkas uit elkaar zou spatten. Hij kon geen woord uitbrengen. Alles om hem heen vertraagde. Dit was iets wat hij niet kon begrijpen. Hij keek er weer naar. Hij probeerde te bedenken wat hier gebeurde. Binnen een paar seconden vlogen er allerlei theorieën door zijn hoofd, maar geen ervan sloeg ergens op. Hij pakte het voorwerp van de bar en rende naar de deur, maar hij wist allang dat hij te laat was. Hij bleef voor de deur staan en hield het sieraad in het licht van de kale gloeilamp die erboven hing. Hij zag de bekende contouren, het goud en het kastanjebruin, de gestileerde vleugels en veren, een havik in de vlucht, met op zijn scherpe snavel een paar piepkleine schilfertjes groene verf van de wc-deur.

Joe reed met hoge snelheid naar huis en bleef even voor de deur staan om op adem te komen voordat hij zijn sleutel in het slot stak. Het was stil in huis en hij liep de keuken in. Shaun zat aan de keukentafel en staarde met halfdichte, gezwollen ogen naar de koelkast. Op de deur, bevestigd met een magneetje in de vorm van een gele taxi, zat een foto van Katie en hem, die de afgelopen zomer was genomen. Zijn gebruinde wang was tegen haar bleke wang gedrukt en zijn gezicht werd enigszins misvormd omdat hij het opzij draaide om haar te kussen. Joe liep naar hem toe en legde zijn hand zacht op zijn schouder. Shaun slaakte een diepe zucht, stond op en liep de keuken uit.

Joe liep de werkkamer in, ging aan het bureau zitten, trok de telefoon naar zich toe en toetste het nummer van Danny's directe lijn in. Maar hij hing op voordat het toestel overging. Hij zette de computer aan, wachtte totdat Windows was gestart en ging rechtstreeks naar Google. Hij typte drie woorden in het kader: havik, vlucht en speld. Hij kreeg sites over de gebroeders Wright, de Kitty Hawk, de Black Hawks en pilotenspeldjes. Hij probeerde een andere combinatie: havik, speld, goud en kastanjebruin en kreeg sites over het spotten van haviken, de kastanjebruine wielewaal en gouden speldjes met de afbeelding van buffels. Hij vervolgde met: Texas, havik en speld, maar dat leverde alleen *wrestling.com*, een site over speldjes en de Texas Hawk Watches op. Hij was niet van plan om verder te kijken dan de eerste pagina met resultaten en klikte op een natuursite van iemand die Larry heette: *larryloveswildlife.com*. Larryheeftteveelvrijetijd.com, dacht Joe. Langzaam verschenen er twee kleurenfoto's op het scherm, met op de eerste vier mannen die eruitzagen alsof ze begin vijftig waren, die camouflagepakken aanhadden en die camera's en verrekijkers om de nek droegen. Joe las het onderschrift:

DICK, BOBBY, JIMMY EN IK, NUECES COUNTY, TEXAS, WAAR WE DE EERSTE GOUDBRUINE ADELAAR VAN HET SEIZOEN ZAGEN (JA, DAT LEEST U GOED!).

Leuk voor je, dacht Joe. Hij ging omlaag, naar de tweede foto, waarop de bovenste helft van dezelfde vier mannen stond afgebeeld.

DICK, BOBBY, JIMMY EN IK ONDERSCHEIDEN (HA HA!). MAAR SERIEUS, DEZE SPELDJES, VAN EEN BEPERKTE OPLAGE, KOCHTEN WE DIE DAG BIJ EEN KRAAMPJE, VOOR MAAR 10 DOLLAR!

Joe's hart begon sneller te slaan toen hij de speldjes beter bekeek. Hij bestudeerde de vier gezichten. Die mannen zouden nu allemaal – hij keek naar het jaartal – tegen de zeventig lopen.

'Wat doe jij nog zo laat op?' vroeg Anna terwijl ze de werkkamer in kwam lopen.

'Research,' zei Joe, en hij zwaaide achter zich met zijn hand om haar op een afstand te houden.

'Oké,' zei ze. 'Maar... het is zo'n vreselijke dag geweest.' Ze praatte zacht. 'Kom je mee naar bed?'

'Nee,' zei Joe. 'Sorry.'

Ze deed de deur zachtjes achter zich dicht. Joe zag John Miller weer voor zich. Daarna dacht hij terug aan toen hij zeven jaar oud was en de boze stem van zijn moeder door de vloerplanken van zijn kamertje hoorde komen.

'Wat denk je dat ik hier de hele dag doe, nou?'

'Vertel jij het me maar!' riep zijn vader.

'Vertel jij het me maar,' herhaalde Maria sarcastisch. 'Ik breng je kinderen groot. Ik kook voor onze kinderen, en voor jou. Ik maak schoon voor onze kinderen, en voor jou... Dát is wat ik de hele dag doe, elke dag. Maar wat doe jij, Giulio?'

'Ik bouw een toekomst voor onze kinderen.'

'Wat voor een toekomst?' vroeg Maria met hoge stem. 'Vind jij dit een toekomst? Ouders die elkaar de hele week niet zien? Ik wil niet dat mijn zoon net zo wordt als jij.' Daarna was het stil geworden. Joe had de zachte voetstappen van zijn moeder op de trap gehoord en toen kwamen ze door de gang naar zijn slaapkamer toe. Ze deed de deur open, schoof geruisloos naast hem in bed en nam hem stevig in haar armen. Hij had haar tranen in zijn haar gevoeld.

Joe concentreerde zich weer op het scherm. Afgezien van Larry en zijn natuurvrienden hadden minstens twee andere mensen beslag weten te leggen op zo'n speld en die bijna twintig jaar bewaard. Donald Riggs moest toen een jongen zijn geweest. Maar waarom had hij diezelfde speld in zijn hand gehad toen hij stierf? En wie had de speld voor de deur van de pub verloren? Hij nam de hoorn weer van de telefoon en wachtte deze keer tot hij Danny aan de lijn had.

'Twee dingen, Danny,' zei hij. 'Ik wil dat je het dossier van Donald Riggs opzoekt.'

Het bleef stil aan de andere kant.

'Die gast in Bowne Park, de explosie...'

'Ik weet wie Donald Riggs was,' zei Danny. 'Ik vraag me alleen af waarom jij naar hem vraagt.'

'Ik wil weten wie zijn vrienden en bekenden in Texas waren,' zei Joe. 'Als hij die tenminste had.'

'Oké,' zei Danny, 'dat kan ik doen. Maar voorzover ik me herinner, is hij weinig in de problemen geweest voordat hij... Je weet wel...'

'Verbaas me maar,' zei Joe. 'En... eh... wil je kijken of die gouden speld met die havik nog in de bewijszak zit?'

'Het feit dat je dat op zo'n achteloze toon vraagt zegt veel over je,' zei Danny. 'Wat is er daar aan de hand?'

'Dat zal ik je vertellen zodra ik het weet,' zei Joe. 'Hoor eens, pas goed op jezelf.' Hij legde de hoorn terug op het toestel en bleef enige tijd in het duister zitten, totdat hij de trap op liep en naar de logeerkamer ging. Hij wilde net de deur opendoen toen Anna de gang op kwam. Even was er wat hoop op haar gezicht te zien. Hij bleef staan. Ze was zo mooi, zo sexy in alles wat ze deed, ook nu, terwijl ze haar hand door haar donkere, verwarde haar haalde. Joe's maag keerde zich om bij de gedachte dat een andere man haar had aangeraakt. Ze zag het in zijn ogen. De hoop verdween van haar gezicht. Joe liep de kamer in, nu zo vreemd voor hem, en deed de deur achter zich dicht.

16

Corpus Christi, Texas, 1985

Een rood spandoek hing wapperend tussen de twee houten palen van de ingang van Hazel Bazemore County Park. WELKOM IN WILDLIFE, stond erop.

'Klinkt als de titel van een pornofilm,' mompelde Duke.

'Ja,' zei Donnie.

'Wat staan jullie te fluisteren?' vroeg oom Bill.

'Niks,' zei Duke. Hij keek om zich heen. 'Het ziet er hier geweldig uit.'

'Ik weet zeker dat jullie het leuk zullen vinden,' zei Bill terwijl hij kaartjes kocht aan het loket. 'Hier is bijna alles te zien wat Texas aan natuurzaken te bieden heeft.'

Kinderen renden lachend en gillend in het rond of trokken hun ouders alle kanten op. Een reusachtige hamster en een uil zwaaiden naar de kinderen en deelden groene ballonnen uit. Alle kraampjes waren volgepakt met boeken, souvenirs en informatie over de natuur in Texas. Een fotograaf met een crèmekleurig vest werkte zich door de menigte.

'Wil iemand op de foto? Een foto? Iemand?'

Vier mannen in een soort gevechtspakken, met camera's en verrekijkers om de nek en riemen met talloze tasjes eraan kruislings over de borst, stonden naast elkaar alsof ze oorlogsverslaggevers waren.

'Kom op, doe het maar,' zei een van hen. 'Misschien kunnen we er een van ons vieren laten maken. Het is tenslotte een bijzondere dag, want we hebben een paar honderd verschillende foto's gezien.'

De fotograaf nam de vier in beeld en stelde scherp. Eén klik en het moment was vereeuwigd.

'Willen jullie ook op de foto, jongens?' vroeg oom Bill.

'Nee.' Donnies hand ging naar de littekens op zijn wang.

'Nee,' zei Duke.

'Nou, misschien vinden we wel een ander aandenken aan deze grote dag,' zei oom Bill.

'Kijk,' zei Donnie, en hij wees naar een kraampje.

'Ik laat jullie je gang gaan,' zei Bill. 'Hier hebben jullie ieder een paar dollar.'

Een oudere vrouw had een aantal platte, zwartrubberen ringen in haar handen en schudde ze alsof het speelkaarten waren. Achter haar, in drie etages, stonden de prijzen op omgekeerde koffiemokken. Ze keek op naar de twee jongens.

'Het enige wat je hoeft te doen is een ring over een mok gooien en de prijs is van jou!'

'Dat kunnen we wel,' zei Duke.

'Een dollar voor vijf ringen.'

Duke gaf haar twee dollar. Hij keek naar de rijen met prijzen en zijn oog viel op een zilverkleurig digitaal horloge met rode knipperende cijfers. Hij wees ernaar.

'Die is van mij,' zei hij tegen Donnie. De vrouw grinnikte. Duke bleef haar even aanstaren en bracht toen zijn rechterhand omhoog.

'Net als steentjes over het meer zeilen,' zei hij terwijl hij zich omdraaide naar Donnie. 'Doodeenvoudig.' Hij concentreerde zich op het horloge, boog zijn pols en strekte hem weer, waarna de ring hoog door de lucht vloog en terug stuiterde van de bovenste trede met de prijzen. Duke verplaatste zijn voeten en leunde met zijn heup tegen de voorkant van het kraampje. Een voor een vlogen de ringen door de lucht, zonder doel te treffen, totdat hij er geen meer had. Hij was woedend.

'Er is met die ringen gerotzooid,' zei hij.

'Hé, pas een beetje op je woorden, jongeman,' zei de vrouw.

Maar Duke had zijn knie al op de rand van de counter gezet, om erop te klimmen. De vrouw ging wijdbeens voor hem staan en bracht haar hand omhoog om hem terug te duwen. Dukes hand schoot uit en hij sloeg haar hard tegen haar hand, die ze geschrokken terugtrok.

'Rotwijf,' zei hij. 'Blijf verdomme met je poten van me af.' Hij sprong op de grond en liep weg. Donnie ging hem achterna.

'Het is drie uur, jongens,' zei Bill. Hij legde zijn handen op hun schouders en keerde hen naar een laag podium waarop een lange, magere man in een beige pak achter een tafel stond en een doek met een driehoekig vignet recht legde.

'*Cool*,' zeiden Duke en Donnie. Ze liepen ernaartoe en voegden zich bij het publiek dat zich voor het podium had verzameld.

De man tikte op een smalle microfoon en begon te praten.

'Goeiemiddag, allemaal. Ik ben Len en ik ben hier vandaag om jullie te vertellen over de Harris-havik, een van de populairste roofvogels van Noord-Amerika.' Bill knikte naar Duke.

'Maar laat ik bij het begin beginnen,' zei Len. 'De officiële naam van de Harris-havik is *Parabuteo Unicinctus*, en hij maakt deel uit van de soort *Accipitidae*. Het is een *buteo*, een thermiekvlieger, die in het wild voorkomt van Arizona via Mexico tot en met Chili en Argentinië in Zuid-Amerika. Het is een middelgrote havik die van zeshonderd tot dertienhonderd gram weegt. Het vrouwtje is groter en sterker dan het mannetje.

En nu de interessante dingen. Wolven met vleugels.' Hij zweeg en keek het publiek in. 'Weet iemand wat daarmee wordt bedoeld?' Duke wist het. Zijn ogen fonkelden.

'Wat ik bedoel,' zei Len, 'is dat Harris-haviken in groepen jagen, zoals wolven en leeuwen dat doen. Voor een roofvogel is dat heel bijzonder. Twee, drie of meer Harris-haviken werken met elkaar samen om de prooi te verschalken. Ze vallen aan met militaire precisie. Het is niet ieder voor zich. Ze weten wat ze doen. Eerst kammen ze een gebied grondig uit om een prooi te lokaliseren. Als ze dat hebben gedaan, zijn er vele manieren waarop ze hun gecombineerde kracht kunnen gebruiken om de feitelijke jacht te beginnen. Bijvoorbeeld, de ene havik jaagt de prooi op – een prairiehaas, een knaagdier of een hagedis – en laat zich door de andere twee aflossen totdat de prooi verzwakt en uitgeput is en klaar is om gedood te worden. De prooi heeft geen schijn van kans. De Harris-havik heeft klauwen waarmee hij de prooi kan grijpen, knijpen en doden, en hij laat niet los totdat de prooi niet meer beweegt. Onthoud goed dat deze vogel speciaal is toegerust voor de jacht. Een muis in beweging kan hij waarnemen op een afstand van meer dan anderhalve kilometer. Hij beschikt over een derde ooglid dat over het oog wordt getrokken als hij met hoge snelheid vliegt, om het tegen stof te beschermen, of, als hij zijn prooi eenmaal te pakken heeft, tegen de poten van zijn worstelende slachtoffer. Hoe zou volgens jullie de allerbeste commando moeten zijn? Die zou doelbewust zijn. Die zou intelligent zijn. Die zou nauwkeurig zijn. De Harris-havik is dat allemaal. Maar onze commando zou het liefst in het duister opereren, terwijl de Harris-havik alleen bij daglicht jaagt. Want zijn nachtzicht is niet beter dan het onze.' Duke werd gebiologeerd door de magere man met zijn hangende schouders, en door de beheerste handgebaren die hij maakte om zijn woorden te onderstrepen.

'Ja, de Harris-havik is een indrukwekkende moordmachine. En tegelijkertijd zijn er maar weinig vogels die in de vlucht zo elegant en gracieus zijn als hij.' Len glimlachte. 'Daarom,' zei hij, waarna hij even zweeg en weer een ernstig gezicht trok, 'doet het me zeer wanneer ik al die valkeniers alleen maar hoor praten over het aantal slachtoffers dat hun havik heeft gemaakt.' Duke werd afgeleid, keek langs de man heen en richtte zijn blik op iets wat hij in de verte zag. 'Daar gaat het in de valkerij niet om,' vervolgde Len. 'De Harris-havik en andere roofvogels doden om te overleven. Net zoals wij doen wat we moeten doen om te overleven.' Oom Bill bleef naar de rest van de voordracht luisteren, maar Duke was opgestaan en hij trok Donnie met zich mee.

'Interessant, hè?' zei Duke.

'Absoluut,' zei Donnie.

'Zijn ze niet geweldig? De manier waarop ze te werk gaan?'

'Ja, ze opereren echt als een team.'

'Dat zouden wij ook kunnen doen.'

'We zijn toch al een team, Duke, of niet soms?'

'Maar kun je je voorstellen wat we allemaal zouden kunnen doen?'

'Hoe bedoel je? Moeten we prairiemuizen gaan vangen?' Donnie lachte.

'Nee. Je weet wel, om te krijgen wat we willen hebben, samenwerken als team om te pakken wat we willen.'

'Wat wil je dan?'

'Dat weet ik niet. Misschien... Ik weet het niet. Wat wil jij?'

'Dat meisje daar,' lachte Donnie. 'Moet je kijken.' Hij wees naar een meisje met een kort blauw rokje en een strak geel T-shirt.

'Nou, kijk, als jij haar zou willen en je kon haar om de een of andere reden niet krijgen, kunnen we elkaar helpen om te krijgen wat de ander wil. Stel dat ik iets anders wil, zoals...'

'Zoals wat?'

'Ik weet het niet. Ik zal erover nadenken. Maar wat het ook is, dat we dat dan samen doen.'

'Bijvoorbeeld dat ik mijn vader op zijn zij rol als hij dronken is en jij zijn portefeuille uit zijn achterzak haalt?'

'Ja, zoiets. In je eentje zou dat je nooit lukken. Weet je nog dat we ze voor het eerst zagen? Toen ze achter die kwartel aan gingen? Ik zal dat mijn leven lang niet vergeten.'

'Maar doen ze dat dan niet om te overleven?' vroeg Donnie.

'Overleven is gelul. Ik heb al lang genoeg overleefd. Het is nu tijd om op pad te gaan en te pakken wat we willen.'

Oom Bill keek aandachtig naar het plastic blad op de tafel. Het was in vier vakken verdeeld en in elk vak lagen drie rijen speldjes.

Oom Bill pakte er een op. Duke en Donnie kwamen bij hem staan en keken mee.

'Heb je ze ook van Harris-haviken?' vroeg Bill terwijl hij de speld in het zonlicht hield.

'Jazeker,' zei de oude man achter de tafel. 'Maar die zijn zeldzaam, dus ze zijn niet goedkoop. Fabrikanten houden zich meestal niet bezig met de diverse soorten. Er zijn er nog maar een paar, gemaakt door iemand uit de omgeving.'

'Wat kosten ze?'

'Tien dollar.'

'Nou, ik vrees dat ik nog precies twintig dollar heb,' zei Bill terwijl hij zijn portefeuille te voorschijn haalde en naar de jongens knipoogde. Hij legde twee bankbiljetten op de tafel. 'Dus ik zal er twee moeten nemen.' De man stak zijn hand uit naar een rij speldjes. 'Nee, nee,' zei Bill. Hij wees. 'Die goud met bruine.'

Duke en Donnie zaten in kleermakerszit bij de kreek. Het was donker en ze hadden allebei hun zaklantaarn bij zich. Donnie hield zijn hand op. De gouden speld glansde in het licht.

'Knijp je hand dicht,' zei Duke. Toen klemde hij zijn hand om die van Donnie en kneep er hard in, totdat de randen in de handpalm drongen en zijn vriend het uitschreeuwde van de pijn.

'Doe nu hetzelfde bij mij,' zei Duke, en hij hield zijn hand met de speld op. Donnie pakte hem vast en kneep totdat Duke knikte. Daarna openden ze beiden hun hand en ze zagen dat de snavel en de vleugels van de havik in beide handpalmen dezelfde drie sneden hadden achtergelaten. Ze trokken de spelden eruit en gaven elkaar de bloedende rechterhand.

'Trouw tot aan het eind,' zei Duke.

'Trouw tot aan het eind,' zei Donnie.

17

Joe stond in de deuropening en keek naar Anna. Ze stond bij de bank in de woonkamer, waarop een grote rechthoek met diverse lagen bruin pakpapier eromheen tegen de rugleuning stond. Ze zette haar knie op een van de kussens en begon het papier los te scheuren, waarbij ze elke keer een groter stuk van een ingelijst acrylverfschilderij onthulde. De achtergrond was wit en de afbeelding was een blauwgroene vlek met grillige randen, die min of meer diagonaal naar de rechter onderhoek liep. Toen ze klaar was, deed ze een stap achteruit en glimlachte, maar ze schrok toen Joe naar haar toe kwam lopen. Hij pakte een stuk papier van de bank.

'The Hobson Gallery,' las hij. Voordat Anna kon reageren, pakte hij de afleveringsbon en hield hem voor zich. Hij las wat erop stond en schudde zijn hoofd.

'Je gaat me toch niet vertellen dat ik hier driehonderdvijfenzeventig euro voor moet betalen?'

Anna keek hem aan. 'Ja.'

'Kom nou toch!'

'Ik had het weken geleden al besteld, voordat alles gebeurde. Brendan komt nieuwe foto's maken. Ik had één groot stuk nodig...'

'Ik heb dít nodig, ik heb dát nodig,' imiteerde hij haar.

'Jij bent niet creatief,' zei ze boos. 'Jij begrijpt dit soort dingen niet.' Ze gebaarde naar het schilderij, de meubels, de volmaakt witte vloerplaten.

'Ik begrijp wat je doet,' zei Joe kalm. 'Ik vind het mooi wat je doet. Ik hou van je vastbeslotenheid... zolang je maar niet vastbesloten bent om ons aan de rand van de financiële afgrond te brengen.' Hij liep weg. 'En toevallig vind ik dat een heel mooi schilderij,' riep hij achterom.

Shaun zag de groep jongens toen hij de hoek omkwam, maar hij trok zich snel terug achter de muur toen hij zijn naam hoorde noemen. Drie van de jongens hadden het over hem.

'Ze zijn hartstikke gestoord in de States.'
'Dat weet ik. We mogen blij zijn dat hij hier niet naartoe is gekomen in een lange trenchcoat en met twee revolvers om ons voor onze raap te knallen.'
'Ach, hou toch op. Die gasten waren absolute losers.'
'Nou, je weet nooit. Misschien is hij wel de gestoorde die achter dit alles zit. Het zijn altijd de stille figuren.'
'Maar hij is niet stil! Hij is heel normaal.'
'Precies. Wat ik bedoel is dat het altijd degenen zijn van wie je het het minst verwacht.'
'Dan kom jij onder aan de lijst te staan.'
'Ha-ha-ha.'
'Legerlaarzen, kaalgeschoren kop, je kent alle dialogen van *Full Metal Jacket*, *Good Morning Vietnam* en *Black Hawk Down* uit je hoofd. Je hebt *Platoon* vijfentwintig keer gezien.' Hij deed het geluid van een sirene na.
'Nou, bij mij komt de politie niet aan de deur om me op te halen.'
'Bij Shaun ook niet, idioot. Maar het is wel gênant dat zijn vader aan iedereen vragen stelt en er een Jessica Fletcher-act van heeft gemaakt.'
'Jessica Fletcher?'
'Ja, en er zijn mensen die al aardig de pest in beginnen te krijgen. Ritchie is woedend. De mensen vertellen alles aan Lucky's vader en als Ritchie ze wat vraagt, vertellen ze niks omdat ze geen zin hebben om steeds hetzelfde te vertellen. En misschien moet hij het dichter bij huis zoeken. Meneer Lucchesi, bedoel ik.'
'Het bestaat niet dat Lucky hier iets mee te maken heeft.'
'We zullen zien.'
'Je lijkt mijn moeder wel.'
'We zullen zien.'
'Hou je kop.'
'Maar, ik bedoel... Lucky... Kun jij een meer ironische bijnaam bedenken?'
Shaun draaide zich om en liep terug naar huis.

'Ik vind het heel akelig dat ik dit moet doen,' zei Frank, en hij probeerde te glimlachen naar Martha. 'Maar wie weet vinden we iets wat ons kan helpen.'
'Het voelt niet goed,' zei Martha. 'Ze was zo op zichzelf.' Ze deed de deur van Katies slaapkamer open. Het was een natte, grijze ochtend en het was donker in de kamer. Ze keken allebei omhoog, naar de lichtgevende sterretjes op het plafond. Martha deed het licht aan en de sterrenhemel verdween. Ze ging op de rand van het bed zitten, snoot haar neus in een tissue en dacht: dat is het enige wat ik de afgelopen weken doe, zitten en mijn neus snuiten totdat die vuurrood is.

'Het spijt me, Frank,' zei ze terwijl ze opstond. 'Ik kan niet goed nadenken.' Zachtjes deed ze de deur achter zich dicht.

Frank keek om zich heen. De kamer was die van een jong meisje dat haar best deed een tiener te zijn. Het behang was roze en meisjesachtig, maar er zat een stuk los en hier en daar waren er aantekeningen op geschreven. De sprei was licht en had een bloemenmotief, maar de lamp naast het bed was strak en modern. Haar kledingkast was vermoedelijk ooit bruin geweest maar was afgeschuurd, witgeverfd en had felroze randen. Frank zag nergens poppen of speelgoedbeesten. Hij liep naar de spiegel. Over de spiegel hing een lint waaraan met paperclips foto's waren bevestigd. Op geen van de foto's herkende hij Katies gezicht. Hij zag Ali en een paar andere meisjes uit het dorp, hij zag Shaun en hij zag een klein meisje in de dierentuin, naast een man van wie ze de hand vasthield en naar wie ze glimlachend opkeek. Frank keek nog eens goed en besefte dat het Katie met haar vader was, een foto die een paar jaar voor zijn overlijden was genomen.

Op de kaptafel stond een doosje met haarspelden, elastiekjes, make-up en goedkope sieraden. Hij draaide zich om, trok de deuren van de kast open en liet zijn handen langs de kledingstukken gaan. Hij boog zich voorover en zag een berg oude schoenen en twee tennisrackets. Toen zag hij een grote envelop tegen de zijwand van de kast staan. Hij haalde de envelop eruit en legde hem op het bed. Het was een groot formaat verjaardagskaart met de namen van diverse meisjes, met rondjes boven de i's en versierd met hartjes. De wensen waren allemaal heel lief en onschuldig. Frank stak zijn hand in de envelop en vond nog meer kaarten, brieven van vriendinnen en van Shaun, verjaardagskaarten uit haar kindertijd en een paar Valentijnskaarten. Een daarvan zat in een lichtroze envelop waarop een beertje met een bloem in zijn poot stond. Hij maakte de envelop open. *Rozen zijn rood, de hemel is blauw, het gras is groen en ik hou van jou.* Het was het handschrift van een kind. Aan de linkerkant stond een groot vraagteken. Het verbaasde Frank dat iemand haar zo'n oubollig gedichtje had gestuurd. Van wanneer was die kaart? Hij keek naar de envelop. Het poststempel was van vorig jaar. Waarom zou een kind Katie een Valentijnskaart sturen? Of kwam de kaart van iemand die zich als kind wilde voordoen? Maar waarom? Hij keek de rest van de kaarten door, keek nog een laatste keer om zich heen en liep de smalle trap af. In de woonkamer keek Martha vol verwachting naar hem op.

'En?' vroeg ze.

Frank wuifde met de kaart. 'Weet jij wie haar deze heeft gestuurd?' vroeg hij.

Martha pakte de kaart van hem aan en glimlachte. 'Ach god,' zei ze, en er kwamen tranen in haar ogen. 'Het verbaast me dat ze die heeft bewaard. Die was van Petey Grant, de arme ziel. Ze vond het zo lief van hem. Eerst schrok ze er wel een beetje van, maar ze begreep best dat het niets te betekenen had. Daarom heeft ze me deze laten zien. Al haar andere kaarten heb ik nooit mogen zien. Ik weet nog dat ze moest lachen, omdat hij dat vraagteken erop had gezet terwijl zijn handschrift zo gemakkelijk te herkennen was. Want hij hangt op school altijd briefjes op om de leerlingen te laten weten dat de vloer nat is of dat er een bepaald lokaal schoongemaakt moet worden.' Ze stopte.

'Ik praat weer te veel. Moet je die meenemen?' Ze hield de kaart naar hem op.

'Nee,' zei Frank, 'hou jij hem maar bij je.'

Inspecteur O'Connor parkeerde zijn auto op de oprit, liep naar de deur van het huis van de Lucchesi's en genoot ondertussen van het uitzicht. Het duurde even voordat Joe opendeed.

'Knap werk, wat jullie met de vuurtoren hebben gedaan,' zei O'Connor.

'Dat doet mijn vrouw.'

'Ik heb altijd iets met die vuurtoren gehad.'

'Ja, het is een prachtige plek om te wonen.' Joe wachtte af.

'Zoals je inmiddels ongetwijfeld weet, ben ik inspecteur Myles O'Connor van de politie van Waterford en heb ik de leiding van het onderzoek naar de dood van Katie Lawson.'

'Ja, dat weet ik. Kom binnen.'

Ze bleven in de gang staan.

'Het gaat over jouw betrokkenheid. Ik moet je verzoeken...'

Joe wist dat O'Connor hoopte dat hij de zin niet hoefde af te maken.

'Wat verzoeken?' vroeg hij.

'Je niet met het onderzoek te bemoeien. Ik heb nooit eerder meegemaakt dat iemand op eigen houtje bij mensen gaat aanbellen om ze vragen te stellen, of onaangekondigd op het bureau verschijnt om onze mensen te vertellen wat ze moeten doen...'

'Ik dacht dat ik jullie hielp. De informatie die ik heb doorgegeven, was gebaseerd op mijn ervaring als –'

'Laten we de zaak hier even kortsluiten. Jij denkt blijkbaar dat wij ons werk niet goed doen, dat we een of ander plattelandsdorpje met een slapend politiekorps zijn...'

Joe zei niets.

'Geloof je nu echt dat een onderzoek naar de dood van een tienermeisje iets is waar onze mensen niet stuk voor stuk met hart en ziel aan werken? De dingen worden hier anders gedaan. Je moet een behoudende benadering niet verwarren met een ongeïnteresseerde. We zijn niet allemaal Dirty Harry's die door de stad scheuren om op boeven te jagen.'

'Dat ben ik ook niet.'

'Nou, dan hebben we in ieder geval al twee misvattingen uit de weg geruimd.'

'Ja, dat denk ik ook.'

Joe wendde zijn blik af.

'Goed dan, ik zal je niet langer ophouden. Ik wilde je alleen laten weten dat we ons zonder jouw hulp ook wel redden.'

Hij wilde naar buiten lopen maar bleef staan en draaide zich weer om.

'We hebben hier geen revolvers of VICAP of HOLMES of lijsten met de tien meest gezochte personen, maar we hebben hier ook geen tienduizend moorden per jaar. We hebben er maar een stuk of vijftig.'

Joe haalde zijn schouders op.

'Begrijp me niet verkeerd,' zei O'Connor. 'We maken fouten, maar dat doet de NYPD ook, en alle andere politiekorpsen ter wereld ook. Maar als ik in New York ben, en dat gebeurt regelmatig, stap ik niet een politiebureau binnen om...'

'Kom op, Katie was de vriendin van mijn zoon.'

'Dan ben je een van de laatste mensen die...'

'Als jij mij was, zou jij dan blijven toekijken en niks doen?'

'Ik zou het aan de profs overlaten.'

'En ik ben geen prof?'

'Hier ben je een amateur. En je hindert ons onderzoek. Er zijn mensen in Mountcannon die denken dat jij als adviseur voor ons werkt en dat begint me zorgen te baren. Ik vraag je, nu officieel, om je erbuiten te houden. Helaas ken je het slachtoffer en daarom leef ik mee met jou en je gezin. Maar je inbreng had beperkt moeten blijven tot het korte gesprek dat we in het begin van het onderzoek met je hebben gehad.'

Ritchie was koffie aan het zetten toen Frank terugkwam van zijn bezoek aan Martha Lawson.

'Heb je iets gevonden?' vroeg hij.

'Niks ongewoons,' zei Frank. 'Het enige is dat ik weer op Petey Grant ben gestuit. Ik heb in Katies kamer een Valentijnskaart van hem gevonden. Ik weet dat hij naïef en ongevaarlijk is, maar misschien heeft Katie hem niet serieus genomen en heeft haar afwijzing hem van streek gemaakt... Ik weet het niet.'

'Zal ik eens met hem praten?' vroeg Ritchie. 'Jij hebt dat al gedaan. En je bent vanmiddag vrij. Ik kan hem wel inpassen en jou de moeite besparen.'

'Ik weet het niet,' zei Frank. Hij bleef even zwijgen. 'Dát is het! De documentaire. Petey zei dat hij die avond thuis was en naar iets over een ongeluk in de Fastnet-race had zitten kijken. Wat voor thema zou dat volgens jou zijn?'

'Wat bedoel je?'

'Op Discovery Channel.'

'Ik heb Discovery Channel niet,' zei Ritchie.

'Hun avonduitzendingen hebben meestal een thema: grote schepen, misdaad, enzovoort. Vrijdagavond is geschiedenis het thema. Nora zat te kijken naar... Nou ja, dat maakt niet uit. Maar een programma over de Fastnet-race zie ik daar niet in passen. Het gaat dan altijd over oude geschiedenis, geen recente. Waar zou dat onder vallen, de Fastnet-race? Sport? Schepen? Iets anders?'

'Ik zal het aan Petey vragen, reken maar.'

'Petey Grant is wel een jongen die je niet te hard moet aanpakken, Ritchie. Kun je dat?'

'Geen probleem.'

Ray stond in het lampenhuis tegen de trap geleund en naast hem op de grond stonden twee blikken, een met witte en een met groene verf. Voor het eerst in jaren tijd waren de wanden glad en gaaf, nadat ze afgekrabd waren en de kapotte panelen waren vervangen.

'Goed,' zei Anna. 'Weet je al wat je met de kleuren en zo gaat doen?'

'Ik denk het wel. De wanden wit, het plafond groen en de accenten, zoals de trap, ook groen.'

'Perfect,' zei ze. 'Ik laat het verder aan jou over.'

Ritchie stond bij de spiegel aan de muur van het bureau. Hij wreef met zijn vingertoppen over zijn slapen, over de verdikkingen die als riviertjes onder de huid lagen. Hij wreef wat wax in zijn handen en werkte die zorgvuldig in zijn haar. Hij liet zijn blik vallen op de spieren onder de stof van zijn shirt. Hij ging zeven dagen per week naar de sportschool in Waterford, in tegenstelling tot de jongens met wie hij in Templeford zijn opleiding had gehad. Sommige jongens trainden nooit. Die hadden al een bierbuik terwijl ze begin twintig waren en zouden die waarschijnlijk nooit meer kwijtraken.

'Oké, Petey, wat heb je me te vertellen?' mompelde hij terwijl hij het bureau uit liep. Hoewel het maar een korte wandeling naar de school was, reed hij ernaartoe in de patrouillewagen.

Het was woensdag en de leerlingen hadden al vroeg vrij, en hij trof Petey Grant in een leeg klaslokaal, waar hij het bord aan het schoonmaken was. Verder leek er niemand meer in het gebouw te zijn.

'Hoe is het?' vroeg Ritchie.

Petey keek verbaasd om en deed een stap achteruit.

'Hallo, Ritchie,' zei hij. 'Alles goed met je?'

'Ja,' zei Ritchie. 'En met jou?'

'Ook goed. Ik ben de borden aan het schoonmaken.'

'Hoor eens, Petey, zou je het erg vinden om mee te gaan naar het bureau om nog een paar vragen te beantwoorden?'

Peteys ogen werden groot. 'Waarom?'

'Zomaar,' zei Ritchie, die wist dat Petey tegen hem geen problemen zou maken.

'Oké,' zei Petey. 'Ik zal mijn jas gaan halen.' Hij liep de gang in en ging de lerarenkamer binnen om zijn jack te pakken. Hij voelde zich misselijk.

'Ik sta onder arrest,' zei hij tegen Paula, een van de docenten, die daar nog zat te werken.

'Wat?' zei Paula.

'Ik moet met Ritchie mee naar het bureau,' zei Petey. 'Ik denk dat ik diep in de problemen zit. Dag!' Hij haastte zich naar buiten, liep naar de patrouillewagen en wilde voorin bij Ritchie gaan zitten.

'Ga achterin zitten,' zei Ritchie op norse toon.

Petey beefde toen hij instapte en bleef dat doen gedurende de hele pijnlijke rit door het dorp.

'Hallo, met mij,' zei Danny. 'Je goud met bruine speld is nog steeds hier, is nog nooit opgevraagd, niks. En ik heb hier een lange lijst met vrienden en kennissen voor je. Heb je een pen bij de hand? Duke Rawlins.'

Joe wachtte. 'Dat is alles?'

'Ja, Donald Riggs, populair als hij was. Uitverkoren om doodgeschoten te worden in een park.'

'Rawlins. Die naam klinkt bekend. Heb je iets over hem gevonden?'

'Niet veel. Hij heeft acht jaar gezeten, in Ely, Nevada, nadat hij op een parkeerterrein iemand had neergestoken. Ordinaire kroegruzie.'

'Dat is alles?'

'Ja.'

'Geen verkrachting? Geen moord?'

'Je klinkt teleurgesteld.'

'Verder nog iets?'

'Nee, behalve dat de cipier van de gevangenis degene was die zo vriendelijk was ons de link te verschaffen. Na de dood van Riggs heeft hij Crane gebeld en die heeft een notitie onder aan het rapport gemaakt. In een handschrift... Hoe dan ook, niemand heeft er aandacht aan besteed. En waarom zouden ze? Riggs was dood. Dus ik heb de cipier gebeld. Aardige vent. Het schijnt dat

Rawlins voortdurend over Riggs liep te zeuren tegen zijn celmaat. Die krijgt ruzie met hem, geeft hem een pak slaag en onderhandelt met de cipier om eenzame opsluiting te voorkomen. Hij vertelt hem dat Rawlins' vriend Riggs een kidnapping heeft gepland die een hoop geld moet opleveren, waarvan een deel voor Rawlins zou klaarliggen als hij vrijkwam.'

'Wanneer is hij vrijgekomen?' vroeg Joe.

'Rawlins? Eh... in juli, twee maanden geleden. Hoezo?'

'Luister, Danny, ik denk dat die gek het op mij heeft gemunt.'

'Waarom in hemelsnaam? Die gast heeft iemand met een mes bewerkt en heeft netjes zijn tijd uitgezeten. Op mij komt dat niet over als een psychopaat. Denk je dat hij misschien Ierse wortels of zoiets heeft?'

'Dit is een verdomd ernstige zaak. Het kan zijn dat hij Katie heeft vermoord.'

'O, gaat het dáárover? Denk jij dat die Rawlins dat heeft gedaan?'

'Ik weet het niet,' zei Joe.

'Verandert iemand van een dronken kroegvechter in een psychopaat die de Atlantische Oceaan oversteekt? Dát is de vraag.'

'Willen we het antwoord wel weten?' vroeg Joe.

'Hoe kan hij verdomme weten dat jij in Ierland bent?'

'Ik heb geen idee,' zei Joe.

'Wie weten er nog meer dat jij daar bent?' vroeg Danny.

'Familie, vrienden, mensen van het werk...'

'Precies, en die gaan heus niet aan vreemden vertellen waar ze jou kunnen vinden. Of denk je dat hij je naar het vliegveld is gevolgd?'

Zijn stem had een gespannen ondertoon gekregen.

'De taxichauffeur die ons naar het vliegveld heeft gebracht, kan iets gezegd hebben. Ik weet het niet. Misschien is er iemand aan de deur geweest en heeft een van de buren iets gezegd.'

'Joe, je draaft door.'

'Hoelang ken je me, Danny?'

'Te lang.'

'Oké, en hoe vaak ben ik in die tijd doorgedraaid?'

'Maar je bent nu op vakantie. Misdaden oplossen terwijl je bij het zwembad van je vakantiehuisje zit is een heel andere zaak. Dat is mij nooit gelukt.'

'Kom op nou,' zei Joe.

'Luister, mensen geven dat soort informatie niet. Mensen zijn tegenwoordig op hun hoede, die willen weten waarom iemand iets vraagt. Wacht even, er komt een telefoontje binnen.'

Joe wachtte.

'Die gast van de meldkamer is echt achterlijk,' zei Danny. 'Het gesprek was verdomme voor MacKenna. Ik zit hier opgescheept met...' Hij viel stil. 'Jezus christus!' zei hij. 'Wacht even.' Joe wachtte twee minuten en hing toen op. Hij wilde net opstaan toen de telefoon weer overging.

'Een paar weken geleden,' zei Danny, die meteen terzake kwam, 'kregen we een telefoontje van een brigadier Wade, van het negentiende, die naar jou op zoek was. Het gesprek werd teruggeschakeld naar de meldkamer en het slechte nieuws is dat die jongen daar, die nog nooit van jou heeft gehoord, jouw naam naar een agent roept en dat die terugroept dat je in Ierland zit. En we weten inmiddels dat er geen Wade in het negentiende werkt. En dat er een idioot in de meldkamer zit.'

Joe's hart begon te bonzen.

'Verdorie,' zei hij. 'Heeft hij hem verteld dat ik in Ierland zit? Dat moet het dan zijn, toch? Heeft hij nog meer gezegd?'

'Nee, dus hij weet niet wáár in Ierland je zit. Als we ervan uitgaan dat het Rawlins was die belde.'

Joe schudde zijn hoofd. 'Ja, daar gáán we vanuit. En ik weet het niet... Ierland is een klein land.'

'Zo klein is het toch niet?'

'Hoeveel mensen denk je dat er in Ierland wonen, Danny?'

'Weet ik veel, twaalf miljoen?'

'Vier miljoen, waarvan meer dan één miljoen in Dublin. Dus amper drie miljoen verspreid over de rest van het land. Geloof me, dat is klein. Hoor eens, laat het maar aan mij over. Ik bedenk wel iets.' Hij wilde ophangen maar stopte halverwege. 'Eh... Danny? Denk je dat je nog eens met die aardige cipier kunt gaan praten, en met die celgenoot van Rawlins, om te zien of hij nog meer weet?' Danny kreunde.

Zodra Joe had opgehangen, liep hij naar de boekenkast. Hij haalde een doosje achter een rij boeken vandaan en haalde daar zijn duplicaat uit, een kopie van zijn politiepenning. Die was illegaal, maar de meeste politiemensen hadden er een. Als je je originele penning kwijtraakte, raakte je ook tien vakantiedagen kwijt, dus als hij in de Verenigde Staten aan het werk was, liet hij het origineel thuis in de kluis en had hij het duplicaat bij zich. Nu was er geen origineel meer. Dat had hij moeten inleveren toen hij vertrok. Hij voelde een steekje van iets wat op jaloezie leek. Hij deed zijn portefeuille open en keek naar zijn legitimatie, naar het woord dat er in rode letters op was gestempeld: BUITEN DIENST.

O'Connor zat achter een stapel dossiers en maakte zich op om alles te lezen wat er te lezen was. Zoals gebruikelijk was elke taak van het onderzoek – het nagaan van de telefoonrekeningen, praten met de persoon die het lijk had gevonden, het opvragen van medische rapporten – in drievoud vastgelegd door een rechercheur die als 'rapporteur' optrad. De bovenste vellen, die blauw waren, zaten links in het takenboek en aan de rechterkant stond genoteerd wie de taak had uitgevoerd en wat het resultaat was. De andere kopieën zaten in de mappen die voor hem lagen en die het opschrift VERKLARINGEN, GETUIGEN en VERDACHTEN droegen. Hij zocht in de stapel en haalde de map met de verklaringen eruit. Bovenop lag de vier pagina's tellende verklaring van Shaun Lucchesi. O'Connor kon drie mensen bedenken die in de afgelopen vijf jaar hun vriendin hadden vermoord en vrijuit waren gegaan. Als, voor het bewijs, af zou zijn gegaan op de intuïtie van de politiemensen die aan deze zaken hadden gewerkt, zouden alle drie de mannen voor lange tijd achter de tralies zijn verdwenen. O'Connors intuïtie vertelde hem niet dat Shaun Lucchesi een moordenaar was, maar wel dat hij niet de waarheid had gesproken.

Toen de telefoon op het bureau weer begon te rinkelen, had Joe hem bijna laten gaan.

'Hallo, meneer Lucchesi. Met Paula, Shauns geschiedenisdocent van school. Ik kan Petey Grants moeder niet bereiken, dus bel ik u maar. Petey vertelde me net dat hij door Ritchie Bates gearresteerd is en mee moest naar het bureau.'

'Wat?' zei Joe. 'Weet je dat zeker?'

'Nou, nee. U kent Petey.'

'Ik rij ernaartoe en zal het nagaan. Bedankt voor je telefoontje.'

Ritchie en Petey zaten op het politiebureau aan weerskanten van het bureau.

'Waarom heb je me gearresteerd?' vroeg Petey.

Ritchie keek hem lachend aan. 'Je bent niet gearresteerd. Je...' Hij stak twee vingers van beide handen op om aanhalingstekens te imiteren. '..."helpt ons met ons onderzoek." Ik bedoel dat we geen bewijs tegen je hebben. Nog niet. Maar...' vervolgde hij op gemaakt vriendelijke toon, '...het mag duidelijk zijn dat je hier vanwege Katie bent.'

'O,' zei Petey.

'Was je verliefd op haar?' vroeg Ritchie botweg, en hij trommelde hard met zijn vingers op het bureaublad.

Petey begon te blozen. 'Nee!' zei hij.

'Je hebt haar een Valentijnskaart gestuurd, of niet soms?'

Peteys ogen werden groot.

'Dat was voordat ze met Shaun ging,' stamelde hij.

'En vond je dat vervelend, dat ze met Shaun begon om te gaan?'

'Nee!' zei Petey geschokt. 'Shaun is een vriend van me. Joe ook!'

'Heb je haar ooit uit gevraagd?'

'Nee.' Hij wachtte even. 'Ik vraag nooit meisjes uit.' Hij moest zijn tranen bedwingen.

'Ik zal er niet langer omheen draaien, Petey,' zei Ritchie. 'Weet jij iets over de vrijdagavond dat Katie is verdwenen?'

'Nee,' zei Petey. 'Dat heb ik al gezegd. Ik was thuis, zoals altijd.'

'Dat weet je zeker?' vroeg Ritchie op hardere toon.

'Ja,' zei Petey. Hij begon met de neus van zijn schoen op de vloer te tikken.

'Begrijp je hoe belangrijk het is dat je ons alles vertelt?' vroeg Ritchie. 'Er kan nog een meisje worden vermoord als we niet alle informatie hebben.'

Petey keek hem geschokt aan. 'Nog een meisje worden vermoord?' stamelde hij. 'O, mijn god.'

Hij schrok toen er aan de deur van het bureau werd gebeld.

'Blijf waar je bent,' snauwde Ritchie hem toe. Petey beefde.

Duke sprong op van de bank en drukte zijn oor tegen het dikke glas van de ronde deur. Hij hoorde het weer... een krassend geluid, gevolgd door een kort gerinkel en dan weer een krassend geluid.

'Shit,' zei hij.

De vrouw van de wasserette kwam naar hem toe. 'Heb je problemen met de droger?'

'Eh... ja,' zei Duke. 'Ik geloof dat ik een sierspeld in mijn spijkerbroek heb laten zitten.'

'O, hemel,' zei de vrouw. 'Wacht even.' Ze stak een sleutel in de zijkant van de droger en het apparaat sloeg af. 'Je kunt nu de deur opendoen.'

Duke stak zijn hand naar binnen en haalde zijn warme spijkerbroek en jack uit het apparaat. Op de bodem van de trommel lag een munt van één euro. Verbaasd pakte hij hem op. De munt brandde in zijn hand.

'Geld,' zei de vrouw. 'Nog beter.'

Maar Duke was in paniek geraakt. Hij trok de broekzakken naar buiten en betastte de spijkerstof. Toen hij ook nog op de zakken van de kleren had geklopt die hij aanhad, pakte hij zijn tas van de vloer en hield die ondersteboven. Opnieuw zocht hij alles na, met trillende vingers, op zijn knieën op de vloer, hijgend en met een bonzend hart. Ten slotte stond hij op en hij bleef met gebogen hoofd tegen de droger geleund staan. Er stonden zweetdruppeltjes op zijn voorhoofd.

'Verdomme!' riep hij, gaf twee harde klappen op het apparaat en schopte ertegenaan met zijn laars. 'Godverdomme.' Geen van de andere klanten zei iets. De vrouw van de wasserette verroerde zich niet. Duke propte zijn warme kleren in de tas en liep naar de deur, langs een vrouw die een lichte broek met grasvlekken op de knieën ophield.

'Die krijg je eruit met melasse,' snauwde hij terwijl hij langs haar heen liep.

Joe kwam de gang van het bureau in stormen en riep: 'Waag het niet dat je Petey Grant hier hebt,' hoewel hij Petey, die doodsbleek was en zich nerveus in zijn grote handen wreef, al zag zitten.

'Wat heb jij daarmee te maken?' vroeg Ritchie.

Joe zei Petey gedag en nam Ritchie mee de gang op.

'Wat is hier verdomme aan de hand?' vroeg Joe. 'Hoe haal je het in je hoofd om Petey te ondervragen zonder een volwassen familielid erbij? Ben je niet goed snik? Dat is verboden.'

'Nee, dat is het niet,' zei Ritchie. 'Hij staat niet onder arrest. Bovendien is het jouw zaak niet.'

'Dan maak ik er mijn zaak van,' zei Joe.

'Je doet je best maar,' zei Ritchie. 'Ik heb niks verkeerd gedaan, want hij staat niet onder arrest. Ik wilde gewoon nog een keer met hem praten, dat is alles.'

'Waarom heb je dat dan niet op school gedaan?' vroeg Joe. 'Je bent eropuit om hem bang te maken. Het straalt van zijn gezicht af. Een jongen als hij. Ik heb al met hem gepraat. Hij weet niks van Katie.'

'O, de grote Amerikaanse rechercheur heeft gesproken. Nu kunnen we allemaal naar huis, want de zaak is gesloten.'

'Wat mag dat verdomme dan wel betekenen? Ik zeg je alleen dat je dit verkeerd aanpakt.'

'En ik zeg jou dat je je buiten zaken moet houden waar je geen verstand van hebt, oké?'

'Heb je enig idee waar je verdomme mee bezig bent?' vroeg Joe met stemverheffing. 'Niet te geloven, Petey Grant! Die jongen is onschuldig. Ik ken Petey Grant, Ritchie...'

'Wij kennen Petey Grant allemaal, en een stuk langer dan jij, en –'

'En wat? Welk diep, duister geheim ken je van hem dat ik niet ken?'

'Hij weet iets. Hij heeft ze niet allemaal op een rijtje, hij –'

'O, noem je het zo? Het komt door een ongelukkig toeval dat Petey is zoals hij is. Weet jij wat er met hem gebeurd is? Nee, het verbaast me niet dat je dat niet weet. Die knul heeft niet genoeg zuurstof gehad toen hij geboren werd.' Hij stak zijn handen in de lucht. 'Daar heb je je grote, duistere geheim.'

'Nou, en? Dat betekent nog niet dat hij niet –'

'Ach, kom nou, Ritchie. Je weet verdomd goed dat Petey Grant nog geen vlieg kwaad zou kunnen doen. Weet je, hij wist niet eens wat een prostituee is; dat heb ík hem moeten vertellen. En jij denkt dat een jongen als hij... Je hebt Katie gezien. Denk je nu echt dat Petey Grant...'

'Luister, hij voelde zich tot haar aangetrokken...'

'Als dat de reden is, kun je de helft van alle jongens in Mountcannon opsluiten,' zei Joe. 'Wat een onzin, wat een klinkklare onzin. Er loopt waarschijnlijk een of andere psychopaat vrij rond en wat doe jij? Je neemt Petey! Heb je eigenlijk ooit aan een serieus misdaadonderzoek meegewerkt?'

'Arrogante klootzak,' zei Ritchie, en hij deed een stap naar Joe toe.

'Ik zou het niet proberen als ik jou was,' zei Joe. Gloeiend van woede bleef Ritchie voor hem staan. Zijn gezicht was vuurrood. Joe zag de aderen onder zijn slapen kloppen. Hij was een centimeter of vijf groter dan Joe, maar diens zelfbeheersing had hij niet. Hij was een en al agressie en woede. Joe ging weer naar binnen, naar Petey.

'Oké,' zei hij tegen Ritchie, die hem achterna kwam, 'stel hem je vragen maar. Als hij je alleen maar helpt, zul je er vast geen bezwaar tegen hebben als ik erbij blijf. Wil je dat, Petey?'

'Nou, meneer Lucchesi,' zei Petey, 'eigenlijk wil ik het liever alleen doen.'

Joe wilde protesteren maar hield zich in. 'O, natuurlijk, Petey. Als je zeker weet dat je dat wilt. Je bent toch niet onder druk gezet, hè?'

'Nee. Ik red me wel.'

'Goed dan. Nou, dan zal ik jullie maar alleen laten.'

'Dank je,' zei Ritchie. 'Dat waardeer ik zeer.'

Joe wrong zich langs hem heen en liep het bureau uit.

'Oké,' zei Ritchie, 'dan vraag ik het je nog een keer. Weet je iets van wat er die avond is gebeurd?'

Petey haalde diep adem. 'Misschien.'

Ritchie verschoof op zijn stoel.

Petey keek op. 'Ik heb Katie die vrijdagavond gezien.'

'Wat bedoel je met "gezien"?' vroeg Ritchie.

'Ik kwam haar tegen op straat,' zei Petey. 'Ze huilde.' Hij keek eerst naar de grond en keek Ritchie toen recht aan. 'Ze zei dat ze ruzie met Shaun had gehad.'

Ritchie glimlachte.

18

Stinger's Creek, Texas, 1986

Ashley Ames stond voor de spiegel in haar slaapkamer en keek of ze wel genoeg make-up had opgedaan. Ze had die zorgvuldig aangebracht op haar lichte huid: rouge, mascara en een vleugje lipstick. Ze keerde haar make-uptasje om en keek tussen de spulletjes. Ze vond wat ze zocht, een zwarte eyeliner waarvan ze nauwelijks wist hoe ze die moest gebruiken. Ze draaide de dop eraf en boog zich dichter naar de spiegel. Op het bed achter haar lag haar negen jaar oude zusje Luanne.

Toen Ashley klaar was, draaide ze zich naar haar om en hield een haarborstel als een microfoon bij haar mond. 'Vandaag showt Ashley Ames u een roze topje en een kort grijs rokje, een outfit die wordt gecompleteerd door een paar klassieke witte gympies. Of Ashley Ames ontmoet haar man vandaag in een felroze T-shirt met decolleté, een rok met ruches tot halverwege het dijbeen en zwarte enkellaarsjes met hoge hakken.'

Luanne vervolgde het commentaar: 'Kan ze haar haar nóg hoger opkammen, kan ze nóg meer eyeliner gebruiken?'

'Hou je mond, Lu,' zei Ashley. 'Nou, wat zal ik aantrekken?'

'De ruches,' zei Luanne. 'Maar papa gaat uit zijn dak.'

'Waarom?'

'Het staat nogal hoerig,' zei Luanne.

'Wat weet jij daar nou van?' Ashley wrong zich in de rok en trok de ritssluiting aan de zijkant dicht. Boven de tailleband werd een vetrolletje zichtbaar. Ze draaide zich om en sloeg zich zachtjes op beide billen.

'Puur natuur, Lu, puur natuur.'

Ze ging op de rand van het bed zitten, trok haar laarzen over haar mollige kuiten en ritste ze dicht. Daarna pakte ze haar tas, deed er wat make-upspulletjes in en liep trots naar de deur. Toen ze de woonkamer binnenkwam, liet Westley Ames zijn krant zakken.

'Ik weet het niet, Ash, schat,' zei hij hoofdschuddend.

'Wat weet je niet, papa?'

'Of dat de juiste kleren voor een jongedame zijn, of ze het juiste over je zeggen.'

'Wat denk jij dat ze over me zeggen, papa?'

'Vraag me dat maar liever niet, Ashley.'

'Sorry, papa, het is alleen dat... Ik bedoel, ik ben de enige niet. Ik vind mijn kleren mooi en ze zeggen niks, tegen niemand.'

'En wat is al dat zwart om je ogen?' vroeg hij.

'Dat is eyeliner, papa. Iedereen gebruikt het.'

'Wie is die jongen met wie je uitgaat, trouwens?' vroeg Westley.

'Donnie Riggs, papa. Je kent Donnie.'

'Ik heb van Donnie gehoord, Ashley. Ik kén hem niet, en jij ook niet. Laten we hopen dat hij niet op zijn vader lijkt, want als je thuiskomt en ik ruik ook maar een vleugje alcohol, dan zie je voorlopig de buitenwereld niet meer. Heb je me gehoord, Ashley?'

'Het is midden op de dag, papa, en je weet dat ik nooit drink,' zei ze, waarna ze zich omdraaide en glimlachend de kamer uit liep.

Donnie Riggs zat op de stoeprand, tussen twee geparkeerde auto's, op een blok afstand van Ashleys huis. Hij schoot zijn sigarettenpeuk weg, stond op en streek zijn vuile spijkerbroek glad. Zijn knieën knikten en zijn wangen gloeiden. Hij was vandaag niet in de stemming voor een ontmoeting met Westley Ames.

Toen hij aanbelde, deed mevrouw Ames open. Ze had een parelketting om en hield haar rechterarm om haar eigen smalle middel geslagen.

'Hallo, Donnie,' zei ze met een aarzelende glimlach.

'Dag, mevrouw,' zei Donnie. 'Is Ashley er?'

'Kom maar binnen.'

Ze draaide haar hoofd om en glimlachte toen ze haar dochter de woonkamer uit zag komen. Ze was bijna in tranen toen ze Donnie weer aankeek.

'Zul je goed op haar passen?' vroeg ze.

'Mama!' zei Ashley.

'Je vindt het toch niet erg dat ik dat zeg, hè, Donnie?' zei mevrouw Ames.

'Natuurlijk niet, mevrouw,' zei Donnie. 'En maak u geen zorgen. Ik zal goed op haar passen.' Ashley glimlachte en gaf Donnie een arm.

De zon stond hoog aan de hemel en wierp een zilveren schittering op het kabbelende water van de kreek. Duke zat in de schaduw van een groepje dicht opeen staande bomen, met zijn knieën opgetrokken tegen zijn borst. Naast hem in het gras lag een zaklantaarn. Hij had een halfuur roerloos zitten wachten toen hij meisjesgelach en voetstappen op het pad hoorde. Daarna hoorde hij

Donnies stem en het zachte gerinkel van bierflesjes. De geluiden werden zachter toen ze doorliepen naar de waterkant.

'Nee, ik heb het niet goed gemaakt,' zei Donnie. 'Aardrijkskunde is niks voor mij. En ik heb een bloedhekel aan Baxter. Wat een eikel is dat.'

'Ja,' zei Ashley.

Donnie zat met een kroonkurk te spelen, schoot hem de lucht in met zijn duim, ving hem weer op en deed het opnieuw.

'Hallo?' zei Ashley. 'Aarde aan Donnie, aarde aan Donnie.' Donnie draaide zijn hoofd om en keek haar aan alsof hij was vergeten dat ze er was.

'Sorry,' zei hij. 'Nog een biertje?'

'Graag,' zei Ashley.

Hij reikte achter zich om een flesje bier te pakken en toen hij zich weer omdraaide, was haar gezicht vlak bij het zijne. Ze deed haar ogen dicht. Hij kuste haar op haar lippen en duwde haar voorzichtig achterover in het gras.

'Alleen boven de gordel,' zei ze lachend, en ze gaf hem een tik op zijn hand.

Ze hoorde een takje breken. Duke stond naast hen en keek zwijgend op hen neer. Ashley schoot overeind, trok haar topje recht en keek naar hem op. Donnie kwam ook overeind en even kwam er een angstige uitdrukking op zijn gezicht.

'Hallo, Pu... eh... hallo, Duke,' zei Ashley verbaasd.

'Ga maar door, jongens,' zei Duke. 'Let maar niet op mij.'

Geschrokken keek Ashley hem aan. Toen glimlachte ze.

'O ja,' zei ze lachend, en ze keek Donnie aan. Donnie maakte een nerveuze indruk. Ashley keek Duke weer aan.

'Ik meen het,' zei hij, ijzig kil. 'Ga. Door.'

Donnie sloeg zijn arm om haar middel en trok haar tegen zich aan. Ze duwde hem weg.

'Wat krijgen we nou?' zei ze, en ze wilde opstaan. 'Ben je gek geworden?'

'Doe nou maar wat ik zeg,' zei Duke, en hij duwde haar boven op Donnie. Ashleys ogen werden groot. Ze kende deze jongens, ze kon ze aangeven. Toen voelde ze haar hoop verdwijnen. Ze wist dat ze dat nooit zou doen.

'Ga door met wat jullie aan het doen waren,' zei Duke. 'Ik ga daar zitten en kijk toe, en misschien doe ik straks zelf ook nog wel even mee.'

'Kom op, Ashley,' zei Duke toen het allemaal voorbij was. Hij keerde haar tasje om en raapte haar make-upspiegeltje op. 'Werk je gezicht bij. Je hebt een knoeiboel van je mascara gemaakt. Schiet op, doe het.'

Hij hield het spiegeltje voor haar gezicht. Ze zag hoe de tranen over haar wangen liepen. Duke pakte haar borstel uit het gras en begon de achterkant van haar haar te borstelen. Hij trok de bladeren eruit en sloeg de aarde uit de borstel. 'Wat moet je vader niet denken? Dat zijn kleine meisje een hoer is? Dat zijn prinsesje zich op haar eerste afspraakje aan een vuilak als Donnie Riggs heeft gegeven?' Hij lachte. Donnie stond naast hem en zei niets. Ashley pakte de borstel van Duke aan en haalde hem door haar haar. 'Laat me alleen,' snikte ze. 'Ik zal het aan niemand vertellen. Ik kán het aan niemand vertellen. Maar laat me alleen. Ga weg, alsjeblieft.' Duke pakte de met bloed besmeurde zaklantaarn uit het gras en liep weg.

'Grasvlekken krijg je eruit met melasse,' mompelde Donnie voordat hij hem achternaging.

Ashley keek in het spiegeltje en zag de uitgelopen mascara op haar wangen. Ze veegde alles van haar gezicht, bracht nieuwe make-up aan en even later zag ze er weer bijna hetzelfde uit als toen ze van huis was gegaan. Alleen haar ogen waren veranderd. Ze krabbelde overeind en liep langzaam naar de rand van het bos.

Toen ze bijna thuis was, kwam Duke voorbij. Hij knikte naar haar.

'Het had veel erger kunnen zijn, Ashley.' Hij wachtte even. 'Je moest eens weten wat we de volgende keer voor je in petto hebben.'

19

Ritchie stond bij een zwarte stationcar een parkeerbon uit te schrijven. Hij vouwde hem dubbel en stak hem onder de ruitenwisser. Shaun kwam de coffeeshop uit, zag het en rolde met zijn ogen.

'Heb je even tijd voor me?' vroeg Ritchie, die hem achterna was gekomen. 'Ik wil alleen even iets ophelderen.' Hij bleef staan, haalde zijn notitieboekje uit zijn zak en hield het rechtop om het tegen de zachte motregen te beschermen.

'Natuurlijk,' zei Shaun. 'Maar ik ben op weg naar school.' Hij zette de capuchon van zijn parka op en er viel een schaduw over zijn ogen.

'Vertel me nog eens waar Katie en jij precies afscheid van elkaar hebben genomen,' zei Ritchie.

Shaun zuchtte. 'Daar, volgens mij, bij de muur die naar de haven af loopt.'

'Heb je het zingen gehoord?' vroeg Ritchie.

Shaun verstrakte. 'Wat?'

'Je hebt gezegd dat jullie daarvoor bij het dok waren geweest.'

'Ja.'

'Daar lag een Spaans schip met twintig dronken zeelui die de longen uit hun lijf hebben gezongen.'

Shaun zei niets.

'Waar zijn jullie vanaf Katies huis naartoe gegaan? Volgens mij zijn jullie helemaal niet in de haven geweest.'

Shauns hart was sneller gaan kloppen. Hij voelde een koude zweetdruppel langs zijn zij lopen.

'We waren wel in de haven, maar dat was eerder...'

De eigenaar van de stationcar kwam Tynan's uit en stak zijn handen in de lucht.

'O, agent, doe me een lol. Ik ben twee minuten binnen geweest. Kijk, ik heb een krant gekocht. Hoelang duurt dat, denk je? Ik kom voor een paar dagen over uit Dublin en nu...'

Ritchie haalde zijn schouders op en keerde de man zijn rug toe.

Een van de oude stamgasten van de pub kwam aanlopen en bleef bij de man uit Dublin staan. 'Hou maar op, hij luistert toch niet naar je. "Een dubbele gele lijn," zal hij tegen je zeggen. En hij zal hem voor je aanwijzen. Een echte dienstklopper.'

Ritchie negeerde de twee en bleef Shaun aankijken.

'Daarna zijn we... een eindje gaan wandelen,' zei Shaun.

'Nu klets je uit je nek, Shaun. Waar zijn jullie echt geweest?'

'Dat zeg ik net. Een eindje gaan lopen.'

'Laat die jongen met rust!' riep de oude stamgast voordat hij Danaher's binnenging. 'Dienstklopper!'

'Waar zijn jullie naartoe gelopen?' vroeg Ritchie.

'Het dorp door en...'

'...en dan weer helemaal hiernaartoe om ver van haar huis afscheid van haar te nemen?'

'Nee.'

'Hóé het dorp door? Naar jouw huis en dan hiernaartoe om afscheid te nemen?'

Shaun kon niet stil blijven staan.

'Was er iets aan de hand, Shaun? Je kunt het me best vertellen. Hebben jullie ruzie gehad?'

'Nee, alles was in orde. Ik heb dit allemaal al verteld.'

'Dus jullie hebben geen ruzie gehad?'

'Nee,' zei Shaun.

Ritchie begon in zijn boekje te schrijven. 'Ze was niet van streek?'

'Nee,' zei Shaun.

'Ze huilde niet? Ze heeft een paar minuten voordat ze verdween níét aan iemand verteld dat ze ruzie met jou had gehad?'

'Nee.' Shauns stem haperde.

'Dat weet je heel zeker?'

'Ik... ik weet het niet.'

Ritchie bleef schrijven. Ten slotte deed hij zijn notitieboekje dicht en knikte. 'Tot ziens,' zei hij.

Frank stond bij het prikbord in het politiebureau en keek of de mededelingen nog steeds op datum hingen. Hij verplaatste er een paar en gooide de oude in de prullenbak. Hij hoorde Joe niet binnenkomen.

'Sorry dat ik je moet lastigvallen, maar er is iets wat je moet weten. Het kan met je onderzoek te maken hebben.'

'En dat is?' vroeg Frank.

'Ongeveer een jaar geleden heb ik iemand doodgeschoten,' zei Joe. 'Toen ik dienst had. Een zekere Donald Riggs. Hij had een acht jaar oud meisje gekidnapt, het losgeld geïncasseerd en vervolgens haar en haar moeder opgeblazen met explosieven. Ik heb het allemaal zien gebeuren. Ik heb Riggs neergeschoten en hij lag dood op de grond. Ik ben naar hem toe gelopen en hij had iets in zijn hand, een sierspeld die een havik voorstelde. Die speld zit nog steeds in een bewijszak op Police Plaza nummer één in New York. Hoe is het dan mogelijk dat er zondagavond voor de deur van Danaher's net zo'n speld wordt gevonden?' Hij hield zijn hand op.

Frank keek naar de speld en keek Joe weer aan.

'Dat weet ik niet,' zei hij.

'Ik denk dat iemand het op mij en mijn gezin gemunt heeft,' zei Joe. 'En ik denk dat die persoon Duke Rawlins heet.'

'Het kan toch een andere speld zijn...'

'Maar dat is niet zo,' zei Joe. 'Die speld is een aandenken aan een evenement dat in de jaren tachtig heeft plaatsgevonden...' Het kostte hem moeite het uit zijn mond te krijgen. 'Hoor eens, ik weet dat het belachelijk klinkt en ik weet niet wie die kerel is, maar hij...'

'Je hebt het afgelopen jaar veel meegemaakt,' zei Frank.

'Sorry?' zei Joe.

'Je hebt flink onder druk gestaan.'

'Natuurlijk heb ik flink onder druk gestaan,' zei Joe. 'Maar dat heeft er niets mee te maken. Ik denk dat hij naar Ierland is gekomen.'

'Heb je hem gezien?'

'Nee,' zei Joe, 'maar er is geen andere verklaring voor hoe die speld hier gekomen kan zijn. Niemand hier weet ervan en meteen na die kidnapping en moord in de Verenigde Staten heeft niemand er veel waarde aan gehecht. Het was gewoon een persoonlijke bezitting van een omgekomen dader. De enige reden dat de speld voor mij iets betekent, is het feit dat ik die vond in de hand van de eerste – en hopelijk laatste – man die ik ooit heb omgebracht.'

'Ik kan niet veel met die informatie,' zei Frank.

'Er kan een verband met de moord op Katie zijn. Het kan zijn dat hij haar...'

'We kunnen niet nagaan of hij hier is.'

'Wat? En de immigratiedienst dan, op het vliegveld?'

'Joe, zo werkt het hier niet. Als de man een crimineel is, zal hij hier niet naartoe gekomen zijn met een officiële werkvergunning. Als iemand naar Ierland komt met een toeristenvisum van zes maanden, wordt dat niet vastgelegd.' Hij haalde zijn schouders op. 'Dan kunnen ze min of meer doen wat ze willen.'

Ray stapte uit het busje en drukte op de claxon. Anna kwam naar buiten zodra ze hem hoorde.

'Ik neem aan dat je hier bent voor de tweede ronde.'

'Ja,' zei Ray terwijl hij zijn blikken verf, plastic verfbakjes, rollers en kwasten uit de laadruimte haalde. 'Als je me nodig hebt, ben ik daar,' zei hij, en hij wees naar de vuurtoren. 'En daarna moet ik nodig iets aan mijn eigen huis gaan doen.'

'Veel succes daarmee,' zei Anna.

Shaun liep het lege computerlokaal van St. Declan's binnen en ging achter een computer zitten. Hij klikte op MAIL en typte zijn wachtwoord in. Er zat één bericht in zijn postbakje. Het had geen onderwerp en de afzender was een reeks letters die nergens op sloeg. Hij opende het bericht en er verscheen een foto op het scherm. Een foto van de vuurtoren. Met de brandende fakkels op de voorgrond. Het was een foto van de fotosessie van zijn moeder. Met een ruk bewoog hij de muis over de mat, sloot de e-mail en pakte zijn tas van de vloer. Hij was nog steeds woedend toen hij thuiskwam.

'Ik vind het echt banaal hoe jullie gewoon doorgaan met je leven alsof er niets gebeurd is,' riep hij naar Anna toen hij binnenkwam.

'Ik ga daar met jou niet weer over beginnen,' zei Anna. 'Ik ben moe en inderdaad, ik moet werken. Daar is niets aan te doen. Ik weet dat je een moeilijke tijd doormaakt...'

'Maar waarom moet je het me ook nog inwrijven?'

'Ik wrijf je niks in,' zei Anna. Ze draaide zich om en zag zijn gezichtsuitdrukking. 'Hoe doe ik dat dan?'

'Met je e-mail.'

'Wat voor e-mail?'

'Van die verdomde fotosessie!'

'Wat is er met je aan de hand? Ik wil niet dat je zo tegen me praat, wat er ook gebeurd is. Toon een beetje respect. Over wat voor e-mail heb je het?'

'De e-mail die ik vandaag heb ontvangen. Van jou.'

Joe kwam de keuken in en legde zijn mobiele telefoon op het aanrecht.

'Dat was Frank Deegan,' zei hij boos. 'Shaun, heb jij vandaag met Ritchie Bates gesproken?'

'Ja,' zei Shaun. 'Hoezo?'

'Ritchie zei dat jij hebt ontkend dat je ruzie met Katie hebt gehad vlak voordat ze is verdwenen. Maar zij hebben een getuige die zegt dat dat wel zo was.'

'Waar heb je het over?' zei Shaun.

'Ik vertel je alleen wat ik heb gehoord. Ritchie zei dat hij je eerder vandaag in het dorp had gesproken.'

'Dat is zo, maar ik heb niet gezegd...'

'Je hebt ontkend, ondanks zijn waarschuwing dat het een officieel verhoor was, dat je ruzie met Katie hebt gehad. Hij denkt dat je liegt en heeft alles opgeschreven in zijn boekje.'

'Wat betekent dat, "een officieel verhoor"? Zoiets als "alles wat je zegt kan tegen je gebruikt worden"?'

'Ja, zoiets.'

'Nou, hij hééft me niet gewaarschuwd. Ik zweer het, pa. Ik begrijp het niet. We hebben alleen even gepraat.'

'Alsjeblieft, zeg, ik maak mezelf compleet belachelijk...'

'Waarom?' vroeg Shaun.

'Laat maar. Kom op, jij en ik gaan nu naar het bureau om een paar dingen op te helderen. Ik wil verdomme zelf ook weleens weten wat er aan de hand is, Shaun.'

Ray kwam achteruitlopend zijn huis uit en trok een zwarte vuilniszak achter zich aan. Hij slingerde de zak over zijn schouder en liep naar de rij zinken vuilnisemmers bij de ingang van het hofje. Hij gooide de zak boven op de andere. Toen pas zag hij dat er een scheur in zat.

'Jezus, Ray,' zei Ritchie, die naar hem toe kwam lopen.

Ray draaide zich om.

'Moet je zien,' zei Ritchie, en hij wees naar de rommel die Ray vanaf zijn huis op straat had achtergelaten.

'Knap werk, agent Ritchie,' zei Ray. 'Het is je gelukt een spoor te volgen. Nu maken ze je vast brigadier.'

'Hou je mond, Carmody, en ruim die rommel op.'

'Waarom ben je zo geïnteresseerd in wat er uit mijn zak komt?' zei Ray lachend.

Ritchie nam Rays arm tussen zijn duim en middelvinger en kneep er hard in.

'Au!' riep Ray. 'Vuile sadist.' Maar het lukte hem niet zijn arm los te trekken.

'Als ik vanavond thuiskom, wil ik die rotzooi niet meer zien,' zei Ritchie, en hij wees naar de rommel op straat. 'Als die er nog ligt, prop ik alles in je brievenbus, ik zweer het.' Hij liet Rays arm los.

'Ik doe het nu wel,' zei Ray. 'De nieuwe straatveger van Mountcannon...'

'Is dat huis trouwens jouw eigendom?' vroeg Ritchie.

'Wat heeft dát er in godsnaam mee te maken?' zei Ray.

'Ben jij de eigenaar?'

'Nee, ik huur het. Maar wat gaat dat jou aan? Alleen omdat jij en je vriendje samen een liefdesnestje hebben gekocht?'

'Het huis is van mij. Oran huurt een kamer van me.'

'Waarom hebben we dit gesprek eigenlijk? Omdat je een vrouw bent?'

Ritchie gaf Ray een duw tegen zijn schouder.

'Hé, ordehandhaver,' zei Ray. 'Je bent nu wel in uniform. Wat moeten de buren niet denken?'

Ritchie keek om zich heen in het verlaten hofje.

'Pas jij maar op,' zei hij, met zijn gezicht vlak bij dat van Ray.

'Maak je geen zorgen,' zei Ray. 'Dat doe ik. Vooral op mezelf.'

Shaun hing onderuit in een stoel op het politiebureau, met zijn lange benen gestrekt. Afgezien van een gemompeld hallo naar Frank had hij nog geen woord gezegd.

'We zullen op Ritchie moeten wachten,' zei Frank. Na vijf minuten kwam Ritchie binnen, met een rood, bezweet gezicht. Frank bleef hem even aanstaren en richtte zich toen tot Shaun.

'Vertel ons nu maar gewoon waar je die avond bent geweest,' zei Frank. 'Alsjeblieft. Dit heeft nu lang genoeg geduurd.'

Joe zat naast Shaun, keek zwijgend om zich heen en richtte zijn aandacht op het prikbord aan de crèmekleurige muur. Rechts bovenaan hing een slechte kleurenkopie van een foto met een meisjesgezicht. Ze had kleine ogen, dikke wenkbrauwen en een wilde bos zwart haar. Haar bolle wangen vulden het beeldvlak tot aan de randen. VERMIST, stond er in drukletters boven de foto. Siobhàn Fallon, voor het laatst gezien op 7 september in American Heroes in Tipperary. Joe had nooit iets over haar gehoord. Het gebeurde nu eenmaal dat de ene vermiste persoon alle aandacht van de pers opeiste, terwijl de andere, een minder aantrekkelijk slachtoffer, het moest doen met een slechte fotokopie aan de muur van een politiebureau.

'Seascapes,' zei Shaun opeens.

Joe draaide zich met een ruk om. 'Verdomme, ik wist het!'

'Seascapes?' zei Frank, zonder acht te slaan op Joe. 'De vakantiehuisjes?'

'Ja.'

Joe schudde zijn hoofd.

'Hoe laat was dat?' vroeg Frank.

'Halfacht.'

'En wat ging je daar doen? Werken?'

'Nee,' zei Shaun. Hij keek zijn vader aan. 'Katie en ik waren daar naartoe gegaan om... alleen te zijn.'

'Waarom wilden jullie alleen zijn?' vroeg Frank.

Shaun begon te blozen. 'We...'

Joe hield zijn adem in.

'Nou?' zei Frank.
'We waren daar om te vrijen.'
Joe ademde zuchtend uit en deed zijn ogen dicht.
'Wist Katie dat jullie dat gingen doen?' vroeg Frank.
'Wat?'
'Wist Katie wat er te gebeuren stond?'
'Ja, dat wist ze,' zei Shaun.
'En ís het gebeurd?' vroeg Frank.
'Min of meer... Ik weet het niet,' zei Shaun.
'Dat weet je niet? Hebben jullie gevreeën of niet?'
'Het was voor haar de eerste keer. Ze was nerveus.' Hij begon te huilen. De vragen werden steeds persoonlijker, bijna medisch. Elk antwoord moest uit hem getrokken worden. Toen was Ritchie aan de beurt.
'Dus in feite is er niks gebeurd, omdat ze te gespannen was, en toen ben jij boos geworden?'
'Nee, zo was het niet,' zei Shaun. 'Het is wel gebeurd, maar ze had pijn dus zijn we opgehouden.'
'En toen ben jij boos geworden omdat ze niet meer wilde.'
'Nee.'
'Ze wilde je je zin niet geven en toen ben je je zelfbeheersing verloren.'
'Nee!'
'Misschien wist ze helemaal niet wat haar daar te wachten stond. Misschien was het wel een grote verrassing voor haar. Heb je haar een beetje dronken gevoerd en ben je boven op haar gedoken.'
'Vuile klootzak!' riep Shaun. Maar hij kon zich niet meer inhouden. 'Stomme hufter die je bent. Ik hield van Katie. Je weet niet wat je zegt!' Hij begon harder te huilen en zijn mond trilde. 'Jij,' zei hij, en hij wees naar Ritchie, 'hebt geen idee wat er gebeurd is, want je was er niet bij. Ik heb haar in mijn armen genomen, tegen haar gezegd dat ze zich geen zorgen moest maken en dat we ermee konden ophouden wanneer ze maar wilde. Je weet niets van mij en Katie! Waarom vertel ik je dit eigenlijk?'
'We zijn hier op jouw verzoek naartoe gekomen om iets op te helderen, Frank,' zei Joe, 'niet om ons te laten beledigen.' Zijn kaken deden zeer bij elk woord dat hij uitsprak. Hij zette zijn elleboog op het bureau en ondersteunde zijn kin met zijn hand. Hij keek op naar Frank. 'We zijn hier om je te helpen. Als je meer bewijs tegen Shaun had, had je hem allang gearresteerd. Maar dat heb je niet. Afgezien van zijn zogenaamde ontkenning, gedaan na die zogenaamde waarschuwing van Ritchie, dat hij ruzie zou hebben gehad.' Er kwam een vuile blik in Ritchies ogen. Hij opende zijn mond om te protesteren maar Frank legde snel zijn hand op zijn arm.

'Dus het is waar dat jullie hierna een meningsverschil hebben gehad?' vroeg Frank op vriendelijke toon.

'Ja,' zei Shaun, en hij veegde de tranen uit zijn ogen.

'Waarom heb je dat niet eerder verteld?'

'Omdat ik dacht dat ze terug zou komen,' snikte hij. 'Ik dacht dat ze me een lesje wilde leren. Ik wilde niet dat iemand wist wat er gebeurd was. Haar moeder zou haar vermoord hebben als ze het wist.' Toen hij hoorde wat hij zei, begon hij weer harder te huilen. De anderen wachtten totdat hij gekalmeerd was.

'Waar ging dat meningsverschil over?' vroeg Frank.

'Het was stom,' zei Shaun. 'Ze vroeg me of ik eerder had meegemaakt dat het niet ging, thuis, in de Verenigde Staten, en toen heb ik haar gevraagd of ze een eerlijk antwoord wilde. En dat wilde ze, zei ze, dus heb ik haar verteld dat het me nooit eerder was overkomen. Dat, als ik met iemand was, alles goed was gegaan, maar dat ik het niet erg vond dat het ons nog niet was gelukt.' Ritchie ademde sissend in. Shaun negeerde hem en praatte door, hortend en snikkend.

'Ik dacht dat ze wist dat het niet mijn eerste keer was, maar dat had ze blijkbaar aangenomen. Ik weet niet waarom ze me die vraag stelde, maar ze was in ieder geval niet blij met het antwoord. Ze was van streek, omdat ik haar niet had verteld dat ik het eerder had gedaan. Ik probeerde haar ervan te overtuigen dat het niet belangrijk was wat er in het verleden was gebeurd, maar ze was te zeer van streek om me te geloven. Ze zei nog een paar dingen tegen me en stormde toen de deur uit. Ik ben haar achterna gerend, maar ze duwde me weg.'

'Wat zei ze precies?' vroeg Frank.

Shaun begon weer te snikken. 'Ze zei: "Laat me met rust. Ik voel me een loser. Door jou voel ik me een complete loser."'

'En wat heb jij toen gezegd?'

'Ik zei...' Hij keek naar het plafond. '... ik zei: "Goed, dan zal ik je met rust laten."' Snikkend voegde hij eraan toe: 'En dat heb ik gedaan. Ik heb haar alleen gelaten. Ik ben naar huis gegaan en heb daar verdomme de afwas staan doen. En moet je zien wat er gebeurd is.' Zijn schouders schokten en hij begon weer te huilen. Joe legde zijn arm om zijn schouders. Shaun was ontroostbaar. Hij sprong op en rende naar de wc.

Joe keek Frank en Ritchie hoofdschuddend aan.

'Hij had niet moeten liegen,' zei Frank.

Joe's onderkaak was verkrampt en zijn tanden deden zeer. Hij had ze gedurende het hele gesprek hard op elkaar geklemd.

'Ik ga wel even bij hem kijken,' zei Frank.

'Weet je,' zei Ritchie toen Frank de gang op was gelopen, 'je hoeft nooit ver te zoeken om de dader te vinden. Hoe zeggen ze het ook alweer? Negentig procent van de moorden wordt gepleegd door de echtgenoot, het vriendje...'

Joe schudde zijn hoofd. Hij dacht aan vroeger, aan de jongens tussen wie hij was opgegroeid, degenen met wie je geen zinnig woord kon wisselen omdat ze daar te stom voor waren. Het was te eenvoudig om het tegen hen op te nemen.

'Je hebt nu niet veel meer te zeggen, hè?' vervolgde Ritchie. 'Je bestookt ons wekenlang met je stomme suggesties, tótdat je eigen zoon in de schijnwerpers komt te staan. En dan kun je alleen nog maar zwijgen.'

Joe's kaak zat muurvast.

Ritchie liet zijn zijn stem dalen tot een dreigend gegrom. 'Wat ik wil zeggen is dit: de jonge Shaun hier probeert zijn vriendin te wippen, ze krijgen ruzie, zij stormt de deur uit en drie weken later wordt haar lijk gevonden in zijn achtertuin. En als we hem ondervragen, zegt hij er geen woord over. Wat zou jij daaruit opmaken? Wat zou jij van hem denken als dit jouw zaak was, rechercheur?' Het laatste woord spuugde hij uit.

Vanaf de voordeur van het huis van de Lucchesi's was een smal gazon dat doorliep tot aan de weg. Bij de bomen stonden twee busjes geparkeerd en rechts daarvan, verscholen achter de stam van een eik, keek Duke Rawlins naar het telefoonnummer op de zijkant van een van de busjes. MARK NASH – TUINONDERHOUD. 089 676746. Duke deed zijn ogen dicht en prentte het nummer in zijn geheugen. Opeens hoorde hij in de verte een auto aankomen. Hij ging op zijn hurken zitten. De jeep draaide de oprit op en reed door tot aan de voordeur. Duke wachtte totdat de bestuurder was uitgestapt en trok zich weer terug tussen de bomen.

Frank wilde net O'Connor bellen toen die hem belde.

'Frank, hallo, met Myles. Ik heb de verklaringen nog eens doorgenomen en ik denk dat ik iets heb gevonden.'

Frank wilde iets zeggen, maar O'Connor gaf hem de kans niet. 'Luister naar wat Robert Harrington zegt. "Ik was om zeven uur in de haven. Er was een schip binnengekomen en ik wilde zien of mijn bestelde computerapparatuur aan boord was. Ik zag Katie en Shaun op de weg staan. Ze omhelsden en zoenden elkaar." Dat is allemaal prima. Vier vissers hebben dat bevestigd. Maar verderop zegt Robert: "Katie en Shaun moeten beneden zijn geweest, bij de loods van de reddingsboot." Hij zegt niet dat ze daar waren, maar dat ze er geweest moesten zijn. Kevin Raftery en Finn Banks hebben Katie of

Shaun helemaal niet gezien. Ze hadden om halfnegen afgesproken met Robert. Dus áls Katie en Shaun zijn gezien, is dat steeds voor acht uur gebeurd. En de persoon die emotioneel het sterkst betrokken is bij het vermiste meisje en haar vriend – Robert Harrington – heeft bij ons de indruk gewekt dat hij dácht dat ze in de buurt waren, niet dat hij ze werkelijk heeft gezien.'

'Je hebt gelijk,' zei Frank.

Anna zat op een wijnvaatje in de kelder, leunde met haar rug tegen de kille stenen muur en keek naar de rekken met wijnflessen. Er viel een streep licht naar binnen en ze keek op naar het silhouet in de deuropening. Joe kwam de trap af en ging voor haar staan. Hij zag de spanning die zich in haar huid aftekende bij haar jukbeenderen en stak zijn hand naar haar uit. Ze drukte zijn hand tegen haar gezicht en begon te huilen. Hij trok haar overeind en nam haar in zijn armen. Toen drukte hij haar stevig tegen zich aan en hij liet een diepe zucht ontsnappen. De moeite die ze hadden moeten doen om elkaar dagenlang niet aan te raken had hen allebei uitgeput. Joe had een hol gevoel in zijn maag, een suf hoofd van de medicijnen die hij had geslikt en droge, brandende ogen.

'Zeg iets,' zei Anna.

Joe verroerde zich niet en keek haar niet aan.

'Alsjeblieft,' zei ze.

'Ik denk dat ik zo boos was, omdat ik altijd heb gedacht dat alles perfect tussen ons was,' zei Joe.

'Dat was het ook,' zei Anna. 'Dat is het nog steeds. Het is al zo lang geleden...'

'Dat weet ik,' zei Joe. 'Maar elke keer als ik naar die kerel kijk, zie ik een dikke, dronken loser en denk ik: dat is mijn rivaal. Die kerel heeft mijn vrouw aangeraakt.'

'Dat klinkt afschuwelijk. En je hebt geen rivalen. Het was zo dom van me. Wat ik heb gedaan was oerdom. Ik heb dat altijd beseft, maar ik hou van je...'

'Je had het me moeten vertellen,' zei Joe.

'Dan zou je me verlaten hebben.'

Hij duwde haar zachtjes achteruit en keek haar in de ogen.

'Ja, daar heb je gelijk in,' zei hij. 'Dus misschien is het maar goed dat je het niet hebt verteld.' Hij plooide zijn mond in een bedroefde glimlach. 'Ik heb er de afgelopen paar dagen goed over nagedacht. Ondanks al het andere dat er gebeurd is. En waar ik op ben uitgekomen is dat het in het totaalbeeld eigenlijk niet uitmaakt. Wat met Katie is gebeurd, wat er met Shaun gebeurt... Ik heb maar een beperkte hoeveelheid energie en op dit moment hoor ik die aan Shaun te besteden. Wij kunnen dit niet. We kunnen niet gescheiden leven, wat voor vreselijks je ook hebt gedaan. Het voelt te vreemd. Het spijt me van de dingen die ik tegen je heb gezegd. Ik meende ze niet. Ik was gewoon heel erg boos.' Hij nam haar beide handen in de zijne. 'Waarom,' zei hij terwijl hij in haar handen kneep, 'is alles zo akelig geworden?' Hij sloeg zijn armen om haar heen, drukte haar stevig tegen zich aan en kuste haar haar toen ze opnieuw begon te huilen.

Martha Lawson lag op de bank, in een vest dat een paar maten te groot was en waarvan ze de ceintuur strak om haar middel had geknoopt. De deurbel wekte haar uit een lichte slaap en ze stond snel op om open te doen. Ze glimlachte aarzelend toen ze Ritchie voor de deur zag staan.

'Red je je een beetje?' vroeg hij.

'Dat weet ik niet,' zei ze, en ze liet hem binnen. Ze pakte de kranten en tijdschriften van de bank en gebaarde hem te gaan zitten.

'Heb je nieuws?' vroeg ze terwijl ze de gebruikte theekopjes en mokken van de salontafel pakte en met haar vingers de kringen probeerde weg te vegen.

'Maak je daar maar geen zorgen over,' zei Ritchie. 'Ga zitten. Ik heb een nieuwtje, maar echt, het moet tussen jou en mij blijven. Ik vertel je dit in vertrouwen. Meer als vriend dan als politieman.'

Ze keek hem verbaasd aan.

'Het gaat over Shaun.'

Het was aardedonker in de slaapkamer en de gordijnen waren nog dicht. De geur van slaap hing in de lucht. Joe pakte Anna's schouder vast en draaide haar voorzichtig naar zich toe.

'Ik moet naar Dublin,' fluisterde hij. Ze fronste haar wenkbrauwen en keek op het klokje.

'Het is pas zeven uur.'

'Ik weet het,' zei hij. 'Ik moet daar iets doen.'

'Nu? Ben je gek geworden? En Shaun dan? Ik kan hem vandaag niet naar school sturen. Wat moet ik doen? We hebben nog niet eens gepraat over wat er op het bureau is gebeurd.'

'Ik moet naar Dublin vanwége Shaun,' zei Joe. 'Ze laten hem nu nog met rust, maar wie weet wat ze straks met het bewijsmateriaal doen om hem alsnog...'

'Wat kan Dublin daaraan veranderen?' vroeg Anna. 'Kun je het niet telefonisch regelen?'

'Nee,' zei Joe, en hij kuste haar op haar wang voordat ze de kans had haar hoofd weg te draaien.

Joe nam Waterford Road in noordelijke richting, sloeg af voor Passage East en sloot aan in de rij voor de veerboot naar Ballyhack. De overtocht duurde maar vijf minuten, maar desondanks stapte hij uit de jeep en liep de smalle trap naar het dek op. Elke keer als hij boven kwam, wachtte hem een ander uitzicht. Hij ging bij de reling staan en liet zich verfrissen door de koele zeewind.

Vanaf Ballyhack reed hij in oostelijke richting, passeerde de borden voor Rosslare aan de rechterkant en kort daarna Wexford aan de linkerkant. Hij sloeg links af, reed door totdat hij bij de N11 kwam en reed vervolgens in iets meer dan twee uur naar Dublin. Daar kwam hij terecht in een onbegrijpelijk netwerk van eenrichtingsstraten die hem naar het centrum voerden. Daar vond hij in Temple Bar, in een parkeergarage van diverse verdiepingen, ten slotte een parkeerplek. Hij liep rechtsaf Westmoreland Street in, passeerde de gebeeldhouwde voorgevel van de Bank of Ireland en stak de drukke straat naar Trinity College over. Joe was eerder in Dublin geweest, maar hij was nog nooit over de kinderhoofdjes onder de beroemde poort door gelopen.

Hij voelde zich opeens oud te midden van de studenten, van wie sommigen gekleed waren voor een biertje met hun maten in de pub en anderen heel serieus en modern afstaken tegen de achttiende-eeuwse architectuur op de achtergrond. Hij liep langs de bibliotheek en, sloeg rechts af. Daar zag hij dat er werd gespeeld op het rugbyveld, zonder de helmen en schouderbeschermers die hij van het *american football* kende. De mannen waren echter even fanatiek en namen dezelfde acties door. Kort daarna stond hij voor de hoge kloosterdeuren van de Afdeling Zoölogie. Het was een imposant gebouw, meer dan honderd jaar oud, met een verleden dat Joe kon voelen toen hij de kleine hal in liep. Aan de rechterkant was het kantoor van Neal Columb, met lichthouten posten en halfmatte ruiten in de deur. Op het glas zat een geel Post-It-papiertje dat er nog maar net aan bleef kleven, met de tekst: 14.30 TERUG. Zelfs de kleinste handelingen vertelden iets over hoe iemand was en Joe stelde zich Neal Columb al voor als een warrige, norse man. Toen er om tien voor halfdrie een sportief geklede man met vochtig haar en een broodje in zijn hand aan kwam lopen, besteedde Joe dan ook geen aandacht aan hem. De man keek hoofdschuddend naar het gele papiertje op de deur, trok het eraf en stak het in zijn zak. Hij draaide de deur van het slot, ging het kantoor binnen en kwam vrijwel meteen weer naar buiten, waar hij heel zorgvuldig een keurig geschreven briefje op de deur plakte. BEN OM HALF DRIE TERUG. DANK U. NEAL COLUMB. Hij riep naar een secretaresse in een ander kantoor: 'Jane, ik had al een briefje geschreven. Je had niet een van je kostbare Post-Its hoeven te gebruiken.' Hij glimlachte. De secretaresse lachte terug. Joe stelde zijn indruk van Neal Columb snel bij naar 'zorgvuldig en vriendelijk'. Hij gunde de man graag nog tien minuten voor zijn lunch, hoewel hij het liefst zijn kantoor was binnengestormd.

Uiteindelijk, nadat hij een paar keer op zijn horloge had gekeken, tikte Joe op het glas.

'Kom maar binnen,' zei Neal. 'Joe was het, hè? Ga zitten.'

'Hé, ik heb je buiten zien rennen,' zei Joe. 'Langs het rugbyveld.'

'Ik ren er liever omheen dan erop,' zei Neal. Hij was begin veertig, slank, in goede conditie en duidelijk niet van plan om zich in een scrum te werpen. Joe liet zijn blik door het kantoor gaan. Het zag er zeker uit als het kantoor van een wetenschapper, maar de foto's aan de muren en hebbedingen op de planken maakten het tegelijkertijd ook huiselijk.

'Laten we naar boven gaan, naar het lab, om te kijken wat je hebt meegebracht,' zei Neal.

Ze liepen twee korte trappen op en kwamen terecht op een overloop. De pijl voor het lab wees naar rechts, maar Neal wees naar links.

'Wil je eerst ons rariteitenkabinet zien?'

Joe keek hem niet-begrijpend aan.

'Het museum,' zei Neal.

'O, ja, graag,' zei Joe.

Neal opende een deur en ze gingen het museum binnen, dat sterk naar chemicaliën rook. Joe werd teruggevoerd in de tijd. Langs alle muren stonden antieke mahoniehouten kasten met glazen deuren en in het midden stond een reusachtige mahoniehouten buffetkast met een groot werkblad en nog meer kasten erboven. Achter elke kastdeur zag hij planken met opgezette dieren en wezens die in grote potten met troebele formaline dreven.

'Raad eens,' zei Neal, die bij een van de kasten bleef staan. In een glazen pot dreef een groot rond ding met de kleur van een gemberwortel en een vreemde bobbel aan de zijkant. Aan de achterkant was een holte en in het midden was een opening met een honingraatpatroon.

'Ik heb geen idee,' zei Joe.

'Dit is de maag van een kameel. In die holtes binnenin slaan ze water op.'

'Wauw. Dat had ik nooit geraden.'

Neal wees naar een pot in een van de andere kasten. In het groenige water dreef een lange, platte sliert die Joe aan tagliatelle deed denken.

'Eet je weleens bloedworst?' vroeg Neal.

'O nee, verknoei dat nou niet voor me,' zei Joe.

'Nou, deze jongen hier is de reden dat je die altijd goed moet doorbakken. Een lintworm. Die gek is op varkens.'

'Vanaf nu doe ik hem in de magnetron.' Joe tuurde naar het ding in de pot. 'Wat is dat ding lang,' mompelde hij hoofdschuddend.

Toen hij zich omdraaide, haalde Neal panelen uit een la die naar hout en naftaleen rook. Rijen geprepareerde insecten zaten met spelden op de crèmekleurige achtergrond bevestigd. Neal begon te vertellen over de vele soorten, maar ten slotte stopte hij en keek hij op zijn horloge.

'Goed, het lab,' zei hij. 'Ik heb straks een vergadering. Vertel me nog eens waar ik je mee kan helpen?'

Joe kon liegen dat het gedrukt stond, maar hij voelde de vreemde behoefte om eerlijk te zijn tegen Neal Columb. Hij wist echter dat dat niet kon. Dus kwam hij tot een compromis en begon hij met de waarheid.

'Vlak bij mijn huis is een bos. Twee avonden geleden heb ik daar deze lege insectenpop gevonden. Ik ben gewoon nieuwsgierig, denk ik. Vroeger op school, in de Verenigde Staten, heb ik een tijdje entomologie gedaan, maar ik ben ermee opgehouden... Het vak fascineert me nog steeds, maar up-to-date ben ik allang niet meer.'

Toen schakelde hij over op de leugen.

'In de directe omgeving lag een dood dier en ik vroeg me af of dat er misschien iets mee te maken had. En of je misschien kon vaststellen wat voor soort vlieg het is en hoelang de pop daar heeft gelegen...'

'Oké,' zei Neal, en hij stak zijn hand uit naar het bruine pillenpotje waarin Joe de pop had meegebracht. Hij legde het omhulseltje onder een microscoop en keek erin.

'Je hebt helemaal gelijk. Het is inderdaad het omhulsel van een vliegenpop. Laten we nu eens kijken of we onze kleine vriend een naam kunnen geven.'

Hij pakte een paar handboeken, bladerde erin en zijn blik ging enige tijd heen en weer gaan tussen de pop en de afbeeldingen in zijn boeken. Een paar keer keek hij op om Joe iets aan te wijzen. Ten slotte liep hij naar een kast vol flesjes met insectenmonsters en kwam terug met potje met een formalineoplossing waarin een larve en een lege pop dreven.

'Goed,' zei hij na een uur. 'Wat je hier hebt is een *Calliphora*, wat – maar dat weet je vast wel – een aasvlieg is. Als we het over de soort hebben, zou ik hebben geaarzeld tussen de *Vicina* en de *Vomitoria*, maar op grond van vergelijkingen kan ik met zekerheid zeggen dat het om de laatste gaat. Dat klopt ook met de plek waar je hem hebt gevonden, want ze komen meer in de open natuur en met name in bossen voor. Aasvliegen zijn in moordonderzoeken een uitstekend instrument om het tijdstip van de dood vast te stellen.' Hij trok zijn ene wenkbrauw op. 'Maar dat weet je natuurlijk al lang.'

Joe knikte. 'En wat zou dat betekenen met betrekking tot de levenscyclus...' Hij hoopte dat Neal hem alleen een tijdschatting zou geven, zodat Joe iets kon bedenken waarmee hij Shaun kon helpen.

'Nou, aasvliegen komen vrijwel onmiddellijk naar een lijk of kadaver. Ze beschikken over een buitengewoon gevoelig radarsysteem voor dode wezens. En dit gebeurt niet 's nachts maar alleen overdag. Dus als jouw kleine vos – of wat het ook voor beest was – 's avonds is gedood, dan vindt de aasvlieg hem de volgende ochtend en legt ze haar eieren in hem, tot driehonderd per keer, in de lichaamsopeningen en de verwondingen.' Hij keek op naar Joe. 'Nu doe ik het weer... je dingen vertellen die je al weet. Dus ik zal terzake komen. In beginsel, en op basis van wat je me hebt verteld, zou ik zeggen dat jouw beestje ongeveer twintig dagen voordat je dit hebt gevonden is gestorven.'

Joe aarzelde even. 'Bedankt.' Hij moest zijn best doen om zijn teleurstelling te verbergen. Dat zette Katies dood terug naar de avond van haar verdwijning, met als laatste persoon die haar afgezien van haar moordenaar had gezien de arme Petey Grant, en daarvoor... Shaun. Joe gooide het potje met de pop in een vuilnisbak toen hij terugliep over de campus. Zijn boosheid kon hij begrijpen, maar de emotie die hem vanuit het niets als een klap in zijn gezicht trof, was een gevoel van schaamte.

'Ik had je nog willen vertellen,' zei Frank, 'dat voordat ik Shaun gisteren naar het bureau heb laten komen, Joe Lucchesi hier was met nieuwe informatie.'

'Daar zaten we net op te wachten,' zei Ritchie.

'Kom op nou, het is onze taak álle informatie te verzamelen. Joe denkt dat iemand van een van zijn oude zaken in New York het op hem heeft gemunt en dat hij daarom mogelijk Katie heeft vermoord. Joe heeft vorig jaar iemand doodgeschoten, wat bepaald niet iedereen weet. De vriend van die man is onlangs vrijgekomen uit de gevangenis en Joe houdt het voor mogelijk dat hij hiernaartoe is gekomen.'

Frank zag een glazige blik in Ritchies ogen komen, alsof de informatie veel meer te betekenen had dan de zinnen die hij net had uitgesproken. Ritchies rechteroog was iets naar buiten gericht en draaide weer terug toen zijn gedachten terugkeerden naar het heden.

'Waarom denkt hij dat?' vroeg Ritchie ten slotte.

'Nou, hij heeft pasgeleden voor de deur van Danaher's bewijsmateriaal gevonden dat direct verwijst naar de man die hij in New York heeft doodgeschoten.'

'Wauw,' zei Ritchie nadat hij er enige tijd over had nagedacht. 'Ongelofelijk. Daar zou iets in kunnen zitten.'

Frank probeerde het sarcasme in Ritchies antwoord te herkennen maar besefte toen dat dat er niet was. Hij begreep niets van Ritchie. Het ene moment dacht hij die kant op en het volgende moment een heel andere. Hij klemde zich vast aan elke nieuwe ontwikkeling alsof het een opzichzelfstaande zaak was. Degene die bij die ontwikkeling hoorde, was in Ritchies ogen meteen een verdachte. Zo liepen verdachten dienovereenkomstig zijn beeldveld in en uit: Petey, Shaun, Joe, Duke Rawlins...

Frank wilde er een opmerking over maken, een speech afsteken over hoe een politieman moest denken. Hij was echter te moe voor een aanvaring met de jonge agent met het rechtopstaande haar. In plaats daarvan gaf hij Ritchie de rest van de informatie en hij liep het bureau uit.

Anna zat op de bank. Ze had haar bril op en las een boek. Ze had haar benen gestrekt en haar voeten lagen op de salontafel. Joe kwam binnen en ging naast haar zitten. Hij pakte de afstandsbediening en zapte langs de kanalen van de tv, waarvan het geluid uit stond.

'Dus je wilt me niks vertellen,' zei Anna. 'Onze zoon heeft tegen ons gelogen, jij houdt dingen voor me achter...'

'Begin nu niet weer.'

'Ja, ik begin wél weer. Je kunt niet alleen praten wanneer je daar zin in hebt, Joe. Dit is een ernstige zaak. Hij heeft gelogen.'

'Shaun is zestien. Hij was bang. Het laatste wat je aan een volwassene wilt vertellen is dat je met je vriendin naar bed bent geweest, laat staan aan je ouders en een stelletje smerissen.'

Ze bleef hem aanstaren.

'Wat nou?' zei hij. 'Heb jij nooit tegen je ouders gelogen?'

'Jij bent nooit op verdenking van moord gearresteerd,' zei ze scherp. 'Ben je gek geworden?'

Joe stond op. 'Ik ga een eindje lopen.'

Oran Butler en Keith Twomey zaten in een onopvallende dienstauto bij Healy's Carpet Warehouse. Twee andere leden van het surveillanceteam zaten in een auto bij de ingang van het industrieterrein.

'Ik kan niet geloven dat we hier nu weer voor niks zitten,' zei Keith.

'Dat weten we niet,' zei Oran. 'Misschien komen ze nog.'

'Het is twee uur in de ochtend. We zitten hier al vier uur, Butler. Weinig kans.'

Oran leunde achterover, legde zijn hoofd tegen de hoofdsteun en deed zijn ogen dicht. Hij zat nog een uur te soezen, totdat de operatie werd afgeblazen en Keith hem terugreed naar het bureau in Waterford.

Anna was vergeten Shaun naar de e-mail te vragen. Ze klopte zachtjes op de deur van zijn slaapkamer en ging naar binnen. Shauns duimen bewogen razendsnel over zijn Game Boy Advance en zijn rode, vermoeide ogen waren op het felverlichte scherm gericht.

'Ik wilde je alleen vragen waar je het eerder vandaag over had,' zei Anna. 'Een of andere e-mail die ik aan jou gestuurd zou hebben.'

'Gestuurd zou hebben,' zei Shaun snuivend, met zijn blik nog steeds op het scherm gericht. 'Wie zou me anders een foto van die stomme sessie van jou sturen?'

'Maar ik heb die foto's nog niet eens gezien, Shaun. Brendan heeft ze nog niet naar me gemaild.'

'Wat?' Shaun verloor zijn laatste leven en gooide de spelcomputer neer. 'Verdomme!' Hij keek haar aan. 'Maar ik heb hem zelf gezien. In mijn mailaccount op school.'

'Waarom zou ik dat doen? Waarom zou ik iets naar je mailaccount op school sturen? Ik zou Hotmail gebruiken als ik je iets wilde mailen. Neem hem morgen mee naar huis.'

'Ik kan het je nu laten zien. Ik stuur mijn e-mails van school altijd door naar Hotmail.'

Ze gingen naar de tussenkamer en Shaun opende zijn Hotmail-account. Hij klikte op de laatste e-mail. Er verscheen een foto op de monitor. Anna fronste haar wenkbrauwen. Die was inderdaad van de fotosessie.

'Maar kijk,' zei ze, en ze wees naar het scherm. 'Daar staat Brendan. Hij staat op de foto. Hij kan die dus niet genomen hebben.'

Frank had er een hekel aan om na werktijd op het bureau te blijven. Dan was het er veel te stil. Hij zat alle verklaringen te lezen en te herlezen. Talloze scenario's gingen door zijn hoofd. De telefoon op zijn bureau begon te rinkelen en hij was verbaasd toen hij de stem van O'Connor hoorde.

'Frank? Myles hier. Ik heb nieuws voor je. Het gaat over Katies telefoonspecificatie.'

'Laat maar horen.'

'De laatste persoon die ze die avond heeft gebeld...'

'Heeft ze iemand gebeld?'

'Nee, ik moet zeggen: die ze heeft "geprobeerd" te bellen...'

'Ja?'

'Was jij, Frank.'

Het was stil in huis toen Joe terugkwam. Hij liep door naar de tussenkamer en deed de deur zachtjes achter zich dicht. Hij haalde diep adem, belde Inlichtingen en vroeg naar internationale telefoonnummers, voor een telefoonnummer in een stadje zo klein, dat het op geen enkele kaart stond.

'Agent Henson, Stinger's Creek.' De stem klonk sloom en laconiek.

'Mijn naam is Joe Lucchesi en ik ben rechercheur bij de NYPD. Ik zou graag met iemand willen spreken over een inwoner van Stinger's Creek, ene Duke Rawlins. Hij is in het midden van de jaren negentig veroordeeld en een paar maanden geleden uit de gevangenis gekomen.'

'Duke Rawlins. De naam zegt me niks, maar ik ben vrij nieuw hier. Vanwaar je belangstelling?'

Joe koos zijn woorden zorgvuldig en vertelde zijn verhaal.

'En je denkt dat hij misschien weer bij een misdaad betrokken is?' vroeg Henson. 'Nou, ik kan hem voor je nagaan. Maar ik kan je pas over een dag of twee terugbellen.'

'Ik wil alleen weten...'

'We zijn net een collega kwijtgeraakt, inspecteur. Morgen is de begrafenis.'

'O, sorry,' zei Joe. 'Wat is er gebeurd?'

'Eh... een dodelijke hoofdwond, zelf toegebracht met een vuurwapen. Een tragedie. Een voormalige sheriff. Ogden Parnum, een goeie vent. Was nog maar net met pensioen.'

'Wat vreselijk,' zei Joe.

'Dat vinden wij ook,' zei Henson. 'Geef me je nummer, dan bel ik je terug zodra ik tijd heb.'

Joe zette de computer aan en wachtte totdat hij was opgestart. Hij logde in op het net, opende Google en typte drie woorden in: Stinger's Creek Parnum. Hij kreeg diverse resultaten, zo te zien allemaal over hetzelfde verhaal. Hij klikte op de eerste link, een kort bericht uit de *Herald Democrat Online*.

Stad in rouw na zelfmoordtragedie

Voormalig sheriff Ogden Parnum uit het stadje Stinger's Creek in Grayson County is gisteren dood aangetroffen nadat hij zichzelf in het hoofd had geschoten. Sheriff Parnum haalde voor het eerst de voorpagina's aan het eind van de jaren tachtig, begin jaren negentig, door zijn bijdrage aan het onderzoek naar de Crosscut Killer, die negen jonge vrouwen bruut heeft verkracht en vermoord, waarna hun lijken zijn gevonden in de bossen langs de I-35. De zaak is tot op heden niet opgelost...

'God nog aan toe,' zei Joe.

20

Sherman, Noord-Texas, 1987

'Op een dag breekt iemand je in tweeën, Alexis,' zei Diner Dave terwijl hij haar magere pols vastpakte en haar hand weer op de counter liet vallen.

'Slank is in, of wist je dat nog niet?' zei Alexis terwijl ze haar vrolijk gekleurde plastic armbanden over haar onderarm omhoog schoof en weer naar beneden liet glijden.

Opeens boog Dave zich naar voren en hij pakte haar beide handen vast.

'Pas goed op jezelf, schat, en dat meen ik,' zei hij.

'O, Dave, dat zeg je elke keer tegen me,' zei ze terwijl ze hem in zijn handen kneep. Ze keek hem aan. 'Je kijkt zo bedroefd.'

'Omdat ik zie hoe je af en toe binnenkomt,' zei hij.

'Ik weet wat ik doe,' antwoordde ze, 'maar bedankt voor je bezorgdheid. En geef me nu maar een bak vette kip met friet.'

Toen ze klaar was met eten, liet ze zich van de barkrug glijden en bleven er op de plek waar haar blote billen onder haar korte satijnen rokje op het rode skai hadden gerust, twee warme transpiratieplekken achter. Ze liep naar de deur.

'Dag Diner Dave!' riep ze terwijl ze de zware deur opentrok. 'Tot de volgende keer,' voegde ze er op lage, theatrale toon aan toe. Maar haar woorden werden overstemd door het knisperen en spatten van het vlees dat op Daves bakplaat lag.

Ze liep naar de hoek, stak de straat over en liep een donker steegje in naar haar appartement. Als het één seconde langer had geduurd om de trap op te lopen, had de telefoon opgehouden met rinkelen en zou de beller het nummer hebben gedraaid op het volgende van de vier visitekaartjes die hij in de telefooncel had gevonden. Maar ze haalde het net, rukte de hoorn van het toestel en zei hijgend hallo.

'Je klinkt alsof je al begonnen bent,' zei Donnie.

Alexis lachte. 'Ik was bezig,' zei ze, overschakelend op zakelijke toon. 'Met mezelf.'

'Vertel eens?' zei Donnie.

'Kom maar naar me toe, dan kun je het zelf zien,' zei ze.

'Op je kaartje staat dat je blond en slank bent. Als ik naar je toe kom, krijg ik geen dikke, oude vrouw met een snor, hè?'

'Nee, schat,' zei Alexis. 'Dan krijg je het lekkerste poesje dat je ooit –'

'Lunchtijd, oké?' vroeg Donnie.

'Dan ben ik helemaal in de stemming,' zei Alexis.

Donnie hing op en rende naar de pick-up, waar Duke op hem zat te wachten.

Toen het voorbij was ging Alexis op de rand van het bed zitten.

'Je ziet er bedroefd uit, schat,' zei Donnie. 'Is dat omdat...'

'Ik hou van wat ik doe,' zei ze. 'Ik maak mensen gelukkig. Mannen komen naar me toe, omdat ze gelukkig willen zijn. Ik geef hun dat geluk, zodat ze in de wolken zijn als ze weer weggaan.' Ze keek hem aan. 'Volgens mij begrijp je het niet.'

'Ja, hoor, ik begrijp het,' zei Donnie.

'Je bent een lieve jongen,' zei Alexis.

'Zullen we een eindje gaan rijden?'

'Waar naartoe?'

'Ben je ooit naar het schoolbal geweest?' vroeg Donnie.

'Wat?' vroeg ze. 'Nee joh, toen was ik allang van school af.'

'Nou, zullen we dan gaan dansen?' vroeg Donnie.

Ze zocht in zijn ogen naar sporen van gevaar, maar ze zag alleen eerlijkheid.

'Vanmiddag?' vroeg ze. 'Ach, wat kan mij het schelen. Het is nooit te laat.'

Een uur later stond Alexis met een ontbloot bovenlichaam in het bos en blies de wind haar rokje op.

'Wat is je echte naam?' schreeuwde Duke terwijl hij haar haar vastgreep en haar hoofd wild heen en weer schudde. Ze schreeuwde het uit van de pijn.

'Ik vroeg: wat... is... je... echte... naam?' Hij trok haar achterover en Alexis draaide zich om in een poging de pijn te verminderen. Hij schudde haar weer door elkaar.

'Janet,' zei ze.

'Janet wat?' schreeuwde Duke.

'Janet Bell,' zei ze snikkend.

'Nou, Janet Bell, zeg maar dag met je handje...' Hij stopte even. 'Nee, wacht! Vaarwel, Janet Bell! En vaarwel, Alexis, stomme hoer met je stomme naam. Jullie zijn er allemaal geweest!'

Hij liet haar haar los, draaide haar om en gaf haar een trap. Ze viel op de grond en was te verzwakt om zich nog te bewegen.

'Schiet op, dametje, rennen!' zei Duke. 'Kom op, Donnie, jaag haar op!'

Ze krabbelde overeind, rende weg en Donnie ging haar achterna terwijl Duke een pijl uit de koker trok, de boog omhoog bracht tot schouderhoogte en zijn linkeroog dichtkneep.

Alexis draaide zich om en slaakte een kreet toen ze zag wat hij van plan was. Ze struikelde, viel en duwde zich weer op van de grond in een wanhopige poging door te rennen en het er levend af te brengen. Donnie liep niet ver achter haar. Ze liep wankelend van hem weg totdat de eerste pijl haar trof en haar linkernier doorboorde.

'Tien punten,' riep Duke lachend naar Donnie. Ze viel op de grond en een tweede pijl miste haar op een paar centimeter.

'Verdomme,' zei Duke, en hij rende naar haar toe. 'Verdomme.' Donnie en hij bogen zich over haar heen en luisterden naar haar jagende ademhaling.

'Laat het ophouden,' fluisterde ze tussen haar opeengeklemde tanden door. 'Laat het ophouden.' Ze keek op naar Donnie, die haar met een gehypnotiseerde blik opnam.

'Oké,' zei Duke terwijl hij haar op haar buik draaide, het mes onder haar wrong en hard doordrukte.

Toen hij klaar was, kwam hij overeind en liep naar de pick-up. Toen trok hij twee spades onder het dekzeil vandaan en wierp Donnie er een toe. Hij liep terug naar de plek waar Alexis met haar gezicht in de aarde lag. Hij gaf een trap tegen haar bebloede ribbenkast en glimlachte.

Hij liep naar de dichtstbijzijnde boom en zette de spade in de harde grond. 'Shit! Donnie, kom hier, verdomme!'

Ze werkten zich in het zweet totdat er een ondiep graf voor hen lag. Duke pakte Alexis' polsen vast en sleepte haar over de grond naar het graf. Ze bedekten haar met aarde en legden er takjes en bladeren op. Donnie ging in de pick-up zitten. Duke bleef nog even bij het graf staan en wreef zich in de handen.

'Vaarwel, Alexis,' zei hij, waarna hij glimlachend wegliep en het deuntje van *Dynasty* floot. 'Vaarwel, JR. Welterusten, Mary Ellen... Zo was het toch?'

Donnie zat aan de bar in de Amazon, met zijn handen om zijn vijfde flesje Busch gevouwen.

'Moet je je ogen zien, knul,' zei Jake, de barkeeper. 'Je kijkt twee kanten op.'

'Hoe kan ik nou naar mijn eigen ogen kijken?' vroeg Donnie.

'Het is jammer dat je vader je niet meer klappen heeft gegeven om je grote mond te snoeren,' zei Jake hoofdschuddend.

‘Er is in ieder geval niks mis met mijn ogen,’ zei Donnie, en hij knikte naar de meisjes op het lage podium, die om de twee palen draaiden.

Een van de strippers kwam naar de rand van het podium met een woedende blik in haar ogen. ‘Je moet dat verdomde podium hoger maken, Jake,’ zei ze, en ze stak haar magere wijsvinger in de lucht. ‘Ik kan niet werken als die truckers me de hele avond aangapen. Ik sta amper tien centimeter hoger dan zij. Hoe kan ik nou bij hun grijpgrage handen vandaan blijven?’

‘Ik zou mijn grijpgrage handen weleens op die tieten van je willen leggen,’ zei Donnie terwijl hij rechtop ging zitten. Zijn voet gleed van de stang en hij viel bijna achterover van zijn kruk. Hij stak zijn hand naar haar uit om zijn evenwicht te bewaren, maar ze sloeg die weg.

‘Handen thuis, Donnie Riggs, zoals ik al zo vaak heb gezegd.’ Ze draaide zich om naar Jake. ‘Twee dingen die je altijd tegen Donnie kunt zeggen. Handen thuis en val dood.’

Jake lachte.

‘Zijn ze echt?’ vroeg Donnie, en hij wees naar haar borsten.

‘Als ik thuis ben, en naakt ben,’ zei ze langzaam, ‘en ik kijk in de spiegel en raak ze aan, zijn ze heel, heel echt. Zacht, zoals ze horen te zijn. Honderd procent puur natuur. Maar voor jou, schat, zullen ze nooit echt zijn. Alleen in je dromen.’ Ze tikte met haar nagels op de bar om Jakes aandacht te trekken.

‘Je kunt een man geen stijve bezorgen en hem dan laten barsten,’ zei Donnie terwijl hij zijn beide handen opstak.

Jake negeerde hem en zei tegen het meisje: ‘Het podium blijft zoals het is, schat. Misschien moet je schoenen met hogere hakken kopen.’

Ze bleef hem even aanstaren en liep toen weg.

‘Je geilt op me,’ riep Donnie haar na.

Zonder haar hoofd om te draaien en met professionele gratie deed ze haar arm omhoog en stak haar middelvinger naar hem op.

‘Man, zelfs dat doet ze sexy,’ kreunde Donnie.

Jake begon te zingen. ‘*I learnt the truth at seventeen...*’

Donnie gooide een bierviltje naar hem toe. ‘Ik ben bijna achttien,’ zei hij.

‘En wat ga je dan doen, knul?’ lachte Jake. ‘Haar in bed stemmen?’

De deur van de bar ging open en Duke kwam binnen. Hij ging naast Donnie zitten.

‘Twee Busch’s, Jake,’ zei hij.

‘Hé, Duke,’ zei Donnie. ‘Jake pest me.’

‘Niks nieuws,’ zei Duke. ‘Ik moet met je praten.’

‘Waarover?’ vroeg Donnie.

‘Dat vertel ik je straks wel,’ zei Duke. ‘Drink op, dan gaan we.’ Hij keek langs de strippers en zag iemand zwaaien. Hij kneep zijn ogen halfdicht tegen het licht van de schijnwerpers en zag dat het een van zijn moeders oude vrienden was. Met een klap zette hij zijn flesje op de bar en hij liep naar buiten.

Ze reden op de weg naar Donnies huis.

'Weet je nog wat ik eerder zei?' vroeg Duke. 'Donnie? Donnie?' Hij schudde hem heen en weer. 'Ben je nog wakker?'

'Laat me slapen,' mompelde Donnie. Duke gaf hem een klap in zijn gezicht.

Donnie schoot overeind.

'Jezus christus, waar is dat verdomme voor nodig?' riep hij, maar zijn boosheid zakte toen hij de dreigende blik in Dukes ogen zag.

'Ik praat tegen je,' gromde Duke.

'Oké, oké,' zei Donnie. 'Wat is er?'

'Ik vond het te gemakkelijk. Ons plan. Van vandaag. Weet je nog? Een meisje als dat is me te gemakkelijk, te bereidwillig.'

'Zo bereidwillig kwam ze niet op me over,' zei Donnie.

'Ze ontvangt jou thuis omdat ze weet dat ze daar vijftig dollar voor krijgt en jij vindt dat niet bereidwillig?' snauwde Duke. 'Ik zal je dit zeggen, Donnieboy, ze zou bereid zijn veel ergere dingen te doen als dat geld oplevert. Niemand komt tussen een hoer en haar geld. En haar drugs. Niks en niemand. Jij hebt haar overgehaald met je mee te gaan, of niet soms? En was dat moeilijk? Of ging ze gewoon mee met iemand die ze niet kende en die net vijftig dollar op haar nachtkastje had neergelegd?'

'Ja, maar...' zei Donnie.

'Zeur niet.'

21

Joe zat bij het keukenraam en tuurde naar de zee, naar het witte kielzog van een kleine vissersboot, dat in de richting van de horizon liep. Anna's voetstappen klonken zacht op de tegelvloer.

Zonder iets te zeggen gaf ze Joe de e-mail.

'Wat is dit? Van wie komt die?'

'Dat weet ik niet,' zei Anna. 'Shaun heeft hem op zijn account op school ontvangen. Het vakje van de afzender is leeg en als je erop klikt, krijg je alleen een stel letters en cijfers. Het is een foto van de vuurtoren, genomen op de avond van de dag van Katies begrafenis, toen we de fotosessie hielden. Maar hij is niet door Brendan genomen. Zo te zien is hij vanaf de andere kant van de weg genomen.'

Heel even zag ze iets veranderen op Joe's gezicht.

'Wat is er?' vroeg ze.

'Niks,' zei Joe.

'Er is iets wat je me niet vertelt...'

'Er is niks,' zei hij. '*Calmez vous.*' Zijn accent was vreselijk. Hij glimlachte, maar het was geen echte glimlach. En Anna ontplofte.

'Leugenaar! Je liegt! Denk je dat ik gek ben? Denk je dat?' Ze nam zijn gezicht in haar handen en schudde hem door elkaar. 'Denk je dat ik gek ben?'

'Ik ben hier nu niet voor in de stemming,' zei Joe.

'Dat kan me geen barst schelen!' zei ze. 'Ik ben er doodziek van. Je houdt dingen voor me achter, sluipt rond in de werkkamer, zit aan de telefoon...'

'O, en jij houdt nooit iets achter.'

'Nee, nee, nee,' zei ze, en ze stak haar hand op, 'zo gaan we het niet doen. Je vergeeft het me of je vergeeft het me niet. Zo simpel is het. Je gaat het niet te pas en te onpas gebruiken om me te straffen.'

Joe haalde zijn schouders op. Ze stompte hem op zijn schouder. '*Connard!*'

'Ho, Betty!' Ze was Betty Blue wanneer ze haar zelfbeheersing verloor en hem in het Frans voor klootzak uitschold.

Ze glimlachte maar keek al gauw weer ernstig.

'Ik weet een heleboel dingen van je, Joe. Maar dat zijn voornamelijk dingen die andere mensen ook van je weten. Dat je intelligent bent, grappig, doortastend...' Ze stopte. 'Weet je, ik heb nu geen zin om je complimentjes te geven.'

Joe begon te lachen. Ze negeerde het en vervolgde: 'Dan zijn er een paar extra dingen die ik van je weet, omdat ik je vrouw ben... dat je eerlijk en liefhebbend bent. Weet je, je bent zelfs een gevoelig mens. Maar dan zijn er ook nog al die gruwelijke dingen die je voor jezelf houdt, die ik nooit te zien krijg. Maar de effecten van die dingen zie ik wel. Ik heb bijvoorbeeld geen idee wat er nu in je hoofd omgaat.'

'Jezus, waarom zou je alles willen weten?'

'Ik wil niet alles weten, maar ik wil ook niet dat er tegen me wordt gelogen. Iedereen liegt tegen me.'

'Nee, dat is niet waar.'

'Ach, kom nou. Mijn twee jongens liegen tegen me. Je denkt zeker dat ik gek ben.'

'Ja, een heel sexy gek,' zei Joe, en hij trok haar naar zich toe. 'En een bijzonder sexy gek als je boos bent.'

'Dit is niet grappig.'

'Dat is het wel,' zei hij, maar zijn gezichtsuitdrukking vertelde een heel ander verhaal toen haar hoofd tegen zijn borst rustte en hij haar haar streelde.

Want wat Shaun en Anna niet hadden gezien, waren de kleine lettertjes onder aan de bladzijde:

DEZE E-MAIL IS BESTEMD VOOR DE PERSOON DIE VERANTWOORDELIJK IS VOOR DE DOOD VAN KATIE EN KAN DE WAARHEID BEVATTEN OVER DE DOODSOORZAAK, NAMELIJK DAT JE HAAR HEBT GEWURGD.

DE INHOUD VAN DIT BERICHT VERTEGENWOORDIGT DE VISIE VAN DE AFZENDER, EN VAN IEDEREEN. OPSLAAN, OPENBAAR MAKEN OF KOPIËREN VAN DEZE INFORMATIE IS NIET TOEGESTAAN.

Anna schrok toen de telefoon ging, maar ze was er eerder bij dan Joe om op te nemen. Ze luisterde en keek hem met half dichtgeknepen ogen aan. 'Ik heb hier een agent Henson voor je aan de lijn.' Ze legde haar hand op het spreekgedeelte. 'Waar gaat dit over?'

'Werk,' fluisterde Joe.

'*T'as raison*,' zei Anna, en ze gaf hem de hoorn. Joe dacht dat ze 'o, oké' zei, maar wat ze bedoelde was: 'ja, ja, dat zal wel.'

'Ik ga met Shaun naar het dorp,' fluisterde ze, en ze vertrok.

'Hallo, agent Henson,' zei Joe.

'Ik heb hier het dossier waar je naar op zoek was,' zei Henson, 'maar het ziet ernaar uit dat iemand je bij de neus neemt, vriend. Duke Rawlins is dood.'

Nora sloeg haar krant open op de balie van het politiebureau. De kop besloeg twee pagina's. VERDWENEN MAAR NIET VERGETEN. Aan de rechterkant stond een collage van foto's van glimlachende meisjes en vrouwen die de afgelopen tien jaar in Ierland waren verdwenen of vermoord. De grootste foto was van een beeldschoon, glimlachend meisje met donker haar. Het onderschrift luidde: KATIE LAWSON (16), MOUNTCANNON, DISTRICT WATERFORD, VERMOORD. Frank stond op van achter zijn bureau en kwam naar haar toe.

'Mijn god, er is kortgeleden nog iemand vermoord,' zei Nora, en ze wees naar de foto van een aantrekkelijk, blond meisje. Frank boog zich over de balie, terwijl Nora het onderschrift voorlas. MARY CASEY (19), UIT DOON IN LIMERICK, OP BRUTE WIJZE VERKRACHT EN VERMOORD, VLAK BIJ HAAR OUDERLIJK HUIS.

'Het schijnt dat ze een hekje op het weiland open had laten staan en dat haar vader haar naar buiten had gestuurd om het dicht te doen. Haar ouders waren naar bed gegaan en ze hebben haar pas de volgende ochtend gevonden. Ze zijn er kapot van.'

'God sta ze bij,' zei Frank.

'Het is een piepklein dorpje. En ze hebben nog geen verdachte. Afschuwelijk. En hier is dat meisje uit Tipperary, van jouw poster.' Ze wees naar het prikbord.

Frank schudde zijn hoofd. 'Ik kan niet ondersteboven lezen. Wat zeggen ze over het onderzoek naar de dood van Katie?'

'Dat er geen aanwijzingen zijn. En dat "een jongeman voor de tweede keer op het politiebureau is ontboden om te helpen met het onderzoek". Alsof niemand weet wie daarmee bedoeld wordt. En ze laten doorschemeren dat jullie meer zouden kunnen doen.'

'Doorschemeren?' vroeg Frank. 'Of zeggen ze dat gewoon?'

'Nou, het laatste.'

'Het is altijd hetzelfde,' zei Frank.

'Ik neem deze krant mee naar huis,' zei Nora terwijl ze de krant dichtsloeg. 'Ik wil niet dat je je te veel opwindt.' Frank glimlachte en liep zijn kantoor in. Nora liep de gang in en werd bijna omvergelopen door Myles O'Connor. Hij stormde Franks kantoor binnen, deed de deur achter zich dicht en sloeg met een krant op Franks bureau.

'Wat heeft dit te betekenen?'

Frank keek naar de krant. 'Wat?' vroeg hij, en hij zette zijn bril op.

'Dit interview.' Hij tikte met zijn wijsvinger op dezelfde pagina waar Nora een stukje van had voorgelezen. 'Je had niet met die man moeten praten. Je had hem door moeten sturen naar de politie van Waterford. Zeker wanneer je niet gewend bent om met journalisten te praten. Jezus christus!'

Frank staarde naar de krantenpagina. 'O, dat. Ze waren aan het rondsnuffelen. Ze hebben blijkbaar het bureau in de gaten gehouden en gezien dat de Lucchesi's hier binnengingen. Ik kon niet riskeren dat... Ik weet het niet, ik...'

'Ah, ja, de ik-weet-het-nieteritis,' zei O'Connor. Hij pakte een markeerstift van Franks bureau en begon gele strepen in de tekst te zetten. Toen hij klaar was, waren het er acht, en alle acht luidden: 'ik weet het niet'.

'Het is maar een formulering,' zei Frank terwijl hij zijn bril afzette en opkeek naar O'Connor.

'Nou, het is een heel domme formulering als je wordt geïnterviewd over een moordzaak,' zei O'Connor. 'We slaan een modderfiguur. "Ik weet het niet." Hoe heb je dat nu kunnen doen?'

'Ik weet het niet. Het leek me wel een aardige vent en ik dacht dat het geen kwaad kon. Hij zei dat hij zou opschonen wat ik had gezegd.'

'We zijn hier goed werk aan het doen en hebben geen behoefte aan dit soort onzin,' zei O'Connor. 'Ze lachen ons uit met ons gebrek aan vorderingen in het onderzoek...'

'Nou, er zijn toch ook geen vorderingen?' zei Frank. 'We weten niks. We hebben een paar verdachten en geen flinter bewijs om ze ergens aan vast te knopen. Het enige wat we hebben is een paar mensen die ons helpen met het onderzoek. Of ons níét helpen...'

'Luister, als journalisten verkeerde dingen te horen krijgen omdat ze niet worden doorverwezen naar de politie in Waterford, zeggen ze dat het geen wonder is dat er hier mensen worden vermoord omdat de politie niets doet.'

'Maar daarom heb ik juist...'

'Ach, verdomme, ik weet het. Ze schrijven maar wat, om hun kranten te verkopen.'

Hij zweeg even, nog steeds kokend van woede, en zei toen: 'Maar iemand heeft haar vermoord!' Hij sloeg met zijn vuist op de foto van Katie. 'En ik mag doodvallen als ik de dader vrij laat rondlopen!'

Anna parkeerde de jeep bij de supermarkt toen Shaun haar arm vastpakte.

'Mam, daar is mevrouw Shanley. Ik ga even aan haar vragen hoe het met het werk zit.'

'Oké, ik ga Tynan's alvast in,' zei Anna.

Betty Shanley stond bij haar auto, bij de bakkerij, te worstelen met een paar gebaksdozen en boodschappentassen. Shaun was aan de overkant en hij stak snel de straat over om haar te helpen.

'Hallo, mevrouw Shanley,' zei hij. 'Wacht, ik zal u helpen.' Hij wilde de gebaksdozen van haar overnemen, maar ze bleef ze vasthouden.

'Laat maar, het gaat wel,' zei ze. Shaun keek haar aan. Er veranderde iets in haar blik en hij begon te blozen.

'Eh... ik vroeg me af wanneer ik weer moest komen... of is het stil?'

'Nee, het is druk genoeg,' zei ze terwijl ze langs hem heen keek. 'Maar het spijt me, ik heb je niet meer nodig. De jongste van mijn zus, Barry, is aan het sparen voor een nieuwe auto, zo'n kleine Renault. Dus ik heb tegen hem gezegd dat hij de baan kon krijgen.'

Barry. 'Black Hawk Down' Barry met zijn kaalgeschoren hoofd. 'O, oké,' zei Shaun. 'Hij zit in mijn jaar op school.' Hij kon niets anders bedenken om tegen haar te zeggen.

Joe had een hol gevoel in zijn maag. In de pijnlijke stilte wachtte hij af terwijl Henson aan de andere kant van de lijn het dossier doorbladerde. Joe hoorde hem iets doorslikken voordat hij weer begon te praten.

'Ja, hier staat het. Rawlins, William. Gestorven in de gevangenis. En je jaren kloppen ook niet. Hij is in 1992 gestorven dus hij kan nooit in 1995 in de gevangenis hebben gezeten. Hij zat vast voor de moord op Rachel Wade, in 1988. Ongeveer in dezelfde periode dat de Crosscut Killer actief was, maar de andere moorden heeft hij nooit bekend. Het was gruwelijk wat er met al die vrouwen is gebeurd. En allemaal overdag.'

'Het is Duke in wie ik geïnteresseerd ben. Duke Rawlins.'

'Duke is de tweede voornaam van deze man.'

'Hoe oud was hij toen hij stierf?'

'Toen was hij – even kijken – vierenvijftig.'

'Dan is hij het niet. Deze gast moet een stuk jonger zijn. Heb je nog een andere Rawlins in je archief zitten?'

'Volgens mij niet. Ik zal even kijken. Een ogenblikje.'

Joe dacht dat zijn hart uit zijn borstkas zou springen terwijl hij wachtte tot Henson weer aan de lijn kwam.

'Ah, hier zijn we dan,' zei Henson ten slotte. 'Rawlins, Duke. Geboren twaalf-twee-negentienzeventig. Heeft een trucker neergestoken op een parkeerterrein, in 1995, en is naar Ely in Nevada gestuurd. Je had gelijk. Mijn excuses. Ik had het dossier verkeerd weggezet.'

'Is dat alles?' vroeg Joe. 'Heeft hij verder niks gedaan? Geen kidnapping of andere gewelddadigheden?'

'Nee,' zei Henson. 'Wat heeft hij volgens jou gedaan?'

'Dat weet ik nog niet,' zei Joe. 'Maar bedankt voor je hulp. O, en kun je me zijn foto faxen?'

'Komt eraan.'

John Miller stond in de hoek van Tynan's in een autotijdschrift te bladeren.

'Niet dat ik een rijbewijs of iets heb,' zei hij tegen Anna toen ze onopgemerkt langs hem heen probeerde te glippen. Hij keek haar loerend aan en trok zijn ene wenkbrauw op.

'Maak een keus, John. Het ene moment bied je je verontschuldigingen aan en het volgende gedraag je je weer zoals nu... en wat heb je tegen Joe gezegd?'

Hij zag eruit alsof hij het zich probeerde te herinneren.

Anna keek hem boos aan. 'Ik wil niet met jou praten,' zei ze, en ze stak dreigend haar wijsvinger naar hem uit.

'Toe, kom nou,' zei hij, en hij deed een stap naar haar toe. Zijn adem rook naar spiritus. Ze trok snel haar hand terug.

'Raak me niet aan!' riep ze.

'Vroeger zei je dat niet.'

'Jezus, John, kun je het nog steeds niet accepteren?' Ze was woedend. 'Ik begrijp het niet. Waar is het misgegaan? Ik kan niet begrijpen hoe je van een normale, aardige vent hebt kunnen veranderen in een dronkelap die zijn vrouw slaat!' Ze zweeg toen de volle betekenis van wat ze zei tot hen allebei doordrong. Het was te laat om het ongedaan te maken. Ze ging zachter praten.

'Je moeder,' zei ze. 'Die heeft dat aan iemand verteld.'

Even keerde er een sprankje helderheid terug in zijn blik. Hij moest zijn best doen om duidelijk te praten en recht voor zich uit te blijven kijken. 'Ik heb mijn vrouw nooit geslagen,' zei hij bedroefd. 'Mijn moeder had het over zichzelf. Over mijn vader. Ze kan het heden en het verleden niet altijd uit elkaar houden. Ze is niet in orde. Ze heeft Alzheimer. Maar weinig mensen weten dat.' Hij zweeg even. 'Mijn vader sloeg haar bont en blauw.'

Joe liep naar de keuken en voerde het telefoongesprek waar hij de vorige dag niet aan toe was gekomen. Danny nam onmiddellijk op.

'...de eikel werd groen en viel er toen af. Hallo?'

'Op een dag belt je moeder je en dan zeg je dat tegen haar.'

'Dat is al gebeurd. Ik heb gezegd dat ik met een heel smerige zaak bezig was.'

'Danny, de politie heeft Shaun gisteren naar het bureau laten komen voor een informeel praatje en daar maak ik me zorgen over. Ze zeiden dat hij was gewezen op het officiële karakter van een eerder gesprek en hij zegt dat dat niet zo is. Hij had trouwens tegen ons gelogen, dus wie weet was dit ook wel een leugen. Maar ik heb de neiging hem op dit punt te geloven. Ze zeiden ook dat hij had toegegeven dat hij ruzie met Katie had gehad op de avond dat ze is verdwenen, maar Shaun zegt dat hij dat nooit heeft toegegeven. Hoe dan ook, Shaun heeft hun nu alles verteld, dat Katie en hij met elkaar naar bed waren geweest en dat ze daar onenigheid over hadden gehad.'

'Arme jongen. Jezus.'

'Weet je, ik ben het met je eens, maar op het moment zelf had ik hem wel voor zijn kop willen slaan. Ik vond het vreselijk om te moeten toekijken terwijl hij door de mangel werd gehaald. Daar zat ik dan, de man die hen met het onderzoek wilde helpen...'

'...mensen aan wie wij zo de pest hebben...'

'Min of meer. En mijn eigen zoon zit te liegen alsof het gedrukt staat.'

'Hij is jong en doodsbang. Dan doen mensen dingen die ze normaliter niet doen.'

'Dat weet ik, maar ik maak me nu zorgen om die grote dikke vinger die zijn kant op wijst en die geen enkele reden heeft om een andere richting te kiezen. Ze schijnen verder niks te hebben en hij is hun belangrijkste verdachte.'

'En ik ben de therapielijn? Of kan ik nog iets anders voor je doen?'

'Ik dacht dat je het nooit zou vragen.'

'Moet ik naar je toe komen? Een paar mensen voor hun kont schoppen? Een paar Ierse deernes opwarmen?'

'Dat kan ik ze niet aandoen. Maar er is wel een behulpzame cipier in Nevada, die het misschien goedvindt dat je met een bepaalde celgenoot praat.'

'Rawlins' celmaat?'

'Ja, om te zien wat dat oplevert.'

Shaun zat in een fauteuil voor de tv, met zijn voeten op de salontafel.

'Ik weet dat je er niet voor in de stemming bent,' zei Anna, 'maar misschien knap je er wel van op.'

'Waarvoor?' vroeg Shaun.

'Nou, weet je, vrijdag is je vader jarig, dan wordt hij veertig. Ik dacht dat het misschien leuk zou zijn om het te vieren. Ik heb het natuurlijk niet over een groot feest of zoiets, maar gewoon, met z'n drietjes.'

Shaun haalde zijn schouders op.

'Kom, misschien is het goed om ons een beetje te ontspannen. Alleen een taart, met kaarsjes, dat soort dingen...'

'Ik ben niet in de stemming voor feestjes.'

'Dat zijn we geen van drieën,' zei Anna. 'Maar volgens mij kan het best leuk zijn. En je vader zou het zeker waarderen.'

'Moet ik ergens mee helpen?' vroeg Shaun.

Anna begon te lachen. 'Zeg het nog eens, maar dan alsof je het meent.'

Hij glimlachte. 'Ik meen het ook.'

'Ik zal in het dorp een taart bestellen. En de ballonnen laten we bezorgen als je vader er niet is. Maar de echte verrassing komt 's avonds pas.' Shaun keek haar nieuwsgierig aan maar Anna legde haar wijsvinger op haar lippen toen Joe de kamer binnenkwam. Shaun liep de kamer uit en Joe kwam naar haar toe.

'Ik zie iets over het hoofd,' zei Joe. Hij keek op zijn horloge. 'Weet je, het is nu precies een maand geleden dat Katie is verdwenen. Ik ga haar route nog een keer lopen om te zien of ik iets kan bedenken wat me hiervoor is ontgaan.'

'Voordat je dat doet... tegen mijn wil,' zei Anna, 'moet ik je iets vertellen, want het kan te maken hebben met het onderzoek. Ik sprak John Miller...'

Frank wandelde langs de haven, met zijn hoofd gebogen en zijn handen in zijn zakken, piekerend over het gênante moment van eerder die dag. Hij voelde opeens een soort weerzin tegen de Lucchesi's, een weerzin die hij alleen kon verklaren door een denkbeeldige streep te trekken tussen de tijd dat ze nog niet in Mountcannon woonden en die daarna. Hij kon hun natuurlijk niet Katies dood verwijten. Maar voordat ze in Mountcannon waren komen wonen, was het dorp geweest wat het was... iets wat hij als vanzelfsprekend had ervaren omdat het leven goed was. Hij zou nu de tijd willen terugdraaien en genieten van de dagen van weleer, toen een gestolen auto het ergste was wat het dorp kon overkomen.

In de afgelopen maand was er meer opschudding in Mountcannon geweest dan in het hele bestaan van het dorp. Inwoners maakten ruzie met hun buren over wie wie verdacht, ze mopperden op de politie, namen het op voor de politie, voelden zich gefrustreerd in hun pogingen hun theorieën aan te passen aan de feiten en andersom. Gezinnen maakten ruzie over wie de achterdeur 's avonds open had laten staan terwijl die zestig jaar lang nooit op slot was geweest. Het enige wat hen met elkaar verbond, was de wanhopige wens dat ze de dader zouden vinden en dat die opgesloten zou worden. Dat verlangen was algemeen en vertegenwoordigde een aanzienlijke kracht. Het verbaasde Frank niet dat O'Connors zelfverzekerdheid barstjes begon te vertonen. Hij wist niets over het privé-leven van de man, maar in zijn hart hoopte hij dat O'Connor thuis ook een soort Nora zou hebben die 's avonds op hem wachtte om hem de last van de afgelopen dag van de schouders te nemen.

Over zijn eigen positie wilde Frank liever niet nadenken. Hij moest er niet aan denken dat zijn laatste jaar als politieman gekenmerkt zou worden door deze tragedie. Hij kon alleen maar hopen dat de zaak opgelost zou worden.

Hij ging op een bank aan de waterkant zitten, deed zijn ogen dicht en begon te bidden.

Joe liep dezelfde route die Katie had gelopen. Hij vroeg zich af of hij hiermee ook de voetsporen van haar moordenaar volgde. Ze was alleen geweest en het was een open stuk straat. Joe hoorde zijn eigen ademhaling, het kraken van zijn nylon jack, het ruisen van de golven in de verte, zelfs de rubberzolen van zijn schoenen. Katie móést voetstappen hebben gehoord. Of misschien was het allemaal heel snel gegaan: een autoportier dat open werd gegooid, één man achter het stuur, een tweede die haar de auto in trok, de schuifdeur van een busje, diverse mannen die haar naar binnen sleurden... Of het kon iemand zijn geweest die ze kende, die ze vertrouwde, iemand die een eindje met haar mee was gelopen, of die naast haar was gestopt en haar een lift had aangeboden. Maar geen van deze opties voelde goed.

Joe sloeg links af, liep de begraafplaats op en bleef weer bij het graf van Matt Lawson staan. Daarna slenterde hij terug en bleef hij staan in de bocht waar Lower Road overging in Manor Road. Als hij aan het eind links afsloeg, zou hij bij Katies huis komen. Hij keek om zich heen en bleef staan toen hij een eindje verderop, aan de rechterkant van de weg, een auto zag staan. Hij liep ernaartoe en zag Ritchie achter het stuur zitten, met zijn autostereo op een flink volume. Joe klopte op het raampje aan de passagierskant. Ritchie schrok.

'Wat wil je?' blafte hij toen hij het raampje open had gedraaid.

'Niks,' zei Joe. 'Ik ben aan het wandelen. En jij? Is je stereo thuis kapot?'

Ritchie moest schreeuwen om zich verstaanbaar te maken.

'Je hebt wel lef,' riep hij. 'Ik ben met een politieonderzoek bezig.'

Joe lachte. 'Ik had vernomen dat een inspecteur uit Waterford dat deed.'

'Val dood,' zei Ritchie. Hij had zijn rechterbeen niet onder controle, want dat wipte op en neer.

'Doe je dit in je vrije tijd?' vroeg Joe terwijl hij naar Ritchies spijkerbroek en sweatshirt keek.

'Waarom sodemieter je niet gewoon op?' riep Ritchie. 'Ik heb schoon genoeg van je.'

'Jezus, man, relax,' zei Joe. Ritchie zette de versnelling in de achteruit, schoot op een paar centimeter afstand langs Joe heen en reed weg richting dorp. Joe liep terug en liep de straat naar Katies huis in.

Inspecteur O'Connors blik was gericht op de mok hete thee en het broodje op zijn bureau, die hij beide nog niet had aangeraakt. Hij reed zijn bureaustoel een stukje achteruit, boog zich voorover en trok de onderste la open. Daarin lag een witte aansteker met het geelgroene logo van een soepfabrikant erop. Hij herinnerde zich dat hij de aansteker in zijn jaszak had gevonden op de ochtend na een of ander liefdadigheidsbal. Hij stak zijn hand ernaar uit toen zijn telefoon begon te rinkelen. Hij gaf een klap op de luidsprekerknop.

'Een gesprek voor je op lijn één.'

O'Connor schoof de la dicht en nam de hoorn van het toestel.

'Spreek ik met inspecteur O'Connor? Hallo, met Alan Brophy van de forensische dienst. Het gaat over die fragmentjes die in Katie Lawsons haar zijn gevonden. Die blijken afkomstig te zijn van een slak.'

'Wat?'

'Ja, ik weet het. Hier is het rapport: de fragmentjes zijn afkomstig van een slakkenhuis, donker van tint en met lichtgele, spiraalvormige strepen erop. We hebben de soort geïdentificeerd als de duinslak of witte slak. De Latijnse naam heb je niet nodig, hè? Zo ja, dan gaat het om de *Theba pisana*, wat me in de oren klinkt als de naam van een Spaanse schilder. Hoe dan ook, de slak wordt gevonden in de duinen en op rotskliffen en zo. Hij hecht zich vast aan planten en andere zaken. Nou, dat is het. Het meest waarschijnlijke scenario is dat ze met een kei op het hoofd is geslagen, dat er een slak aan die kei vastzat en dat die in de wond terecht is gekomen. Maar als ze eenmaal in het bos ligt, eten de maden de slak op – escargot, jammie – en het huis blijft achter.'

'Maar er is geen zand op het lijk gevonden...'

'Nee, maar deze kleine jongens worden ook op begroeid terrein langs de kust gevonden, wat de afwezigheid van zand kan verklaren. Het kan op het met gras begroeide stuk of bij de muur gebeurd zijn.'

O'Connor moest meteen denken aan Mariner's Strand. 'Oké, Alan, Bedankt.'

'Graag gedaan.'

Joe liep terug door het dorp en ging Danaher's binnen voor een laatste glas. Ray en Hugh zaten aan de bar.

'Welkom, heer,' zei Hugh, en hij trok een barkruk voor Joe achteruit.

'Dank je,' zei Joe. 'Ik heb een rotdag en een rotavond achter de rug.'

'Mijn hele leven is rot, als dat je opbeurt,' zei Hugh schouderophalend.

Joe had bewondering voor de twee mannen. Ze waren op Katies begrafenis verschenen gekleed in een zwart pak en een wit overhemd met een zwarte das, allebei keurig verzorgd. Zelfs Hughs paardenstaart had er verzorgd uitgezien. Ze hadden die dagen tranen in hun ogen gehad, maar hadden het onderwerp daarna nooit meer ter sprake gebracht, tenzij Joe erover had willen praten. Ze wisten dat het hun taak was de zaken luchtig te houden.

'Ik had vanavond weer een aanvaring met Ritchie Bates,' zei Joe, in de wetenschap dat ze dat wel leuk zouden vinden.

'Op school werd hij Rich Tea Biscuits genoemd,' zei Hugh met een glimlach. Rich Tea Biscuits waren een Ierse traditie: kale, ronde kaakjes die je in de thee doopte.

'Heeft niemand je ooit verteld dat bijnamen korter horen te zijn dan gewone namen?' vroeg Joe.

'Ik heet Hugh. Dat kun je niet korter maken.'

'Was er geen popgroep met iemand die H heette?' vroeg Ray. 'Dat zou een afkorting voor namen met een H kunnen zijn.'

'Heren, mijn verhaal over Ritchie Bates? Hij zat vanavond in zijn auto, aan de kant van de weg, met zijn autostereo voluit, te tetteren als een...'

'Malloot?' zei Ray. 'Idioot?'

'Waanzinnige?' zei Hugh.

'Ik wilde "gestoorde" zeggen,' zei Joe.

'We kunnen met alle vier leven,' zei Hugh.

'...hoe dan ook,' vervolgde Joe, 'hij schrikt zich wezenloos als hij me ziet en slaat meteen door, begint te schelden als een psychopaat.'

'Ik heb het nog erger meegemaakt,' zei Ray. 'Ik kwam hem pas op straat tegen, voor mijn huis, en hij ging compleet uit zijn dak omdat er een scheur in mijn vuilniszak zat en ik wat huisvuil had laten vallen. En ik zeg "huisvuil" omdat jij erbij zit, Joe. Normaliter zou ik het "teringzooi" noemen.'

Joe lachte.

Met een half oor hoorde hij Ray nog iets over Ritchie en zijn woedeaanval vertellen, want hij werd afgeleid door een magere hand die op zijn arm werd gelegd. Hij draaide zich om en zag een van de dorpelingen, een zware drinker, achter zich staan, met zijn van boosheid vertrokken gezicht vlak boven het zijne. De man richtte zijn wijsvinger op Joe.

'Goed om je een pint bier achterover te zien slaan en te zien lachen, meneer Lucchesi, na alles wat er gebeurd is.' En toen hij doorliep, mompelde hij duidelijk verstaanbaar: 'Verdomde indringer.'

Joe dronk zijn glas leeg, trok zijn jack aan en liep Danaher's uit, geïrriteerd door de verbitterde oude man. Hij was verbijsterd over hoe zijn gezin eerst in Mountcannon was verwelkomd, na Katies dood was betreurd en nu opeens niet meer werd geaccepteerd. Hij besefte dat frustratie niet het juiste woord was wanneer je ten onrechte van iets werd verdacht. Frustratie was vrij onschuldig. Dit was veel intenser, verstikkend, en het vrat energie. Het was niet alleen Shaun over wie ze hun twijfels hadden. Ze hadden die nu ook over Joe, vanwege zijn ervaring met misdaden, en misschien ook wel over Anna, omdat ze haar man of haar zoon dekte. Ze waren terechtgekomen in een situatie waarop ze geen controle hadden. Toen drong het tot hem door: misschien was iemand juist dáár op uit.

Danny Markey kwam Buttinsky Burger binnen toen de drukte van lunchtijd bijna voorbij was en de meeste mensen alweer waren vertrokken. De tafels en de vloer lagen bezaaid met papieren wikkels en piepschuim doosjes. Danny wachtte totdat de laatste klant bij de counter was weggelopen.

'Een cheeseburger, een gewone friet en een gewone cola,' zei hij. De grote zwarte man achter de counter pakte een doosje uit de verwarmde vitrine en legde het op een dienblad. 'En alles wat je me kunt vertellen over Duke Rawlins.'

Abelard Kane richtte zich langzaam op en zijn grote bruine ogen keken Danny aan.

Danny haalde zijn schouders op. 'Ik ben van de politie, vrees ik.'

'Kon je niemand anders vinden om lastig te vallen?'

'Nee, jij bent de gelukkige,' zei Danny.

'Duke Rawlins.' Kanes grote gezicht klaarde op. 'Wat heeft die vliegfanaat nu weer gedaan?

'Vliegfanaat?' vroeg Danny.

Kane pakte het doosje met de cheeseburger, hield het boven zijn hoofd en bewoog het van links naar rechts.

'Die gast was geobsedeerd.'

'Door vliegtuigen?'

'Door vogels.'

'Wat voor vogels?' vroeg Danny.

'Ho, wacht even,' zei Kane. 'Ik weet niet eens wie je bent en waarom je dat wilt weten.'

'Rechercheur Danny Markey, NYPD.'

'Dat verklaart hoe je me hebt gevonden. Maar waarom wil je het weten?'

'Dat kan ik niet zeggen,' zei Danny. 'We willen gewoon meer over Rawlins weten, alles wat ons kan helpen hem beter te begrijpen.'

'Begrijpen?' Kane floot. 'Dan wens ik je veel succes, rechercheur.'

'Vertel me nou gewoon wat hij voor iemand was. Jij hebt vijf jaar met hem samengewoond.'

'Hij was gek.'

'Kun je iets specifieker zijn?'

'Ja, gek met hoofdletters. G.E.K.'

Danny bleef hem aankijken.

'Hoe bedoel je, specifieker?' vroeg Kane.

'Zijn temperament, waar hij wel en niet van hield, je weet wel, dat soort dingen...'

'Ah, datingshow-info,' riep Kane. Hij zette zijn hand in zijn zij, liet zijn stem een octaaf stijgen en zong: 'Hallo, ik ben Duke. Ik schiet graag op lege bierblikjes en kruip in bed met mijn neven. Mijn hobby's zijn...'

'Zo is het wel genoeg, maat. Hou op met die onzin en help me nou.'

'Is dit dan die scène waarin ik dat weiger en jij een paar bankbiljetten over de counter schuift?'

'Ja, en dan zeg ik tegen jou dat ik een heel akelige smeris ben en dat ik al je botten breek als je me niet vertelt wat ik wil weten.'

Kane grinnikte.

'Vertel me over die vogels,' zei Danny.

'Haviken. Harris-haviken. De hele cel hing vol met foto's van haviken. En hij had er boeken en zo over. Toen ik mijn tijd had uitgezeten, kon ik zo in een vogelwinkel gaan werken.'

'Is dat alles? En die kidnapping die zijn vriend had gepland?'

'Die sukkel heeft zich laten doodschieten. Niet iemand om veel vertrouwen in te hebben, als je het mij vraagt. Man, je had Pukey moeten zien toen hij het hoorde. Dat was zijn bijnaam, Pukey Dukey. Hij had het niet meer. Eerst raakte hij van streek, toen werd hij boos, echt heel boos, en riep hij dat Donnie beter had moeten weten, dat hij zich niet in de hoek had moeten laten drijven. En toen begon hij te kotsen.'

'Verder nog iets?'

'Hij zei dat het enige wat Donnie goed had gedaan, was dat hij die twee mensen had opgeblazen, omdat die vrouw de politie erbij had gehaald. "Je moet doen wat je belooft," zei hij.'

'Een man van zijn woord,' zei Danny.

'Ja,' zei Kane.

'Heeft hij weleens iets gezegd over eigen plannen, voor als hij vrijkwam?'

'Ja, natuurlijk. Hij heeft me plattegronden van banken laten zien en me de datums, tijdstippen en locaties gegeven...'

'Oké, oké, oké,' zei Danny. 'Maar kun je nog iets anders bedenken waar ik iets aan heb?'

Kane schudde zijn hoofd. 'Eén groot mysterie,' zei hij. 'Weet je, je geeft ze de beste jaren van je leven...' Hij grinnikte, draaide zich om naar de counter en hield zijn hand op. 'Cheeseburger, friet, cola. Dat is dan zes dollar negenennegentig.'

Danny legde een paar bankbiljetten op de counter. 'Je zult het met twee George Washingtons moeten doen.' Hij liep weg.

'O, rechercheur, nog één ding,' zei Kane.

Met een ruk draaide Danny zich om.

'Je cola,' zei Kane, en hij schudde het blikje. 'Ja, wat dacht je dan? Dat ik de zaak voor je zou oplossen?' Zijn lach weerkaatste tussen het roestvrij staal. Danny moest ook lachen.

'Wacht eens,' zei Kane, 'er is inderdaad nog iets. Weet je wat grappig was? Om te lachen, bedoel ik...'

'Nou?'

'Duke kon zichzelf wel voor zijn kop slaan omdat die kidnapping was mislukt, want Donnie zou het geld met hem delen, maar het gerucht ging dat er nog een andere persoon was die zou meedelen in de jackpot, iemand die het geld nodig had om ver uit de buurt te zijn als Duke Rawlins vrijkwam.' Hij lachte weer. 'Ik weet wel zeker dat Pukey Dukey pas echt over zijn nek zou gaan als hij wist wie dat was. In technicolor!'

Joe stopte om een groep kinderen de straat naar de haven te laten oversteken. Hij keek naar de foto die op de zitting van de passagiersstoel lag. Vanaf de onduidelijke fax staarde Duke Rawlins hem aan. Joe dacht aan de Italiaanse arts die in de negentiende eeuw gezichten van criminelen had bestudeerd en tot de conclusie was gekomen dat de meerderheid van hen een langwerpig gezicht, een vooruitstekende onderkaak en dik, donker haar had. Duke Rawlins niet. Joe reed door en stopte even later voor het politiebureau.

'Daar heb je Magnum weer,' mompelde Ritchie tegen Frank toen Joe binnenkwam.

'Hoor eens,' zei Joe, 'er is iets wat jullie over Mae Miller moeten weten.'

Ze keken hem allebei met een neutrale blik aan.

'Ze heeft de ziekte van Alzheimer.'

'Er is niks mis met het hoofd van Mae Miller,' zei Frank, en hij stond op. 'Die vrouw is zo bij als wat.' Hij tikte met twee vingers op zijn slaap. 'Waarom zeg je zulke rare dingen over haar?'

'Die zeg *ík* niet,' zei Joe op scherpe toon. 'Dat heeft John Miller aan Anna verteld. Eh... in vertrouwen.'

'Nou, dat is complete onzin,' zei Frank. 'Ze maakte een volstrekt normale indruk op me. We kunnen ons beter zorgen maken om de geestesgesteldheid van John Miller.'

'Is jullie dan niets aan haar opgevallen toen jullie met haar gingen praten?' vroeg Joe.

'Nee,' zei Frank. Maar zijn gedachten gingen terug naar die merkwaardige innige omhelzing waarmee de respectabele onderwijzeres hem had overvallen.

De telefoon begon te rinkelen en Ritchie nam op. 'Oké,' zei hij, en hij keek op naar Frank. 'De waterpolitie is er.'

'De waterpolitie?' zei Joe. 'Waarvoor?'

Frank schudde zijn hoofd. 'Joe, ik moet weg.' Hij pakte zijn sleutels en liep naar buiten. Joe ging hem achterna.

'Frank, hoor eens, voordat je gaat...'

'Ik moet naar de haven. Kan dit niet wachten?'

'Nee,' zei Joe. 'Ik heb een politiefoto die ik je moet laten zien. Van die man over wie ik je heb verteld, weet je wel? Duke Rawlins. Voor het geval dat. Mijn vrienden in de Verenigde Staten doen op dit moment navraag naar hem.'

Hij hield de e-mail omhoog. 'En ik heb dit. Iemand heeft Shaun onlangs deze e-mail gestuurd, zonder afzender. Maar moet je lezen wat er onderaan staat. Dit kan niet allemaal toeval zijn. Ik heb hier tijd in gestoken. Ik weet waar ik het over heb.'

'Goed dan, Joe, ik zal het morgenochtend aan Waterford melden. Zij kunnen die Rawlins van jou nagaan via Interpol, maar met alle ambtelijke obstakels hier zou ik zeggen dat je vrienden in de Verenigde Staten je waarschijnlijk sneller kunnen helpen.'

'Bedankt, Frank. Dat waardeer ik.' Maar toen Frank in de auto wilde stappen, pakte Joe zijn arm vast. 'Jullie hebben iets nieuws gevonden, hè? Is de waterpolitie daarom in de haven? Wat hebben jullie gevonden?'

'Je weet dat ik dat niet kan zeggen.'

'Maar wat betekent het voor Shaun?'

'Wat ertoe doet is wat het voor Katie betekent, denk ik.'

Frank stapte in de auto, keek nog een keer naar de e-mail en nam een besluit. Als hij die avond naar huis ging, zou hij een omweg maken.

Anna vulde twee emmers met heet water en deed een scheut vloeibare zeep in de ene. Ze trok een grijs stoffen hoedje over haar hoofd en trok een paar tuinhandschoenen aan.

Shaun zat in het raamkozijn en keek toe.

'Wil je me helpen?' vroeg Anna opgewekt.

'O, ja. Alleen moeders denken dat je je van huishoudelijke klusjes beter gaat voelen.'

Anna zuchtte. 'Oké, oké, het was maar een vraag.'

Ze klemde een pak schoonmaakdoeken onder haar arm en duwde de achterdeur open. Het was halftwaalf in de ochtend, maar zo dicht bewolkt, dat het bijna donker was. Ze keek niet op toen ze het gazon overstak, maar hield haar blik gericht op het waterniveau in de emmers. Onwillekeurig voelde ze zich beter toen ze bij de vuurtoren aankwam. Ze draaide de deur van het slot en liep de trap naar het lampenhuis op om de lens schoon te maken. Twintig minuten later was ze in de werkplaats om meer emmers en schoonmaakdoeken bij elkaar te zoeken. Daarna ging ze het huis weer in om Shaun op te zoeken.

'Sorry, maar je hebt geen keus. Ik kan niet de hele dag die trappen op en af lopen. Je zult een paar emmers water boven moeten brengen.'

Shaun staarde haar aan. 'Ik kan niet geloven dat je dat op dit moment van me verlangt. Ik ben net alles in mijn leven kwijtgeraakt, zelfs mijn luizige baantje, en nu wil jij dat ik...'

'Draag een paar emmers water naar boven, Shaun. Zo dramatisch is dat niet. Het is zo gebeurd. Ik maak het wel goed met je. Geloof me, ik heb zelf ook geen zin om dit te doen, maar helaas, het leven gaat door.'

'Wat klink je kil,' zei Shaun, en aan haar gezicht kon hij zien dat ze reageerde zoals hij gehoopt had.

Toen hij de emmers boven had gebracht, liep hij zijn kamer in, ging op bed liggen en pakte de afstandsbediening van de tv. Hij kwam terecht in een nieuwsuitzending. 'In Mountcannon, gemeente Waterford, is een team duikers van de politie gearriveerd in verband met nieuwe aanwijzingen in het onderzoek naar de moord op Katie Lawson...' De haven kwam in beeld. Een verslaggeefster met een beige jas en een rode sjaal bracht een microfoon naar haar mond. Shaun sprong op en pakte zijn jack.

Na vier uur hard werken had Anna de lens aan de binnenkant en de buitenkant schoongemaakt en de vloer geschrobd en gedweild. Ze voelde pijnsteken onder in haar rug. Haar schouders deden zeer en ze barstte van de honger. Toen ze de keuken in kwam, stonden er een sandwich en een fles cola op het aanrecht, met een briefje van Shaun ernaast: BEN WEG. Ze at snel de sandwich op, deed de bovenkant van haar overall omlaag en knoopte de mouwen vast om haar middel. Ze trok een blauw sweatshirt over haar T-shirt aan en liep weer naar de vuurtoren.

'Pardon? Mevrouw Lucchesi?' Anna draaide zich om en zag een man die haar glimlachend aankeek.

'Hallo, ik ben Gary. Mark van Tuinonderhoud kon vandaag en morgen niet. Privé-zaken. Hij belt me soms om voor hem in te vallen.'

'O,' zei Anna verbaasd. 'Daar heeft hij niets over gezegd. Het is trouwens niet erg als hij een paar dagen niet kan. Ik heb niet echt iets voor je te doen.'

De man keek omlaag naar de pot die hij in zijn hand had. 'Nou, ik heb wat planten meegebracht, dus die kan ik maar net zo goed uitladen.'

'Deze is mooi,' zei Anna, en ze raakte een van de bladeren aan. 'Wat is het er voor een?'

'Eh, dit is een...' Hij keek op het etiket. '...een funkia.'

Anna bleef hem even aankijken. 'Nou, zet hem daar maar neer,' zei ze. 'Onder aan de treden. Weet je zeker dat het privé-zaken zijn? Dat Mark daarom niet komt werken?'

De man bleef staan. 'Ja,' zei hij. 'Dat zei hij.'

Anna keek hem na toen hij wegliep. Ze ging naar binnen en draaide Marks nummer. Het was in gesprek.

Toen Shaun in de haven aankwam, was de tv-ploeg al aan het inpakken. De cameraman tilde de zware apparatuur van zijn schouder en legde het achter in het nieuwsbusje. De verslaggeefster stond een paar meter verderop, streek haar haar uit haar gezicht en stapte in het busje. Shaun keek toe toen ze de helling af reden en de bestuurder knikte naar hem toen hij voorbijreed. Enkele groepjes mensen volgden de bezigheden op de kade. Shaun bleef ver genoeg op afstand om onopgemerkt te blijven.

Op de kade stonden zeven mannen in zwarte duikerspakken in het water te kijken, waarin een paar boten dobberden. Een van hen knikte en de eerste duiker liet zich langs een dik touw in het water zakken. Zijn hoofd bleef boven water. Nog drie duikers, allemaal met twee witte persluchtcilinders op de rug, zetten hun zwarte duikbrillen op en gingen hem achterna. Ze hielden zich vast aan het touw en doken toen onder de boten.

Martha Lawson bracht een papieren zakdoekje naar haar neus en wendde haar blik af alsof ze ieder moment met nieuwe gruwelijkheden geconfronteerd kon worden. Ze klemde zich vast aan de arm van haar zus. De duikers bleven nog uren aan het werk, eerst ín de haven en later, vanuit een rubberboot, verderop.

Shaun stond nog steeds te kijken toen de meeste andere belangstellenden al naar huis waren gegaan. Alles wat hij zag deprimeerde hem. De boten, die het bewijsmateriaal in de afgelopen drie weken in hun netten verder van de kust hadden kunnen slepen, de golven die op de rotsen sloegen, en zelfs de hongerige meeuwen die erboven vlogen. Opeens hoorde hij een van de mannen in de rubberboot iets roepen. De drie duikers kwamen boven water. Een van hen had een roze gymschoen in zijn hand. Shaun zag hoe die in een doorzichtige bewijszak werd gedaan. Hij begon te huilen. Hij had van die schoenen gehouden. Ze waren zo typisch Katie geweest.

Victor Nicotero zat op zijn veranda, met zijn vest tot boven aan dicht geritst en een blikje bier in zijn verkleumde hand. Patti gaf hem de telefoon.

'Nic, wanneer bel ik jou?'

'Wanneer je iets van me nodig hebt, Joe.'

'Ik weet het, ik weet het. En deze keer moet je iets voor me nagaan omdat er alarmbellen in mijn hoofd rinkelen, en niet zo zachtjes ook. Maar eerlijk gezegd weet ik niet of ik dit wel van je kan vragen...'

'Vertel maar op.'

'Oké, als je hebt gehoord wat ik je ga vertellen... Wat denk jij daar dan van? Twee jongens uit hetzelfde kleine stadje, de een een kidnapper annex moordenaar, de ander heeft een tijdje gezeten omdat hij iemand heeft neergestoken. De grote misdaad die daarvóór in die omgeving plaatsvindt, is de verkrachting van negen vrouwen die vervolgens als beesten worden opgejaagd en worden vermoord. Een zaak die onopgelost blijft. Jaren later wordt de eerste jongen doodgeschoten. De tweede komt uit de gevangenis en binnen twee maanden wordt er weer een meisje dood gevonden in het bos in de buurt van waar hij op dat moment is. Ondertussen maakt de sheriff die de leiding heeft over het onderzoek naar de oorspronkelijke seriemoord een eind aan zijn leven.'

'Ik moet je zeggen, Joe, dat ik ze ook hoor rinkelen. Zeker als dat meisje de vriendin van mijn zoon was geweest...'

'Er ontgaat jou niet veel, hè?' Ze bleven even zwijgen. 'Dus wat zou je zeggen van een trip naar Texas, Nic?'

'Ik ben oud en ik heb behoefte aan warmte. Dus ik zeg ja.'

'Als je die broek van jou zou optrekken tot onder je oksels, zoals oude mannen dat doen...'

'Je zit me op de hielen, vriend. Wanneer word jij vijftig?'

'Over vier dagen... en tien jaar.'

'Oké, Lucchesi, wat is de bedoeling?'

'Dat je gaat praten met de eenzame weduwe van iemand die Ogden Parnum heet. Dat je zo veel mogelijk te weten probeert te komen over waarom haar man, de sheriff, zich voor zijn kop heeft geschoten. En alles wat je te weten kunt komen over de Crosscut-zaak, waar hij mee bezig was...'

'Crosscut? Oké, komt voor elkaar.'

Nora Deegan stond bij haar favoriete kunstwerk, een simpele aquarel die perfect aansloot bij de groene en paarse tinten in de woonkamer. Ze hield er een kleurenwaaier naast en bekeek de strookjes karton, die allemaal een andere tint wit vertegenwoordigden.

'Ik kan niet kiezen,' zei ze. 'Voor de galerie.'

'Er bestaan te veel tinten wit,' zei Frank. Hij wees er een aan. 'Ik vind die wel mooi.' Nora knikte.

'Je moet iets voor me doen,' zei Frank opeens. 'Op een van je koffieochtendjes.'

'Hoezo ochtendjes? Kom op, zeg, dat zijn belangrijke bijeenkomsten.'

'Natuurlijk zijn ze belangrijk,' zei Frank, en hij glimlachte. 'Ik zou graag willen dat je... hoe zal ik het zeggen... de gemoederen in het dorp tot bedaren brengt.'

'Wat voor gemoederen?'

'Over de Lucchesi's,' zei hij. 'Het hele dorp heeft het over Shaun. Maar hij heeft er niks mee te maken. Als dat zo was, hadden we hem allang opgesloten. Die jongen ligt in de kreukels. Ik heb gezien hoe de mensen op hem reageren. En op Anna en Joe. Joe is verdraaid lastig geweest sinds dit allemaal is begonnen, maar eigenlijk kunnen we het hem niet kwalijk nemen. Ik denk dat de arme man gek van bezorgdheid is. En hij begint nu ronduit paranoïde te worden. Hij heeft een e-mail gekregen, waar absolute nonsens in staan, maar hij denkt er meteen het allerslechtste van. Maar genoeg daarover. Dat gezin staat in ieder geval flink onder druk, dat kunnen we wel zeggen. Is het mogelijk dat jij... hoe zal ik het zeggen... de juiste dingen tegen de juiste mensen zegt? Ik weet dat jij de dames wel vaker over mijn zaken vertelt.'

Nora trok haar ene wenkbrauw op.

'Je bent de vrouw van de brigadier, schat. Ze zullen je zeker geloven.'

Er hing stoom in de badkamer en het rook er naar limoenen. Joe stapte om het hoopje kleren heen dat Anna op de vloer had gegooid.

'Raak ze niet aan,' riep ze vanuit de douche. 'Ze zijn giftig.'

Joe probeerde te glimlachen.

'Ik meen het. Ik heb vandaag alles alleen moeten doen. Een paar werkmensen kwamen niet opdagen en Mark was er ook niet. Ik begin een beetje nerveus te worden.'

Joe trok een pijnlijk gezicht. Hij opende het spiegeldeurtje van het medicijnkastje en begon erin te zoeken.

'Maar zou jij op je werk verschijnen als er iemand in huis was die wordt ondervraagd in verband met een moordonderzoek?' vroeg Anna.

Joe bleef zoeken en wees op zijn wang om haar duidelijk te maken dat hij niet kon praten. Even kwam er een gefrustreerde uitdrukking op Anna's gezicht.

'Maar Shaun is vrijwillig naar het bureau gegaan,' kreeg hij met moeite uit zijn mond. 'Dat is iets anders.'

'Zo denken mensen niet. Ik voel dat er iets aan de hand is, Joe. Nu jij je voortdurend met de zaak bemoeit en Shaun wordt ondervraagd, beginnen de mensen ons uit de weg te gaan.'

'Doe niet zo gek, schat.'

'Mark had tenminste nog het fatsoen een vervanger te sturen. Hoewel die er volgens mij niet veel van begreep. Je weet hoe Mark is, dat hij van elk stukje land alles weet. Deze man wist er duidelijk een stuk minder van. Ik heb hem trouwens weggestuurd. Ik wacht liever.'

'Mark komt terug en de anderen ook.'

'Ik kan wel een paar dagen rust gebruiken,' zei Anna. 'Ik ben doodop.'

Joe gaf haar haar badjas aan. Ze zag zijn gezicht vertrekken van de pijn toen hij zijn hoofd omdraaide.

'Ik heb een paar warmtepacks voor je gekocht. Ze liggen al in het hete water.' Ze wees naar de wastafel en de twee ronde dingen die erin dreven. Joe keek en zag twee met gel gevulde plastic gezichten. Het ene stelde Homer Simpson voor, het andere Bart Simpson. Hij keek haar aan en trok zijn wenkbrauwen op. Anna glimlachte.

'Hm, lekker warm.'

Opeens werd er hard en woest op de voordeur gebonkt. Ze keken elkaar aan. Joe keek op zijn horloge; het was bijna middernacht. Hij legde de warmtepacks weer in de wastafel. Samen liepen ze langzaam de trap af en de gang in, waarbij Joe Anna met zijn hand achter zich probeerde te houden. Maar ze duwde zijn hand weg.

'O-o,' zei Joe toen hij door het raampje keek. Hij deed de deur open.

'Wat mankeert jullie?' riep Martha hysterisch. 'Wat is dat voor een raar gezin, hier?' Haar ogen waren donker en lagen diep in hun kassen, en haar haar was samengebonden in een dun paardenstaartje. In een maand tijd was ze vijftien kilo afgevallen, en ze was al vrij tenger geweest.

Ze keek van Joe naar Anna. 'Jullie zoon komt hier, gaat... gaat naar bed met mijn dochter... Ik heb mijn dochter niet opgevoed met het idee dat ze vóór haar huwelijk aan seks zou doen! En dan liegt hij ook nog tegen de politie. Wat heeft hij met haar gedaan?'

Anna barstte bijna in tranen uit, meer vanwege de aanblik van de gebroken vrouw dan door wat ze over haar zoon zei.

'Martha...' Joe's onderkaak voelde aan alsof hij uit zijn schedel werd getrokken.

'En jij bent een moordenaar!' riep Martha. 'Wie ben jij om commentaar op anderen te leveren? Je hebt iemand doodgeschoten, heb ik gehoord. En ik ben nog wel naar je toe gekomen om je hulp te vragen. Naar jou, juist naar jou! Ik moet stapelgek zijn geweest! Je... je hebt haar doodskist gedragen!' Ze deed haar hand omhoog, liet hem weer zakken en balde hem tot een vuist. 'Als ik erachter kom dat... dat hij... Ik zweer je bij God...' Ze viel stil. Joe staarde haar aan.

'Heb je hier helemaal niks op te zeggen?' riep Martha.

Het was Anna die uiteindelijk het woord nam. 'Shaun hield echt van Katie. Dat weet je, Martha. Hij zou haar nooit kwaad doen.'

'Ik weet niks!' gilde ze. 'Nergens van! Ik weet niet wat ik moet denken. Waarom heeft hij haar alleen naar huis laten lopen?' vroeg ze, en haar stem klonk schor en wanhopig. Shaun was naar de deur gekomen. De tranen rolden over zijn wangen.

'Ik weet het niet,' snikte hij. 'Ik weet niet waarom ik dat heb gedaan. Alleen dat ik het niet had moeten doen.'

'Martha, ik vind het vreselijk wat er met Katie gebeurd is,' zei Anna. 'Wij allemaal. Maar geen van ons weet waarom het gebeurd is.'

'Iemand moet het weten,' zei Martha. 'Iemand moet iets weten! Wat weet jij nog meer?' vroeg ze op smekende toon aan Shaun. 'Wat heb je de politie nog meer niet verteld?'

Shaun had zijn handen voor zijn gezicht geslagen en jankte met lange uithalen. 'Niks! Niks! Ik heb ze nu alles verteld. Ze is er niet meer. Ik kan het nog steeds niet geloven.'

'Leugens, leugens en nog meer leugens,' zei Martha. 'Jullie moesten je schamen! Allemaal!' Ze draaide zich om en strompelde het pad af. Shaun rende naar zijn kamer.

Joe schudde zijn hoofd en keek Anna aan.

Hij tandenknarste van frustratie. 'Dit begint écht een nachtmerrie te worden.'

22

Denison, het noorden van Texas, 1988

De motor liep en produceerde een zacht geronk in de donkere straat. Donnie en Duke zaten voor in de pick-up.

'Hallo, Barbara,' zei Donnie, en hij stak zijn hand uit.

'Waarom geef je haar een hand?' vroeg Duke. 'Doe je dat elke keer als je haar tegenkomt?'

'Nee,' zei Donnie.

'Nou, waarom doe je het vanavond verdomme dan wel?' zei Duke. 'Dat staat gek.' Hij knikte naar Donnie dat hij het nog een keer moest proberen.

'Hallo, Barbara,' zei Donnie. 'We gaan een feestje geven voor Rick en ik wilde je vragen of je me wilt helpen met een gastenlijst.'

'Dat lijkt er meer op,' zei Duke.

Verderop reed een auto de oprit op en er stapte een man in een grijs pak uit. Hij liep naar de voordeur.

'Wat krijgen we verdomme nou?' siste Duke. 'Wie is die kerel?'

Donnie deed zijn ogen dicht.

'De heer des huizes,' zei hij.

'Hoe laat is het, Donnie?' vroeg Duke.

Donnie keek op zijn horloge, hoewel hij wist hoe laat het was.

'Vijf over elf.'

'En wat voor dag is het?' vroeg Duke, en hij stompte tegen het dashboard.

'Dinsdag,' zei Donnie.

'Stomme idioot die je bent,' zei Duke. 'Stomme klootzak. We hebben dit doorgenomen, Donnie. Probeer het voor je te zien, heb ik gezegd. Probeer alles voor je te zien. Een grote digitale kloteklok met dinsdag erop en vier grote klotecijfers. Elf, nul, vijf.'

Donnie leunde achterover en ademde langzaam uit.

'Sorry,' zei hij, en hij keek opzij naar Duke.

'Ja, ik hou ook van jou, schat,' sneerde Duke. 'Ik vind het zo erg als we ruzie hebben.'

Het bleef enige tijd stil.

'Stomme lul,' zei Duke, en hij zette de auto in de versnelling. 'Ik heb het gehad met je. Ik ga wel iemand anders zoeken. Ik kan niet...'

'Nee!' riep Donnie. 'Luister, ik weet dat ik een vergissing heb gemaakt, maar ik zal het nooit weer doen. Ik zweer het.'

'Een vergissing?' brulde Duke. 'Een vergissing? Weet je wat een vergissing is? Als je te laat bent voor een film op tv, of als je zout op je Cheerio's doet. Jouw vergissing had ons in de douche van de gevangenis kunnen brengen, voorovergebogen en met je handen op je blote rug geboeid, als je begrijpt wat ik bedoel. Dit...' riep hij, en hij zwaaide dreigend met zijn wijsvinger, '...was de grootste vergissing die je van je leven hebt gemaakt. En het is ook de laatste die je ooit zult maken.'

Donnies hart bonkte zo hard, dat er scherpe pijnscheuten door zijn borstkas gingen. Duke boog zich langs hem heen en opende het portier.

'Eruit,' zei hij. 'Ga verdomme mijn auto uit.'

Donnie stapte half struikelend uit de pick-up en deed het portier zachtjes achter zich dicht. Na een reeks bochten, die met slippende banden werden genomen, hoorde hij Duke het portier weer open- en dichtdoen.

Rachel Wade veegde de bar van Beeler's af met een vuile handdoek die naar verschaald bier en as stonk. Toen ze zich omdraaide naar de flessen die ondersteboven achter de bar hingen, deinde haar fijne blonde haar heen en weer. Ze liep naar het achtervertrek om nog een paar laatste tafeltjes af te vegen en pakte de vuile glazen op met haar slanke vingers. Op de terugweg naar de bar deed ze met haar vrije hand de lichten uit. Opeens verscheen er in de halfdonkere bar een man achter haar.

'Hallo?' zei hij.

Rachel schrok. 'Godallemachtig!' zei ze terwijl ze zich omdraaide en haar hand tegen haar borst drukte. 'Je bezorgt me een hartverlamming. Ik dacht dat ik de deur op slot had gedaan.' Ze tuurde in het duister maar het enige wat ze zag waren zijn ogen, die indringend en blauw waren.

'Sorry, mevrouw,' zei hij met een glimlach. 'Ik vroeg me alleen af of het al te laat was om een biertje te bestellen.'

'We gaan pas om vier uur dicht, officieel,' zei ze. 'Maar je bent de eerste klant sinds middernacht.'

'Geef me dan maar een flesje Busch,' zei hij.

Ze gaf hem zijn biertje en kwam toen achter de bar vandaan om nog wat glazen op te halen, tafels af te vegen en de darts uit het bord te halen. Duke keek naar haar slanke heupen terwijl ze zich tussen de tafels door bewoog, en naar haar roze kanten beha die zich aftekende onder haar witte hemd.

‘Waarom drink je er niet een met me mee?’ vroeg hij.

‘Oké.’ Ze pakte een fles Jack Daniels en kwam op de kruk naast de zijne zitten. Na een uur deed ze de deur op slot en na nog twee uur hadden ze de fles leeggedronken. Rachel kwam van haar kruk om naar de wc te gaan en stond meteen te wankelen.

‘Ho!’ lachte ze. ‘Je denkt dat er niks aan de hand is, tótdat je gaat staan.’

Duke lachte met haar mee en keek naar de deinende spijkerstof toen ze naar achteren liep.

Rachel droogde haar handen onder de luchtdroger en bekeek zichzelf in de spiegel. Haar ogen waren rood en ze kon nauwelijks recht vooruit kijken. Ze haalde een tubetje lippenglans uit haar broekzak en bracht het aan op haar lippen. Toen ze klaar was en de deur open wilde doen, kreeg ze die in haar gezicht. Duke kwam de wc binnenstormen, sloeg snel zijn arm om haar heen en duwde haar tegen de koude tegelmuur. Hij begon haar wild te zoenen, duwde zijn tong in haar mond en zijn tanden botsten tegen de hare. Rachel duwde hem achteruit en ademde sissend in.

‘Hé, rustig aan,’ zei ze. ‘Laten we teruggaan naar de bar.’

‘Nee, dat doen we niet,’ zei Duke terwijl hij haar ruw tussen de benen pakte en zijn tong weer in haar mond wilde proppen.

‘Au,’ zei ze. ‘Relax.’ Ze boog haar hoofd achteruit en keek hem verward in de ogen. Die waren nu bijna zwart, want zijn pupillen waren heel groot geworden. Ze bewoog haar hand heen en weer voor zijn gezicht.

‘Hallo?’ zei ze. ‘Dit is niet de manier om met een dame om te gaan.’ Ze glimlachte terwijl ze het zei, maar het paniekgevoel in haar borstkas werd steeds groter. Ze begon na te denken over de bar, de deuren, de telefoon, de buren en de kreten die ze kon slaken. Ze besefte dat ze heel dom was geweest. Toen ontmoette haar blik de zijne en wist ze dat dit het einde was. Op hetzelfde moment verdween de kracht uit haar lichaam en besefte ze dat haar armen, vuisten en voeten haar niet meer konden helpen. Haar benen voelden slap en trilden. Ze slaagde erin haar knie omhoog te stoten, maar die miste zijn kruis en raakte zijn harde dijbeen zonder schade aan te richten. Hij pakte haar bij haar keel, duwde haar hoofd tegen de tegelmuur en probeerde haar weer te zoenen terwijl ze zijn andere hand overal op haar lichaam voelde. Met een laatste duw wist ze zichzelf te bevrijden, dook naar de deur en rende half struikelend de donkere bar in. De plek die ze zo goed kende, kwam haar nu ineens vreemd voor en ze stootte zich aan de tafels en de stoelen toen ze in een wanhopige poging de afgesloten voordeur probeerde te bereiken. Maar binnen enkele seconden was Duke boven op haar gesprongen. Hij werkte haar moeiteloos tegen de vloer en haar kin kwam hard op de kleverige, blauwe vloerbedekking terecht. Opnieuw rook ze de stank van oud bier en sigarettenrook. Ze wilde zich los worstelen, maar een stemmetje in haar hoofd zei tegen haar dat ze beter stil kon blijven liggen. Ze hoopte dat hij misschien medelijden met haar zou hebben omdat ze zo klein en tenger was, dat hij haar geen kwaad zou willen doen. Ze huilde van de pijn, maar was te verzwakt door de drank en haar angst om nog iets te doen tegen het zware lichaam dat boven op haar lag.

Ze voelde dat haar hemd op haar rug werd opengescheurd en de tocht langs het kille angstzweet streek. Toen voelde ze iets scherps. Hij scheurde haar hemd niet open, hij snééd het open met een mes.

'Alsjeblieft,' snikte ze.

'Hou verdomme je kop dicht,' zei Duke. Zijn stem klonk huiveringwekkend, was volledig ontdaan van alle warmte die ze er eerder in had gehoord.

'Doe het alsjeblieft niet,' probeerde ze nog een keer, maar de woorden werden gedempt door haar gekneusde kaak en de vloerbedekking.

'Ik... zei... hou... verdomme... je... kop... dicht.'

Ze zag het mes. Het was klein, had een gebogen lemmet en zag er heel gevaarlijk uit. Een tapijtmes. O mijn god. Ze herinnerde zich hoe ze zo'n zelfde mes soepel had zien gaan door dezelfde vloerbedekking waar ze nu op lag. Ze begon te janken. Hij drukte zijn ene hand op haar mond en gebruikte de andere om haar spijkerbroek omlaag te trekken. Haar hele lichaam begon te schokken. Hij kwam overeind en bleef wijdbeens boven haar staan. Haar angst hield haar aan de grond genageld. Maar met haar laatste beetje energie wist ze zich op haar zij te draaien en van hem weg te kruipen, in een wanhopige maar nutteloze poging te overleven. Hij liet haar gaan, tot aan de deur, waar haar hand als een klauw naar de grendel draaide, maar in drie stappen was hij bij haar en sleepte haar met haar gezicht over de vloerbedekking terug. Hij deed zijn broek naar beneden, rukte aan zijn geslachtsdeel, werd toen woedend, pakte een bierflesje en hurkte voor haar neer. Haar geschreeuw ging door merg en been. Na enige tijd smeet hij het bierflesje kapot in de open haard en werd alles stil. Brandende pijn golfde door haar lichaam, maar ze had nog steeds hoop dat dit genoeg voor hem zou zijn. Het kon haar niet schelen als hij haar hier achterliet en wegging. Op dat moment zag ze het mes weer en slaakte ze een kreet die zelfs koude rillingen naar Dukes vingertoppen stuurde. Hij stak zijn hand in zijn zak, haalde er een zakdoek uit en propte die in haar mond om haar stil te houden. Hij draaide haar op haar buik, wrong het mes onder haar en gebruikte zijn lichaamsgewicht om het kromme lemmet onder haar ribben in haar buik te steken. Hij trok het terug, zette weer kracht, maakte een tweede snede en daarna ook een derde. Hij wilde net aan haar andere kant beginnen toen hij buiten het grind hoorde knerpen.

'Rachel? Rach, schat? Ben je daar?'

Duke keek op haar neer. 'Shit, shit, shit.' Haar hoofd lag opzij gedraaid en ze had een smekende blik in de ogen. Duke ging een barkruk pakken.

Donnie zette de tv aan en zag net het laatste stukje van het nieuwsbericht.

'...niet aangenomen dat deze moord verband houdt met de andere, omdat die allemaal overdag lijken te zijn gepleegd.' Terwijl Donnie keek hoe een lijk op een brancard uit een bar werd gereden, hoorde hij iemand op de zijdeur bonken.

'Donnie, doe open, doe open. Godverdomme, man, het spijt me. Donnie!' Duke bleef op de deur bonken totdat hij de grendel hoorde knarsen en Donnie voor hem stond.

'Jezus christus,' zei Donnie. Duke zat onder het bloed. Zijn T-shirt was doorweekt, zijn broek zat vol spetters en zijn gulp stond halfopen. Hijgend liep Duke door naar de keuken. Donnie pakte een vaatdoek van het aanrecht om het bloed van de deur te vegen.

'Waarom ben je niet naar de kreek gegaan, zoals altijd?' vroeg Donnie.

'Ik heb er een zooitje van gemaakt,' zei Duke. 'Er kwam iemand. Ik heb haar bijna in leven moeten laten.'

'Het meisje van de tv?'

'Was het al op tv? De vuile schoft.'

'En als mijn vader thuis was geweest?'

'Zijn auto staat bij de Amazon,' zei Duke.

Donnie zag hem doorlopen naar de badkamer. 'Dus hier ben ik wel goed genoeg voor,' riep hij hem na.

'Je bént goed genoeg, Donnie. Ik was mezelf niet straks. Ik was boos. Ik kan dit niet alleen. Het was onzin wat ik zei.'

23

'Update over Katie Lawson,' zei O'Connor, die op zijn bekende plek in de teamkamer stond.

'Zoals jullie hebben gehoord, heeft de autopsie bewijsmateriaal opgeleverd – fragmenten van een slakkenhuis – dat aangeeft dat Katie op een andere plek is vermoord en pas daarna naar het bos is gebracht. De plek waarop we ons concentreren is Mariner's Strand, waar we meer exemplaren van de... eh, duinslak hebben gevonden. De waterpolitie heeft die omgeving gisteren onderzocht, ook de haven, waar ze een van Katies roze gymschoenen heeft gevonden, die vandaag op vingerafdrukken wordt onderzocht. Op dit moment denken we dat Katie een bezoek heeft gebracht aan haar vaders graf op de begraafplaats aan Church Road – er is daar een witte roos neergelegd – en dat ze mogelijk de weg naar Mariner's Strand is overgestoken toen ze is aangevallen. Ze kan daar om de een af andere reden naartoe gelokt zijn, maar of het om een opportunistische moord gaat of iemand haar heeft geobserveerd en gevolgd, weten we niet. Wat we wel weten is dat ze heeft geprobeerd met haar mobiele telefoon iemand te bellen, en die persoon is Frank Deegan.' Hij knikte naar Frank, die een bezorgde uitdrukking op zijn gezicht had. 'Dit kan betekenen dat ze besefte dat ze in gevaar was, of mogelijk dat ze een andere misdaad aan Frank wilde melden. Het feit dat ze Frank belde en niet 999 is zeker interessant, hoewel ze de familie Deegan vrij goed kent.

Omdat er drie weken zijn verstreken voordat het lijk is gevonden, verwachten we niet dat het onderzoek van Mariner's Strand nog nieuw bewijsmateriaal zal opleveren. Iets wat in overweging moet worden genomen, is dat Katies mogelijke route van die avond in directe tegenspraak is met de getuigenverklaring van Mae Miller, dus dat is iets wat we nader moeten onderzoeken. Dat het lijk in het bos is neergelegd kan diverse redenen hebben, waaronder de beschermde omgeving, de vertrouwdheid van de dader met het bos, óf het kan een of andere diepere betekenis hebben waarvan wij ons nog niet bewust zijn. De bewoonde percelen die het dichtst aan het bos grenzen zijn het huis van de Lucchesi's en Millers boomgaard. We moeten de betrokken bewoners nauwlettend in de gaten blijven houden.'

Uit de luidsprekers klonk een dreunende bas met een iel, steeds herhaald melodietje erboven. Duke keek op naar de kapster. Ze had een spijkerbroek aan die laag op haar heupen zat, met een strakke band waar de extra pondjes van haar blote buik – compleet met navelpiercing – overheen puilden. Haar zwarte glittertopje was diep uitgesneden en onthulde een huid die een slechte reactie op de zonnebank vertoonde. Haar lippen bewogen mee met de tekst van het liedje. Ze ging door met knippen en Dukes haar viel in vochtige plukken op de krant die opengeslagen op zijn schoot lag.

Ze boog zich voorover, veegde het haar van de krant en onthulde daarmee een compositietekening van de politie.

'Erg hè, vind je niet?' zei ze terwijl ze met haar kam naar de natte krant wees. 'Dat meisje uit Tipperary dat is verdwenen?'

'Vreselijk,' zei Duke, en hij keek naar het gezicht dat het zijne moest voorstellen.

'Weken later heeft een meisje zich bij de politie gemeld en gezegd dat ze in die Amerikaanse snackbar was toen die man daar ook was. Stel je voor, ze had zich niet eerder gemeld, omdat ze dacht dat ze problemen op school zou krijgen. Wat een verspilling.' Ze ging door met knippen. 'Waarschijnlijk is dat meisje allang vergeten hoe die man eruitzag, God zal het weten.'

'Die kans bestaat,' zei Duke. 'Maar sommige gezichten blijven je je leven lang bij, of je het wilt of niet. We horen het wel als ze hem pakken.' De schaar bewoog zich dicht langs zijn oren en knipte alles heel kort.

Het was stil in de tussenkamer, afgezien van het zachte zoemen van het faxapparaat. Een voor een kwamen de bladzijden eruit schuiven en dwarrelden ze naar de houten vloer. Shaun liep ernaartoe en keek verbaasd naar de grauwe afbeelding op een van de bladzijden die omgekeerd terecht was gekomen. Hij zakte door zijn knieën, pakte de bladzijde op en hield hem voor zijn gezicht. De afbeelding was van een vrouw met een vredig, onbeschadigd gezicht maar met een ernstig verminkt lichaam, met zwarte inkt als bloed. Slordige, met de hand getekende pijlen wezen naar '*verwondingen die door klauwen lijken toegebracht*' in het bovenlichaam, '*drie evenwijdige sneden in de buikstreek onder de ribben*' en '*waardoor op sommige plekken de ingewanden naar buiten komen*'. Shaun kreeg het ijskoud en zijn hoofd begon te bonzen. Hij liet zich op zijn knieën vallen. Toen hij de bladzijden bij elkaar graaide, zag hij de grauwe maar levendige beelden voor zich. Deze werden nog geaccentueerd door een witte handtas of een opzij gedraaide schoen die de onbekende dode vrouwen heel echt maakten. Hij zakte ineen op de houten vloer.

'O, nee,' riep Joe toen hij de kamer binnen kwam rennen. 'Shaun, nee, niet doen!'

Hij bukte zich, trok zijn zoon naar zich toe en maakte de bladzijden los uit zijn verkrampte vingers.

'Die zijn voor mij,' zei hij, en hij besefte hoe stompzinnig het klonk. 'Die faxen zijn voor mij.'

'Is dít wat er met haar gebeurd is, pa?' vroeg Shaun op smekende toon. 'Is dit wat er met Katie is gebeurd? Want dit is ziek. Dit is zo vreselijk ziek. Dit is het ziekste wat ik ooit heb gezien. Heeft iemand dit met haar gedaan? Heeft een of andere kerel dit gedaan?' Hij kokhalsde en zijn snikkende stem bleef in zijn keel steken. Joe sloeg zijn armen om hem heen. Hij kon zich niet herinneren wanneer hij dit voor het laatst bij zijn zoon had gedaan. Van zijn eigen vader kon hij het zich helemaal niet herinneren. Hij liet Shaun los en begon de papieren bij elkaar te zoeken. Hij wist nu dat hij nog een keer naar Dublin zou moeten.

Mae Miller opende de deur zo ver als maar mogelijk was. Ze was gekleed in een lange zilverkleurige avondjurk en om haar nek had ze een paarse kralenketting die tot aan haar middel reikte en waarin een knoop was gelegd. Ze droeg zwarte fluwelen handschoenen die doorliepen tot aan haar ellebogen, en om haar ene pols zat een armband van grote parels. Haar grijze haar had ze opgestoken.

'Hallo,' zei ze met een brede glimlach.

'O, sorry, mevrouw Miller,' zei Ritchie. 'Ik wist niet dat u op het punt stond om uit te gaan.' Hij keek op zijn horloge. Het was halftwaalf in de ochtend en hij had net ontbeten.

'Dat geeft niks, hoor,' zei Mae. 'Ik geniet zo van de voorstelling. Ik wist niet dat jij een operaliefhebber was.'

Ritchie wendde zijn blik af. 'Eh... ik vroeg me af of ik John even kon spreken.'

'Het is nu pauze. Hij is naar de bar.'

'Naar Danaher's?' vroeg Ritchie.

'Nee, hier,' zei ze, en ze wees naar boven.

'Zou u hem voor me willen roepen?'

'Met alle plezier,' zei Mae, en ze zweefde van hem weg. 'John? John?' riep ze. 'Moet je zien wie er ook is.'

Ritchie deed een stap de hal in, maar bleef bij de deur staan. John kwam de trap af sloffen en trok zijn wenkbrauwen op toen hij zijn moeder zag.

'Hoe is het, Ritchie?' zei hij nors.

'Ah, John,' zei Mae. 'Ben je klaar?' Ze keerde zich naar de keukendeur en hield haar arm op alsof ze wachtte totdat John haar zou escorteren. Ze keek achterom naar Ritchie. 'We willen de tweede helft niet missen.'

'Dat kan ik me voorstellen, mevrouw Miller,' zei Ritchie, en hij keek naar de grond.

Joe reed in noordelijke richting door Dublin via Malahide Road. Voordat hij bij de snelweg naar het vliegveld kwam, sloeg hij links af, reed de rode, smeedijzeren poort van het Brandweertrainingscentrum door en kwam terecht op een bochtige weg met bomen aan weerszijden. Het bord voor het mortuarium leidde hem langs een groot veld in de hoek waarvan een half vliegtuig op één vleugel rustte. Toen Joe een bakstenen muur zag waarop de voorgevel van een nachtclub was geschilderd, drong het pas tot hem door. Brandweer. Training. Hij stopte voor de vier prefab gebouwtjes die het tijdelijke onderdak van de Ierse Pathologische Dienst vormden. Hij hoopte dat dr. McClatchie achter haar bureau zou zitten. Dat was niet zo. Ze stond bij de deur met haar assistent te praten.

'Dokter McClatchie, hallo... Mijn naam is Joe Lucchesi. Ik ben rechercheur bij de NYPD en... ik vroeg me af of u een minuutje tijd voor me had.'

Ze keek alsof ze zich betrapt voelde, maar zei: 'Oké, kom maar binnen.'

'Het gaat over de moord op Katie Lawson,' zei Joe.

'Ah,' zei ze terwijl ze achter haar bureau plaatsnam en naar de stoel aan de andere kant gebaarde. 'De NYPD? Waarom zijn jullie erbij gehaald?'

Joe maakte een afweging. 'Eh... we zijn er niet bij gehaald,' zei hij ten slotte. Hij haalde het stapeltje faxen uit zijn zak en legde het op haar bureau, met een van de duidelijkste foto's bovenop. De naam van het slachtoffer stond erboven, in blokletters: Tonya Ramer. Ze lag op een snijtafel in het mortuarium, met een spookachtig bleek, bijna sereen gezicht. Het was duidelijk te zien dat het lijk binnen enkele dagen na de moord was gevonden. Tussen de benen bevond zich een ravage van weefsel en donkere splinters waarvan Joe wist dat ze van een houten paaltje afkomstig waren. De enige andere zichtbare verwondingen waren de ongelijke schaafwonden op de knieën en drie even lange sneden aan beide zijden onder de ribbenkast. Lara McClatchie keek ernaar, keek toen snel weer op, maar terwijl ze hem aanstaarde, spreidden haar vingers de faxen uit op haar bureau.

'Wat is de bedoeling hiervan?' vroeg ze, meer geamuseerd dan geërgerd.

'Ik zou graag willen dat u naar deze foto's kijkt en mij vertelt of de verwondingen op de een of andere manier overeenkomen met die van Katie Lawson.'

'Ben je gek geworden?' vroeg ze op haar afgemeten manier, alsof ze op het punt stond haar hand op te steken en iemand opdracht te geven 'deze meneer naar buiten te begeleiden'.

Joe haalde hoorbaar adem en zei: 'Katie Lawson was de vriendin van mijn zoon.' Ze leunde achterover en zuchtte. 'En ik weet,' vervolgde hij, 'dat mijn zoon de belangrijkste verdachte is. Ik denk dat de man die déze moorden heeft gepleegd...' Hij wees naar de faxen. '...dezelfde persoon kan zijn die Katie heeft vermoord.'

In een reflex boog ze haar hoofd en liet ze haar blik over de foto's gaan.

'Je weet dat ik dat niet met jou kan bespreken. Het verbaast me dat je hiernaartoe bent gekomen.'

'U kunt me niet kwalijk nemen dat ik het probeer. Geloof me, ik heb heel veel waardering voor het werk dat u hier doet... waarschijnlijk meer dan ieder ander die aan deze zaak werkt.'

'Ah, maar jij werkt niet aan deze zaak.'

'Nee, daar hebt u gelijk in,' zei hij. 'Maar ik ga er dood aan, hier.' Hij wees op zijn hart en wierp een blik in de richting van de deur. Toen boog hij zich over het bureau en veegde de faxen bij elkaar.

'Het spijt me dat ik u heb lastiggevallen,' zei Joe, en hij bleef haar recht aankijken. 'Ik hoop wel dat mijn bezoek onder ons blijft.'

'Pardon?'

'Ik kan me niet permitteren dat de plaatselijke politie te weten komt dat ik hier ben geweest.'

Ze rolde met haar ogen. 'Nou, ik heb je nog niks verteld.'

O, maar je hebt me al heel veel verteld, dacht Joe. Hij had een scherp oog voor primaire reacties en reacties op primaire reacties: een knipperend oog, een trekkend spiertje, een rilling, slikken... allemaal reacties met behulp waarvan hij een eerlijk mens van een leugenaar kon onderscheiden. Haar reacties op de foto's hadden hem verteld dat de wonden niet hetzelfde waren. Het enige wat hij echter nog niet kon plaatsen, was de mogelijke reden dat ze net zichtbaar haar wenkbrauwen had gefronst en met schijnbare tegenzin de faxen had losgelaten.

'Hier is mijn kaartje, voor als u de behoefte voelt contact met me op te nemen.' Ze staarde hem aan. Joe negeerde haar blik, streepte zijn nummer in New York door en schreef zijn Ierse mobiele nummer eronder. Hij stond op om weg te gaan, maar deed dat te snel voor zijn lege maag, want hij werd draaierig en moest haar bureau vastpakken om te voorkomen dat hij omviel.

'Voel je je wel goed?' vroeg Lara McClatchie terwijl ze achter haar bureau vandaan kwam.

Toen Joe opkeek, zag hij overal witte puntjes voor zijn ogen dansen.

'Ga zitten,' zei Lara, en ze trok de stoel voor hem achteruit. 'Gaat het goed met je?'

Joe knikte. Met moeite. Hij bracht zijn hand naar zijn nek en begon die te masseren.

'Ik ben alleen een beetje duizelig,' zei hij. 'Ik heb nog niks gegeten.' Opeens pakte hij haar prullenbak, kokhalsde en spuugde een sliert speeksel op de proppen papier en het potloodslijpsel. Zijn gezicht gloeide.

'Ik wíst wel dat ik geen rieten prullenbak moest kopen,' zei Lara.

'Jezus, het spijt me vreselijk,' zei hij. 'Ik weet niet hoe...'

'Heb je een griepje onder de leden?' vroeg ze. 'Je ziet lijkbleek.'

'Nee, ik heb alleen nog niks gegeten en een paar pijnstillers en nog een paar dingen geslikt. En koffie gedronken.'

'Mag ik vragen waaróm je pijnstillers slikt? Of volgen alle politiemensen zo'n dieet?'

Joe lachte. 'Ja op beide vragen. Maar ik heb vaak pijn in mijn kaken en voel druk binnen in mijn hoofd. Soms doet het pijn als ik eet... Ik denk dat ik me daarom wat licht in mijn hoofd voel.'

'Mag ik even kijken?' vroeg ze, en ze stak haar handen al uit. Joe deinsde achteruit.

'Je verspilt je tijd.'

'Ik ben hier de baas,' zei ze, en zonder acht te slaan op zijn terughoudendheid pakte ze zijn gezicht vast, zette haar koele duimen aan weerskanten van zijn neus, liet ze over zijn wangen en ten slotte over zijn wenkbrauwen gaan. Joe hield zijn adem in. Ze vermeden oogcontact met elkaar.

'Sorry,' zei hij, en hij duwde haar hand weg, 'maar ik moet ademhalen.'

'Ik heb niet gezegd dat je niet mocht ademhalen,' zei ze.

Joe wierp een blik in de richting van de prullenbak.

Ze begon te lachen. 'Ik ruik wel ergere dingen.'

Ze ging op de rand van haar bureau zitten.

'Nou, het zijn niet je neusholten,' zei ze. 'Je zei dat je pijn hebt als je eet. Waar zit die pijn?'

'Hier,' zei Joe, en hij zette zijn vingertoppen net onder zijn bakkebaarden. Hij verschoof op zijn stoel.

'Oké,' zei Lara, en Joe liet zijn handen zakken. Ze zette haar beide duimen op de plek die hij had aangewezen.

'Doe je mond open en dicht,' zei ze. 'Voel je dan iets?'

'Een licht gekraak,' zei Joe.

'Pijn?'

'Nee, maar daarvoor heb ik te veel pijnstillers geslikt.'

'O... ja. Slaat je kaak weleens vast, dat je je mond niet meer dicht kunt doen? Hoor je hem weleens klikken?'

'Ja.'

'Straalt de pijn uit naar je nek of je wangen?'

'Ja.'

'Is het ooit gediagnosticeerd als kiespijn, oorpijn of neusverkoudheid?'
'Ja. Hoor eens, ik waardeer het zeer dat je dit doet, maar ik moet naar huis.'
'Heb je ooit verwondingen aan je gezicht of aan je onderkaak opgelopen?'
Beelden van vechtpartijen toen hij jong was trokken aan hem voorbij, een auto-ongeluk toen hij een tiener was, een knokpartij in een bar tijdens zijn vrijgezellenfeest, een deur die hij tijdens een inval tegen zijn gezicht had gekregen, de explosie na de kidnapping...
'Ja,' zei Joe.
Ze deed een stap achteruit. 'Is dat goed of slecht nieuws?'
'Slecht.'
Ze schudde haar hoofd. 'Ben je een pessimist?'
'Ik ga altijd van het ergste uit.'
'Nou, ten eerste ben ik je huisarts niet, dus wat ik nu zeg is een inschatting, maar wel een goed overdachte. Het kan twee dingen zijn: een of andere vorm van aangezichtspijn, of het syndroom van Costen, ook wel het temporo-mandibulair syndroom genoemd. Mandibulair staat voor "met betrekking tot het kaakgewricht", en de rest kun je zelf wel invullen, denk ik.'
Zo te horen wist Lara McClatchie waar ze het over had, dacht Joe.
'Ik neig zelf naar het laatste,' zei ze. 'Ik heb het eerder gezien. Mijn broer heeft het.'
Ze bleef hem even aankijken. 'Waarom heb ik de indruk dat je me maar laat praten?'
Joe zei niets.
'Je wist dit al, hè?'
'Ja.'
'Waarom heb je er nooit iets aan gedaan?'
'Ik had het te druk.'
'Je zou echt tijd moeten vrijmaken om je te laten behandelen. Er wordt heel wat energie van je hersenen gevergd om dat gewricht goed te laten functioneren. En het probleem verergert als je gestrest bent, wat – zou ik zeggen – bij jou op dit moment het geval is.
Ze zullen je waarschijnlijk een mondbeugel aanmeten, die je de hele dag of alleen 's nachts moet dragen. En er is nog een andere optie, een chirurgische ingreep...' Ze begon te lachen toen ze zijn gezichtsuitdrukking zag. 'Aha!' zei ze. 'Daar hebben we de oorzaak van de ontkenning.'
Joe haalde zijn schouders op.
'Het gaat niet vanzelf weg,' zei ze.
'Kun je me er nu niet iets voor geven?'
'Je vergeet dat ik met dode mensen omga.'
'O, ja.' Hij glimlachte.

'Volgens mij heb jij dat al een tijdje niet gedaan,' zei Lara.

'Nee,' zei Joe.

'Hier,' zei ze, en ze boog zich over haar bureau en schreef iets op haar blocnote. 'Hier heb je de naam van een specialist in het KNO-ziekenhuis, dokter Morley. Zij kan je vast helpen. We hebben samen gestudeerd. Ze heeft mijn vriendje afgepikt.'

'En je stuurt mij naar haar toe om wraak te nemen?'

'Goed punt,' zei Lara grinnikend. 'Geef me dat blaadje nog eens?' Ze streepte de naam door en schreef een andere op. 'Hier, ga naar deze arts. Hij houdt niet zo van chirurgische ingrepen.' Ze glimlachte.

Joe bedankte haar en vertrok. Lara liet hem uit en ging toen naar haar assistent.

'Gill, weet jij waar mijn kniptang ligt?' vroeg ze.

Gill knikte.

'Nou, als ik daarmee één ding zou willen doorknippen, zou het de platina ring zijn die die man om de ringvinger van zijn linkerhand had.'

'Platina,' zei Gill. 'Dat zegt genoeg.'

'Ik kan niet geloven dat ik hem bijna naar die tut hola in het KNO heb gestuurd.' Ze slaakte een zucht. 'Maar even serieus, ik wil dat je een dossier voor me opzoekt.'

'Was je over hem dan niet serieus?'

'Ja, over hem ook.'

John Miller zat aan de bar met een pint bier in de ene hand en een kleintje whisky ronddraaiend met de andere. Ed stond hem enige tijd op te nemen, maar boog zich toen opeens over de bar.

'Ik ga jou wat vertellen,' zei hij in Millers oor, 'en ik hoop dat je naar me wilt luisteren.'

'En dat is?' zei John.

'Dat jij geen alcoholist bent.'

Met een trage beweging zette John zijn glas neer.

'Wat ik tegen jou zeg, Miller, is dat jouw lichaam niet verslaafd is aan alcohol. Jij drinkt om je geest te verdoven, om op die manier te vergeten, dáár ben je alleen verslaafd aan. Je zou morgen kunnen stoppen, zonder hulp, en ik denk dat je dat zelf ook weet. Maar over een halfjaar wordt het een heel ander verhaal.'

'Jezus, ik kom hier alleen om een paar drankjes te drinken,' zei John.

Ed sloeg met zijn vuist op de bar. Daarna draaide hij zich om en pakte hij een van de ingelijste foto's van de muur. Op de foto stond het rugbyteam van Munster, in 1979. Ed legde de foto met een klap op de bar en wees nijdig naar de achterste rij spelers. Daar stond John Miller, jong en gezond, met een brede, vriendelijke glimlach.

'Je was een topper!' zei Ed.

'Ach, maar uiteindelijk is het allemaal één grote hoop onzin,' zei John.

Ed begon bijna te schreeuwen. 'Wees toch niet zo verdomde moeilijk, in godsnaam! Ik heb klanten genoeg, dus één minder maakt me geen barst uit. Maar ik heb nu meer dan een maand elke dag naar dat gezeur van jou over je vrouw en kinderen geluisterd. Wat ik tegen jou zeg, is dat je moet ophouden met klagen en iets moet gaan doen. Als jouw vrouw die aardige vent van vroeger niet terug wil, wil ze die loser die je bent geworden helemaal niet terug!'

Victor Nicotero wilde net de hoorn van het toestel pakken toen hij het rode lampje van het antwoordapparaat zag knipperen. Hij drukte op *play*.

'Hallo, Nic, met Joe. De trip naar Texas gaat niet door. Ik ben niet meer zeker van mijn zaak, ik... Hoe zal ik het zeggen? De dingen veranderen voortdurend en ik ben er nog niet uit. Maar in ieder geval bedankt.'

Anna was moe en bleek toen ze de supermarkt binnenging. Ze bewoog zich snel door de korte paden en probeerde geen acht te slaan op de blikken die in haar richting werden geworpen. Haar gezicht begon te gloeien en haar handen waren klam van het zweet. Haar boodschappenmandje gleed bijna uit haar hand en toen ze zich bukte om het even neer te zetten, bevond ze zich op gelijke hoogte met twee visserslaarzen. Ze keek op.

'Ik ben niet blij met wat Shaun heeft gedaan,' zei Mick Harrington. Hij had zich hierop voorbereid, maar hij voelde zich duidelijk opgelaten.

'Wat bedoel je?' vroeg Anna.

'Nou, dat hij zijn sporen heeft laten wissen door mijn zoon Robert. Hij heeft hem naar Seascapes gestuurd om het licht uit te doen nadat hij daar met Katie was geweest. Robert had wel gearresteerd kunnen worden.'

'Ik wist niet dat Shaun dat heeft gedaan,' zei Anna. 'Maar ik ben met je eens dat het niet goed was. Wat kan ik zeggen, Mick? Shaun is heel erg van streek. Ik had er geen idee van dat dit gaande was. Anders zou ik er iets aan hebben gedaan.'

'Jij en Joe hebben van wel meer dingen geen idee, is het wel?' zei Mick. 'Of proberen jullie alles misschien te ontkennen?'

Anna wist niet wat ze moest zeggen.

'Robert komt niet meer bij jullie over de vloer,' zei Mick.

Anna bleef alleen achter in het gangpad. Ze moest haar tranen bedwingen toen ze naar de kassa liep. Ze stond in de rij toen ze iemand haar naam hoorde roepen, maar ze wilde liever niet omkijken.

'Anna,' riep de stem weer, en deze keer werd ze op haar schouder getikt. 'Hoe gaat het met je?'

Ze draaide haar hoofd om en zag Nora Deegan, die vriendelijk naar haar glimlachte.

'Het moet afschuwelijk zijn wat jij doormaakt. Echt afschuwelijk.' Nora's stem klonk overtuigd en was voor iedereen duidelijk hoorbaar.

Ze gaf Anna een kneepje in haar arm. De vrouw achter de kassa staarde hen aan.

'Maar goed, dat lijkt me overduidelijk,' zei Nora. 'Zou je zin hebben om vanmiddag een kopje koffie te komen drinken?'

'Ja,' zei Anna, 'dat zou ik heel leuk vinden.'

Barry Shanley bette een bloedend sneetje op zijn kaalgeschoren hoofd toen hij opendeed. Hij haalde diep adem toen hij zag wie er voor de deur stond.

'Hallo, Barry,' zei Frank. 'Mag ik binnenkomen?' Hij keek naar Barry's gevechtsbroek en zijn zwarte T-shirt met de tekst: LEAVE NO MAN BEHIND.

'Ja, natuurlijk.' Barry deed een stap achteruit.

'Is je vader thuis?'

Barry's vader werkte op de veerboten die uit Rosslare vertrokken. Hij was zelden thuis.

'Eh... ja.'

'En je moeder?'

Barry knikte. 'Moet ik ze roepen? Ik ben met mijn huiswerk bezig.' Hij pakte de trapleuning al vast.

'Ik wil jou ook spreken,' zei Frank.

'O... oké.'

Meneer en mevrouw Shanley namen Frank mee naar de woonkamer en gingen ongemakkelijk op de bank zitten. Barry bleef bij de deur tegen de muur hangen. Frank haalde de e-mail uit zijn binnenzak, vouwde hem open en gaf hem aan meneer Shanley.

'Wat is dit?' vroeg Shanley.

'Nou, vroeger zouden we dit een pestbrief hebben genoemd. Tegenwoordig kan dat ook per e-mail. Deze e-mail is naar Shaun Lucchesi gestuurd en ik denk dat Barry dat heeft gedaan.' Beide ouders keken hun zoon aan.

'Ik weet niet waar je het over hebt,' zei Barry. Zijn ouders knikten.

'Ach kom, Barry,' zei Frank. 'Voordat ik gisteren naar huis ging, heb ik een bezoekje gebracht aan meneer Russell, de computerdocent van school. Die is erin geslaagd de afzender te traceren, en dat ben jij.'

'Dat moet een misverstand zijn,' zei mevrouw Shanley. 'Dit is heel erg. Het is afschuwelijk om zoiets te versturen, hoe erg het ook is wat Shaun Lucchesi heeft gedaan.'

'Wat dénkt u dan dat Shaun Lucchesi heeft gedaan?' vroeg Frank.

Mevrouw Shanley begon te blozen.

'Ja, het is inderdaad afschuwelijk om zoiets te versturen,' zei Frank. 'En ik ben bang dat Barry degene is die dat heeft gedaan.' Hij draaide zich om naar Barry. 'Meneer Russell is een expert op het gebied van computers en hij is bereid voor de rechtbank te verklaren dat jij de afzender bent.'

Barry's ogen werden groot. 'Moet ik voor de rechtbank verschijnen?' Hij begon te beven.

'Het is allemaal jouw schuld,' zei mevrouw Shanley tegen haar man. Iedereen keek haar aan.

'Nou, dat vind ik wel,' zei ze. 'Jij bent er nooit om die jongen een beetje discipline bij te brengen.'

Frank keek Barry weer aan. 'Nee,' zei hij, 'je hoeft niet voor de rechtbank te verschijnen. Maar ik vind wel dat je de Lucchesi's je excuses moet aanbieden.'

Barry begon te huilen.

Het was zes uur in de ochtend toen Danny Markey zich over de rugleuning van de bank boog, de telefoon pakte en Joe's nummer draaide.

'Je weet tegenwoordig niet meer wie er op je hamburger spuugt,' zei hij toen Joe opnam.

'Danny? Wat is er aan de hand? Waarom ben je al op?'

'Het is weer banknacht in huize Markey. Ik heb Kane gesproken. Hij werkt in een hamburgertent, hier in New York, dus fijn dat je de berg naar Mohammed hebt gebracht. En als ik zeg "berg", bedoel ik ook "berg". Een reus van een kerel, maar een soort knuffelbeer, merkwaardig genoeg. En een beetje een komediant. Moeilijk te rijmen met zijn strafblad. Marteling, verminking... Hij heeft iemand een oog uitgestoken, met een schaar, omdat die naar hem floot. Een psychopaat van de bovenste plank.'

'En wat had hij over Rawlins te zeggen?'

'Niet veel, vrees ik. Hij zei dat Rawlins gek was – dat moet Kane nodig zeggen – en hij heeft het voor me gespeld. Rawlins werd geobsedeerd door Harris-haviken, wat aansluit bij wat je eerder zei. Hij is compleet doorgedraaid toen hij hoorde dat Riggs dood was, maar hij was het er wel mee eens dat Riggs moeder en dochter had opgeblazen, omdat je je aan je beloftes moest houden. Dat was het ongeveer. Geen woord over jou, vriend.'

'Dat had ik ook niet verwacht. Hoor eens, ik... ik weet het niet...' Zijn gedachten waren samengeklonterd in zijn hoofd, moesten van elkaar losgetrokken worden voordat hij ze kon uitspreken.

'Volgens mij moet je het echt een tijdje laten rusten, Joe. Je klinkt niet als jezelf. Is alles oké met je? Hoe laat is het daar? Heb je aan het bier gezeten?'

'Nee,' zei Joe. 'Ik heb pijn in mijn gezicht, dat is alles.' Niets leek te kloppen. Hij begon in paniek te raken.

'Luister,' zei Danny. 'Binnenkort is het allemaal voorbij en blijkt een of andere plaatselijke gek de dader te zijn.'

'Daar ben ik nog niet zo zeker van,' zei Joe.

'Man, je klinkt echt alsof je behoefte aan slaap hebt.'

Joe snoof. 'Slaap... geweldig.' Hij wreef zich in de ogen.

'Nou, neem dan een douche. Ik ben degene die je midden in de nacht belt, weet je nog?' Hij lachte maar kreeg geen reactie.

'Jezus, het vreemdste vergeet ik je nog te vertellen,' zei Danny. 'Wat hij over het losgeld zei... Ik heb het nagekeken en volgens mij heeft hij gelijk. Ik stuur het Hayley Gray-dossier met FedEx naar je toe, oké?'

Anna was nooit eerder in het huis van de Deegans geweest. Het was in een zijstraat in Mountcannon, maar aan de andere kant van het politiebureau, zodat het geen uitzicht op zee had. De traditionele groene kozijnen en deurposten stonden strak in de verf en het dak zag er nieuw uit. Er was geen bel, dus liet Anna de koperen deurklopper een paar keer zachtjes neerkomen.

'Nou, de vrouw van de brigadier heeft toch zeker niet de moeder van een moordenaar thuis uitgenodigd, hè?' zei Nora toen ze haar binnenliet.

Nora's directheid kon mensen soms aan het schrikken maken, maar Anna slaagde erin te glimlachen.

'Dank je,' zei ze. 'Ik vind dit heel aardig van je.'

'Het genoegen is aan mijn kant,' zei Nora. 'Er speelt zelfs een beetje eigenbelang mee. Ik had gehoopt je uit te horen terwijl je hier was.'

'Waarover?'

'De galerie. Het interieur van de galerie, om precies te zijn. Ik wil dat het perfect wordt, maar weet je, ik heb geen groot budget.'

'Ik wil je graag helpen,' zei Anna. 'Maar weet je het zeker? Ik wil je niet in de problemen brengen. Ik weet hoe mensen kunnen zijn.'

Nora trok een gezicht. 'Ik heb een expert nodig en daarmee basta. Wat de mensen denken en zeggen zal me een zorg zijn.'

'Ik ben niet echt een expert,' zei Anna. 'Ik ben vrij nieuw in dit vak.'

'Maar je werkt voor een van de beste interieurtijdschriften van de wereld.'

'Ik had contacten en heb geluk gehad,' zei Anna. 'Maar ze zijn niet naar mij toe gekomen. Ik ben eigenlijk pas begonnen, ben pas vier jaar binnenhuisarchitect. Ik ben naar hén toe gestapt... met een voorstel waarvan ik hoopte dat ze er geen nee op zouden kunnen zeggen. Mijn docente op de academie heeft me altijd goede cijfers gegeven en toen ik haar mijn plan vertelde, heeft ze me doorgestuurd naar een vriendin die bij het tijdschrift werkt en die graag risico's neemt.'

'Nou, dan heb je het toch verdiend. We hebben het over een heel kostbaar risico. Wat ik bedoel is dat ze je de opdracht niet gegeven zouden hebben als ze er niet van overtuigd waren dat je die aankon.'

'Joe kan je vertellen dat ik niet erg goed ben met budgetten.'

Shaun haalde zijn koffer uit de kast en legde die geopend op zijn bed. Hij haalde een stapeltje schone kleren uit de la toen Joe de trap in zijn kamer af kwam lopen.

'Wat is hier aan de hand?' vroeg Joe.

Shaun draaide zich met een ruk om. 'Kun je niet kloppen?'

'Ik heb geklopt. Ik kreeg geen antwoord. Wat ben je aan het doen?'

'Aan het pakken.'

'Kom op, Shaun, doe een beetje normaal. Waar denk je naartoe te gaan?'

'Naar huis. Terug naar New York.'

'Wat?'

Shaun keek naar de vloer. 'Opa heeft me een ticket gestuurd.' Hij wees naar zijn bureau. Joe griste het smalle plastic mapje van het werkblad.

'O, ja?' zei hij terwijl hij weer naar de trap liep. 'Dat zullen we nog weleens zien. Ik zou die koffer maar opbergen als ik jou was. Nadat ik je grootvader heb gesproken, ga ik een eindje lopen en daarna ga ik naar Danaher's. Je kunt maar beter thuis zijn als ik terugkom.'

'Waarschijnlijk schenken ze je niet eens,' riep Shaun hem na. 'Iedereen heeft de pest aan ons.'

Nora pakte een stapel boeken, tijdschriften en papieren van het bureau in de hoek en legde die op de keukentafel. Ze sloeg de boeken open op de pagina's waar ze kartonnen kaartjes tussen had gestopt en liet Anna de kunstenaars zien van wie ze het werk hoopte te exposeren. Daarna volgden de knipsels uit de culturele bijlagen van kranten, tijdschriftartikelen over kunst en de faxen van contacten in andere kleine galeries her en der in het land.

'Ik denk dat ik thuis iets heb wat je misschien zou willen zien,' zei Anna. 'Een idee waaraan ik ooit ben begonnen, maar waarvoor ik nog niet de tijd heb gehad om het af te maken.'

'Geweldig,' zei Nora terwijl ze haar papieren sorteerde.

'Wie is dit?' vroeg Anna, en ze wees naar een ernstig gezicht waarvan de onderste helft door andere papieren werd afgedekt. 'Een kunstenaar?'

Nora stak haar hand uit naar de fax en begon te blozen. Anna had hem echter al uit de stapel getrokken en wist meteen dat ze naar een politiefoto keek. Ze sloeg haar hand voor haar mond.

'Die is van Frank,' zei Nora. 'Die moet per ongeluk tussen mijn spullen terechtgekomen zijn.'

Anna was heel bleek geworden. 'O, mijn god,' zei ze. 'Wie is dit?' Ze keek Nora aan.

'Wie is dit en waarom heeft Frank zijn foto?' Haar hand trilde. Nora zei niets. Anna keek weer naar de fax en zag links onderaan een paar neergekrabbelde letters staan: 'chesi'. 'Heeft dit iets met Joe te maken?' vroeg ze met trillende stem.

'Dat zul je aan Frank moeten vragen,' zei Nora. 'Het spijt me. Dit is míjn schuld.'

'Nee, jij kunt er niks aan doen,' zei Anna. 'Maar ik moet naar huis. Ik moet met Joe praten.'

Joe toetste het nummer in en liep al door de keuken te ijsberen voordat Giulio zelfs maar had opgenomen.

'Waar denk jij verdomme dat je mee bezig bent?' vroeg Joe.

'Ik neem aan dat je het over dat vliegtuigticket hebt. Ik help mijn kleinzoon, dat is alles.'

'De begrijpende opa uithangen... Hij heeft jouw hulp niet nodig.'

'Die jongen heeft een hoop doorgemaakt. Hij kan best een korte vakantie gebruiken.'

'Dat is jouw zaak niet. Ben je nou helemaal gek? Je in onze zaken mengen en hem terughalen naar New York? Hoe denk je dat de mensen hier daarop zullen reageren?'

'Hij heeft me gebeld en om hulp gevraagd. Dus heb ik hem geholpen.'

'Om ervoor weg te vluchten. Ik kan niet geloven dat ik dit gesprek moet voeren. En ik kan ook niet geloven dat Shaun jou heeft gebeld.'

'Ik geloof niet dat jij goed begrijpt wat er in het hoofd van die jongen omgaat,' zei Giulio.

'Waar heb je het over?'

'Hij voelt zich een soort misdadiger. Hij is pas zestien...'

'Wat weet jij verdomme van zestienjarige jongens?'

'En dan kom jij en je probeert je in de zaak te mengen, waardoor die arme jongen het nog moeilijker heeft.'

Joe was verbijsterd. 'Dit is jouw zaak niet,' snauwde hij.

'Het is mijn zaak als mijn kleinzoon ongelukkig is.'

'Maar als je zoon ongelukkig is...'

'Kom op, Joe, word toch eens volwassen. Pappie en mammie houden nog steeds van je, ze kunnen alleen niet meer met elkaar samenleven.' Zijn stem had een zeurende, sarcastische klank.

'Wat ben jij een harteloos mens, Giulio.'

'Shaun moet er gewoon even uit, zich ontspannen, ergens waar mensen hem níét uit de weg gaan.'

'De mensen gáán hem niet uit de weg, jezus christus!'

'Hij ziet dat anders. Hij zit in een fase waarin hij geaccepteerd wil worden. En dat gebeurt niet in dat rustieke dorpje van jou. Haal hem daar verdomme weg voordat er blijvende schade wordt aangericht. Hij bevindt zich in een belangrijke levensfase...'

'Wat? Probeer je iets goed te maken? Is dat het? Je bent er nu voor hem omdat je er voor mij vroeger nooit was?'

'Nou, moet je zien wat er van je geworden is. Jij hebt nooit iets kunnen volhouden.'

'Godallemachtig, hij begint weer over mijn studietijd. Moet ik het voor je spellen? Het zóú niet gaan zoals jij het wilde. Ik ben niet geboren om iets te worden waarover jij kon opscheppen tegen je docentenvrienden en iedereen op wie je verdomme nog meer indruk wilde maken. Ja, mijn zoon is een smeris, ja, ja. Dat komt zeker weinig ter sprake als je met de decaan aan het lunchen bent, hè? Luister, pa, ik zou een waardeloze entomoloog geworden zijn, oké? En ik ben een verdomd goede smeris geworden.'

'Waarom ben je nu dan niet aan het werk?'

Joe was sprakeloos.

'Je hebt er een rotzooitje van gemaakt, Joe, en dat weet je.'

Er klonk geruis op de telefoonlijn. Joe kon niet bozer worden dan hij al was, dus koos hij voor een andere benadering. Hij haalde een paar keer diep adem, riep zichzelf tot de orde en ging zachter praten.

'Dus jij denkt dat ik niks kan volhouden, hè? Denk je dat echt? En Anna dan? De vrouw van wie ik hou en die ik op mijn trouwdag heb beloofd dat ik haar altijd en met heel mijn hart zou liefhebben? Achttien jaar zijn we getrouwd. Dus dat is toch iets wat ik heb volgehouden. Iets – en ik denk dat je dat met me eens moet zijn – wat een verdomde hoop eervoller is dan een stervende vrouw te laten barsten, zoals jij hebt gedaan.'

De jeep was weg en er was niemand thuis toen Anna binnenkwam. Joe's mobiele telefoon lag op het aanrecht. Ze was nog steeds van streek van de foto die ze had gezien. Ze wilde er liever niet aan denken wat die te betekenen had. Ze herinnerde zich het plan dat ze aan Nora had willen laten zien en liep naar de archiefkast in de tussenkamer. Ze wilde de bovenste la opentrekken, maar die bleef steken. De la daaronder stond nog een stukje open. Ze bukte zich en trok hem helemaal open. Achterin, uit een bruine dossiermap zonder naam erop, zag ze de hoek van een velletje schrijfpapier steken. Haar hand bleef er even boven hangen. Dit was Joe's la. Toch pakte ze het velletje papier vast en trok het uit de map. Het was een korte brief, gericht aan de Afdeling Personeelszaken op Police Plaza nummer 1. Haar hart sloeg een slag over. Ze keek en las:

Joe Lucchesi, penningnummer ... verzoekt hierbij in zijn functie te worden hersteld... met onmiddellijke ingang... Beschouwt u deze sollicitatie...

Anna sloeg de deur met een klap achter zich dicht.

De hemel was grijs boven Mariner's Strand. Joe liep op het strand, keek naar de schelpjes en wenste dat hij hier was om van het uitzicht te genieten. Maar in plaats daarvan dacht hij aan verdriet. Zijn eigen verdriet, door de teloorgang van zijn perfecte huwelijk, en dat van Shaun, door de dood van zijn beeldschone vriendin. Hij zag Frank en Nora Deegan langs de branding lopen en ging naar hen toe. Frank knikte naar zijn vrouw en ze liep alvast door.

'Ik weet niet of het voor jou goed of slecht nieuws is, Joe, maar ik heb ontdekt wie die e-mail aan Shaun heeft gestuurd. Het was Barry Shanley, een vijfdejaars leerling van St. Declan's, die zijn hand heeft overspeeld toen hij de stoere jongen probeerde uit te hangen.'

'Weet je dat zeker?' vroeg Joe. 'Maar...'

'De computerdocent van de school heeft de herkomst tot in de details nagegaan. Er bestaat geen enkele twijfel over en Barry heeft het zelf toegegeven. Hij huilde toen ik bij hem wegging. Je hebt een hoop doorgemaakt, Joe. Ik begrijp best dat dit soort dingen je in de war maken. O, en Ritchie is vandaag bij Mae Miller langs geweest en hij zei dat we ons over haar geen zorgen hoeven te maken. Ze lijdt niet aan de ziekte van Alzheimer, Joe. John Miller kan soms een rare druif zijn. Misschien heeft hij het gezegd om een of ander soort sympathie te winnen?'

Anna ijsbeerde door het huis en vroeg zich af wat ze moest doen. Ze wilde haar boosheid niet verspillen aan een telefoontje waaraan Joe met één druk op de knop een eind aan kon maken. Ze wilde dat hij alle teleurstelling en gekwetstheid zag die ze voelde. Ze had gelijk gehad; haar beide jongens hadden tegen haar gelogen. Ze had altijd voor hen geknokt en nu behandelden ze haar op deze manier.

'Jullie kunnen de pot op, allebei,' mopperde Anna.

Ze hurkte weer neer bij de la toen ze de deurbel hoorde. Ze verroerde zich niet. Er werd nog een keer gebeld. Ze richtte zich op, stormde de gang door en rukte de deur open. Voor de deur stond een man, die naar haar glimlachte. Hij had bruine cowboylaarzen aan, een strakke spijkerbroek, een geruit hemd en een crèmekleurig vest. Anna's hart begon te bonken en ze verroerde zich niet. Hij herinnerde haar eraan dat hij Gary was, de plaatsvervanger van Mark de tuinman. Ze merkte dat ze naar zijn gespierde onderarmen staarde. Toen merkte ze dat hij was opgehouden met praten. Ze keek op. Hun blikken ontmoetten elkaar. Zijn glimlach verdween. In een wanhopige poging probeerde ze de deur dicht te duwen. Ze zette haar blote voet ertegenaan. Maar Duke duwde haar achteruit, naar de muur. De ruwe onderkant van de deur schoof over haar voet en er drongen splinters door de huid. Anna schreeuwde het uit, trok haar voet weg en de deur sloeg tegen de muur. Ze liet zich op haar knieën vallen en probeerde langs Duke naar buiten te kruipen. In één stap was hij bij haar. Hij sloeg zijn arm om haar middel, trok haar tegen zich aan en perste haar maag en ribbenkast in elkaar. Ze probeerde zijn arm los te trekken, maar hij hield haar stevig vast. Ze merkte dat haar hoop begon te verdwijnen. Toen hij haar naar buiten droeg, ving ze zijn vervormde spiegelbeeld op in de ruit van de deur. Het enige wat ze kon onderscheiden waren zijn ogen, en de sterk vergrote pupillen zorgden ervoor dat ze het uitschreeuwde van angst. De vensters van de ziel... en die ziel was inktzwart.

Ray en Hugh stonden aan de bar en waren weer eens in gesprek toen Joe bij hen kwam staan.

'Voor mij zijn die gezichten op compositietekeningen van de politie van een heel apart ras mensen,' zei Hugh. 'Zoals van die gast van American Heroes. Dat gezicht bestaat in werkelijkheid niet. Alleen in een politiedossier of in de krant. Ik bedoel dat het gezicht dat we zien niet echt van iemand is. Het is een soort samenraapsel van details uit het geheugen. Ik stel me vaak voor dat zo'n tweedimensionaal gezicht met dreigende ogen, scherpe jukbeenderen en altijd zo'n vals mondje met dunne lippen zich bij de politie komt melden en zegt: "Hallo, ik kom mezelf aangeven voor die bankroof", waarop de politie dan zegt: "Je lijkt helemaal niet op onze compositietekening, dus ga jij maar weer weg."' Hij keek van Ray naar Joe. 'Begrijpen jullie wat ik bedoel?'

'Hughs computer is in reparatie,' zei Ray. 'Dat maakt hem nogal van streek.' Hugh trok een bedroefd gezicht en knikte.

'Ik heb die tekening waar jij het over hebt niet gezien,' zei Ray, 'maar volgens mij zijn ze altijd slecht. Een paar jaar geleden was er in de buurt van Waterford een serieverkrachter actief en had de politie een compositietekening gepubliceerd die sprekend op mij leek. Ik zweer het. Dat ding stond in alle kranten. Ik dacht eerst dat ik de enige was die de gelijkenis opmerkte, maar toen iedereen me begon aan te staren...'

'Misschien had Ritchie Bates die wel getekend, om je te pesten,' zei Hugh.
'Dat zou die steroïdenclown nooit doen,' zei Ray.
'Nou, sinds die woede-uitbarsting op straat van pasgeleden...' zei Joe.
'Wat heeft hij nu weer gedaan?' vroeg Ray.
'Hoe bedoel je? Je was er zelf bij.'
Ray staarde hem aan.
'Met die kapotte vuilniszak, voor je huis...'
Ray en Hugh keken elkaar aan, en Ray begon te grinniken.
Er werden drie glazen bier voor hen neergezet en ze veranderden van gespreksonderwerp.

Toen Robert Harrington uit zijn raam klom, liet hij zich op het glazen dak van de bijkeuken zakken en zette hij zijn voeten zorgvuldig neer op de aluminium sponningen. Hij liep er langzaam overheen, sprong in de tuin, rende die door en liep de weg op.
'Code groen,' zei Shaun toen hij opendeed. 'Mijn vader en moeder zijn weg.'
'Jij en je maffe uitdrukkingen,' zei Robert. 'Kun je niet gewoon zeggen: "De kust is veilig" of zoiets? Je ziet er trouwens beroerd uit.'
'Dank je. Kom binnen. Ik zal je alles vertellen. Mijn hele leven ligt overhoop. Ik vind dat we de drankkast moeten plunderen.'
'Dat lijkt me een goed excuus,' zei Robert. 'En ik heb Ali gebeld. Ze is onderweg.'

De keukentafel lag bedekt met dossiers. Frank zat voorovergebogen, leunend op zijn ellebogen, in een van de dossiers te lezen. Nora verscheen in de deuropening.
'Ik moet je nog vertellen wat er vandaag gebeurd is...'
Frank stak zijn hand op om haar te stoppen. Hij keek naar haar op en zijn ogen werden vergroot door zijn brillenglazen.
'Sorry,' zei hij. 'Ik zit me suf te piekeren, maar ik kom er niet uit.'
'Ik weet dat je je best doet, schat,' zei Nora. 'Je ziet bleek en je hebt enorme wallen onder je ogen. Voel je je wel goed?'
'Mijn maag is van streek.' Hij knikte naar de koffiepot.
'Soms werkt het,' zei ze, en ze glimlachte. 'Als je een hoop aan je hoofd hebt. Om je aan de gang te houden.'
'Ik... wat mij niet loslaat is waarom Katie juist *míj* heeft gebeld. Waarom niet 999, of het bureau, of Shaun desnoods? Alhoewel, ze hadden ruzie gehad, dus ik mag aannemen...' Frank zuchtte. 'Ik weet het gewoon niet.'
'Laat O'Connor maar niet horen dat je dat zegt.'
Ze lachten.

‘Zet dat telefoontje uit je hoofd,’ zei Nora terwijl ze achter hem kwam staan en zijn schouders masseerde. ‘Binnenkort zal je duidelijk worden wat het te betekenen had.’ Ze draaide de lamp bij. ‘Dat is beter.’

‘Dank je,’ zei Frank.

‘Ik zal je aan je werk laten.’

Toen Joe de jeep de oprit op draaide, viel het licht van de koplampen op het bovenste deel van de vuurtoren, waar hij iemand gevaarlijk over de reling van de galerij zag hangen. Hij reed achteruit en zag aan de voet van de vuurtoren nog twee mensen staan, die wild stonden te zwaaien naar de persoon op de galerij. Joe zette zijn voet op het gaspedaal, reed door tot halverwege de oprit, zette de motor uit en rende naar de voet van de vuurtoren. Er viel een nevelige motregen en toen hij dichterbij kwam herkende hij Ali, die panisch naar boven stond te staren. Robert draaide zich naar hem om en verloor bijna zijn evenwicht.

‘Meneer Lucchesi,’ zei hij, en hij wees naar boven. ‘Het is Shaun. Hij is stomdronken. Hij zegt dat hij naar beneden gaat springen.’ Robert stonk naar bier, maar de schrik had hem grotendeels ontnuchterd.

‘Jezus christus,’ zei Joe. ‘Wat is er gebeurd?’

‘O mijn god, o mijn god, o mijn god,’ zei Ali hysterisch.

‘We hadden binnen zitten drinken,’ zei Robert. ‘Shaun wilde ineens naar buiten, de regen in, dus zijn we met hem meegegaan en toen zei hij dat hij ons de vuurtoren wilde laten zien. Hij is naar boven gerend en nu hangt hij al een eeuwigheid over de reling en zegt hij dat hij dood wil. We wisten niet wat we moesten doen. We konden hem niet aan zijn lot overlaten.’

‘Waar is Anna?’ vroeg Joe.

‘Dat weet ik niet,’ zei Robert. ‘Shaun zei dat ze uit was.’

‘Heeft hij iets gebruikt?’ vroeg Joe.

‘Drugs bedoelt u? Nee, maar hij heeft wel van alles door elkaar gedronken.’

‘Shit,’ zei Joe.

Ze zagen dat Shaun begon over te geven en de wind het braaksel terugblies in zijn gezicht.

‘Ik wil dood,’ kreunde hij.

‘Nou, ik wil je wel een handje helpen,’ mompelde Joe.

Robert glimlachte. ‘Het spijt me, meneer Lucchesi. ‘Ik wist niet dat...’

‘Het is jouw schuld niet,’ zei Joe. ‘Shaun heeft een moeilijke tijd achter de rug. Dit was te verwachten.’

‘Je wilt niet dood, Shaun!’ riep Joe naar boven. ‘Kom in godsnaam naar beneden, dan zal ik koffie voor je zetten.’

‘Mijn leven is naar de knoppen,’ riep Shaun terwijl hij achteruit wankelde en zich vastgreep aan de reling. 'Katie is dood en iedereen denkt dat ik haar heb vermoord.'

'Nee, dat is niet waar,' riep Robert.

'Wat weet jij daar nou van?' zei Shaun. 'Je mag van je vader niet eens met me omgaan.'

Robert keek Joe aan en haalde zijn schouders op.

'Kom op, jongen,' riep Joe naar Shaun. 'Dit is dronkemanspraat. Ik kom naar boven en dan gaan we samen naar beneden. Blijf daar staan en hou je vast, oké?'

'Sodemieter op en laat me met rust,' schreeuwde Shaun, en hij trok zijn knie omhoog om op de reling te klimmen. Hij wankelde achteruit, viel tegen de muur en bleef er dubbelgevouwen tegenaan zitten. Hij gaf weer over en veegde het braaksel van zijn mond met zijn mouw.

'Oh, jezus,' zei Joe. 'Ik ga naar boven, jongens. Wachten jullie hier. Hij springt heus niet. Hij kan zijn been niet eens over de reling krijgen.'

Joe trok de dubbele deuren open en liep de trap naar het lampenhuis op. Toen duwde hij de deur open en stapte hij de galerij op. Shaun zat te huilen, met schokkende schouders en zijn handen voor zijn ogen. Joe ging naast hem zitten en sloeg zijn arm om hem heen. Hij streek zijn haar uit zijn gezicht en zei dat het allemaal goed zou komen. Naar Robert en Ali riep hij dat ze naar huis moesten gaan.

Na een halfuur slaagde hij erin Shaun overeind te trekken, hem de trappen af te helpen en over het gazon naar het huis te brengen. Shaun mompelde voortdurend onsamenhangende woorden en verviel abrupt van de ene gemoedsstemming in de andere.

'Anna,' riep Joe toen ze binnenkwamen.

'Moeder,' riep Shaun met een geaffecteerd Engels accent. 'O, moeder.' Joe lachte.

'Heeft je moeder gezegd waar ze naartoe ging?' vroeg Joe.

'Nee,' zei Shaun. 'Ik weet het niet meer. Misschien wel. Wie zal het zeggen?' Hij slaakte een diepe zucht.

'Nou, aan jou heb ik niks. Schiet op, naar bed. Nu meteen. Nee, wacht. Eerst douchen.'

Shaun zakte in elkaar op de vloer. Hij rolde zich op tot een bal, met zijn gezicht op de deurmat, en deed zijn ogen dicht.

'Schiet op, opstaan,' zei Joe. Hij trok hem overeind en sleepte hem naar zijn kamer. 'De rest kun je zelf wel.'

Joe liep naar de keuken, maar het licht was uit en er was niemand. Hij liep de trap op en riep Anna's naam weer. Maar hij kreeg geen antwoord.

24

Stinger's Creek, Texas, 1989

Op de houten banken zat niemand en de tuinsproeiers stonden aan. Een oudere tuinman met een licht, geruit shirt reikte achter zich en trok de katoenen stof los van zijn bezwete rug. Duke Rawlins stond bij een groot bord dat hem in zwierige groene letters vertelde dat hij hier bij het Pleasance Retirement Home was.

In zijn spijkerbroek, waar een winkelhaak in zat, een zwart T-shirt en met zwarte motorlaarzen aan zijn voeten volgde Duke het lange pad naar de ingang en veegde hij met zijn onderarm het zweet van zijn voorhoofd toen hij de koele hal binnenstapte. Een vriendelijke verpleegster wees hem de lift. Hij stapte uit op de derde verdieping en vond de zesde deur links. Die stond halfopen. Duke klopte er zachtjes op.

'Mevrouw Genzel? Ik ben het, Duke. Duke Rawlins. Uit de vijfde klas.'

'Wat?' zei mevrouw Genzel, en ze keek even om vanaf haar plek bij het raam. 'Nog steeds? Ik had gehoopt dat je inmiddels van school af was.'

Duke glimlachte.

De kamer had zachtroze muren en het rook er naar parfum en rozen. Duke zag geen medische apparatuur, geen zuurstoffles, geen infuus, geen pillen of drankjes, geen rollator of wandelstok. Op het tweepersoonsbed bij de achterwand lagen vrolijk gekleurde kussens. Het witte metalen hoofdeinde was versierd met een streng donkerrode lampjes die de vorm van bloemen hadden.

Mevrouw Genzel zat op een rechte stoel bij het raam. Haar kapsel was niet veranderd en ze was geen ons aangekomen sinds Duke haar voor het laatst had gezien, in het jaar dat zij met pensioen ging en hij in de vijfde klas zat. Ze had een grijze pantalon aan, donkerblauwe schoenen en een witte blouse, en ze had een witte stola met kwastjes om haar schouders.

'Ga zitten,' zei ze. 'Ik krijg last van verlatingsangst als ik wegga bij het raam.'

'Het is zeker een mooi uitzicht,' zei Duke terwijl hij een roze fauteuil bijschoof.

'Ja. Veel andere mensen hier zitten de hele dag in de zaal tv te kijken. Nou, tv-kijken kan ik altijd nog. Voorlopig hou ik me liever bij mijn boeken. Mijn gewone boeken...' Ze wees. '...en mijn luisterboeken.' Op het nachtkastje stond een cd-speler waarop een grote, ouderwetse koptelefoon lag. Duke keek ernaar.

'Ik hou niet van die oordopjes. Ze doen pijn aan mijn oren of ze vallen er steeds uit...' Ze glimlachte naar Duke.

'Ik had niet verwacht dat u me nog zou herkennen,' zei Duke.

'Ja hoor, ik weet wie je bent,' zei ze. 'Wat aardig van je dat je me komt opzoeken.'

'Ik had gehoord dat u hier woonde. Hoe is het hier?'

'Ik heb het meer naar mijn zin dan je zou verwachten.'

'Het ziet er leuk uit, huiselijk.'

'Ja, dat is het. En ik heb een hoop nieuwe, goede vrienden gemaakt die ik elke dag kan zien. We praten met elkaar over wat we maar willen: boeken, films, toneel, hun families...'

'De gebruikelijke dingen.'

Ze knikte.

'En jij, Duke? Wat heb jij zoal gedaan? Op het gebied van werk, bedoel ik.'

'Ach, van alles. Ik heb een tijdje in een snackbar gewerkt. En op de kartbaan. Dat was leuk.'

'Zie je die vriend van je nog steeds, Donald?'

'Elke dag. Het gaat prima met hem. Hij werkt in het magazijn van een of ander groot opslagbedrijf.'

Ze praatten over alles waar twee mensen die elkaar niet echt kenden over konden praten. Daarna zaten ze een tijdje zwijgend bij elkaar. Ten slotte boog Duke zich naar voren en wreef met zijn handen over de stof van zijn spijkerbroek.

'U was het, hè?' vroeg hij opeens. Hij zei het zonder haar aan te kijken.

'Ik was wat?' vroeg ze.

'Die toen gebeld heeft. Toen Sparky was doodgegaan. Ik weet niet welke overheidsdienst het was... maar ze zijn naar ons huis gekomen. Ze hebben daar rondgekeken en met mama gepraat.' Hij kneep zijn ogen dicht. 'En ze zijn nooit meer teruggekomen.'

Mevrouw Genzel stak haar hand uit en legde die licht op Dukes arm. 'Het spijt me. Het spijt me heel erg.'

'Was u het?'

'Een anonieme beller, zou ik zeggen.' Ze klopte zachtjes op zijn arm.

Duke keek even naar het profiel van haar gezicht, maar draaide zich toen weer naar het raam.

'Nou, ik kan maar beter gaan,' zei hij, en hij stond op. Hij schoof de fauteuil weer in de hoek en draaide zich naar haar om.

'Pas goed op uzelf,' zei hij.

'Jij ook, Duke.'

'Dank u,' zei hij vanuit de deuropening.

Mevrouw Genzel trok haar stola strakker om haar schouders. Ze zette haar bril af en begon de glazen te poetsen met het vierkante lapje dat ze opgevouwen in haar zak bewaarde. Ze reikte achter zich en pakte een dikke reisgids van het nachtkastje. Ze haalde de boekenlegger eruit en probeerde te lezen. Toen dat niet lukte, keek ze weer naar buiten om te zien of er in de tuin nog iets gebeurde.

Een jonge verpleegster kwam door de open deur de kamer in lopen.

'Nou, mevrouw Genzel, u bent echt de kluizenaar van dit huis, hè? Wie was dat?'

Mevrouw Genzel antwoordde zonder haar hoofd om te draaien. 'Ik wou dat ik het wist.' Ze schudde bedroefd haar hoofd. 'Maar wie kan ik nu nog bellen?'

De verpleegster keek haar niet-begrijpend aan. 'Hij zag er leuk uit.'

De gele driewieler glom in het zonlicht en de veelkleurige linten aan de handvatten hingen recht naar beneden. Het was bloedheet en er stond geen zuchtje wind. Cynthia Sloane gooide de achterdeur van haar huis wijdopen. Het zonlicht scheen door haar jurk en de contouren van haar slanke benen waren zichtbaar onder de dunne stof. Cynthia was moe en geïrriteerd. Al drie middagen achter elkaar was ze elke keer als ze een dutje probeerde te doen gewekt door het hartverscheurende gekrijs van een kat in haar achtertuin. Met twee kleine kinderen en een pasgeboren baby had ze dringend behoefte aan slaap, en ze werd gek van dat krijsende mormel. Ze had een bezem in haar rechterhand en liet haar blik door de tuin gaan. Ze hoorde het zachte gekreun en deze keer was ze er klaar voor. Met grote passen liep ze naar het midden van de tuin en bleef daar staan. Ze hoorde geritsel in het schaduwrijke groen dat doorliep tot aan de weg. Ze liep ernaartoe en duwde de bezem in de struiken. Ze trok hem terug en deed het nog een keer.

'Smeer hem, rotbeest!' riep ze. 'Mormel dat je bent...' Opeens greep een hand de bezem vast en werd ze naar voren getrokken, omgedraaid en achterwaarts het groen in gesleurd. Ze slaakte een kreet. Donnie drukte snel zijn hand op haar mond. Cynthia bukte zich, pakte de bezem van de grond en sloeg met de steel tegen de zijkant van zijn gezicht. Donnie greep haar stevig vast en sleepte haar door het groen naar de weg, waar Duke in de pick-up op hen wachtte.

25

Joe liep het hele huis door en kwam ten slotte terecht in de werkkamer.

'O shit,' zei hij toen hij zijn sollicitatiebrief op de vloer zag liggen. Hij schudde zijn hoofd. 'O shit.' Meteen werd zijn borstkas samengedrukt door schuldgevoel. Zijn eerste gedachte was erover te liegen, te doen alsof de brief een soort laatste noodplan was. Hij kon tegen Anna zeggen dat hij die had geschreven toen ze hem over John Miller had verteld. Zijn tweede gedachte was dat zijn vrouw veel te intelligent was om dat te geloven. Ze zou niet weggegaan zijn als ze dacht dat er een redelijke verklaring voor de brief zou zijn, een andere dan de meest voor de hand liggende.

Toen voelde hij een steek van ergernis. Hij dacht vooruit aan de ruzie die hij met haar zou hebben en stelde zich voor dat hij riep: 'Politieman zijn is mijn leven, Anna. Waarom moet ik altijd alleen maar doen wat *jíj* wilt?' Zwak. Het was niet eens waar. Hij had maar één keer zoiets geroepen, toen ze naar Ierland waren gekomen. En hij wist dat alles wat hij tijdens een ruzie te berde zou brengen van tafel zou worden geveegd. De enige kans die hij had, was dat ze hem zou vergeven. Hij vroeg zich af of het niet oerdom was geweest om de brief te schrijven zonder haar erover te vertellen.

Hij liep naar de slaapkamer en trok de deur van haar kledingkast open om te zien of ze een koffer had meegenomen. Maar hij slaakte een moedeloze zucht toen hij al die koffers naast elkaar zag staan. Hij zou het niet eens weten als ze er een had meegenomen. Hetzelfde gold voor haar kleren, ondergoed en schoenen. 'Verdomme,' zei Joe. Hij ging op het bed zitten en legde zijn hoofd op het kussen. Hij rook nog een achtergebleven vleugje van haar parfum, een heel lichte, kruidige geur. Anna hield niet van zware geuren. Alles aan Anna was subtiel. Joe fronste zijn wenkbrauwen. Van hem weggaan was niet subtiel. Hij sprong op van het bed en liep naar de telefoon. Hij belde haar mobiele nummer en een opgewekte stem zei: 'De persoon die u belt, heeft zijn toestel mogelijk uitgeschakeld...' Of ze is woedend op me, dacht Joe. Hij keek op zijn horloge. Het was één uur in de nacht. Zou ze echt zó boos op hem zijn dat ze geen briefje voor hem zou neerleggen of hem zou bellen? Hij drukte zijn hand tegen zijn borstkas om een pijnsteek terug te dringen. Hij liep naar de voordeur, trok het gordijntje opzij en keek naar buiten. Het was alsof hij op een lege tafel naar zijn sleutels zocht.

Joe pakte de snoerloze telefoon, liep naar de woonkamer en ging op de bank zitten. Hij deed de lamp aan, pakte de afstandsbediening van de tv en zapte langs alle kanalen. Hij stopte even bij het nieuws en zapte toen weer door. Elke keer als hij iets meende te horen, zette hij snel het geluid uit. Uiteindelijk gaf hij het op en bleef in de stilte voor zich uit staren.

Hij belde Anna's mobiele nummer nog een keer en kreeg hetzelfde bericht te horen. Hij begon boos te worden. Hij had dit niet verdiend, wat hij ook had gedaan. Hij hield van haar en dat wist ze. Hij was geen schofterige echtgenoot die haar slecht behandelde. Maar ze had ooit een verhouding gehad en nu had ze hem verlaten. Hij deed zeker iets verkeerd. Hij belde haar nog een keer. 'Kom op nou, Anna.'

Joe boog zich voorover, pakte het eerste het beste boek van de plank onder de salontafel, begon het door te bladeren en zag foto's van luxueuze hotels... wat hem weer aan Anna deed denken. Hij wilde gewoon dat ze thuiskwam. De gedachte dat ze hem echt had verlaten vond hij onverdraaglijk. Hun huwelijk was altijd perfect geweest. Alle keren dat ze voor opdrachten weg was geweest of bij haar ouders op bezoek was gegaan, had hij zich verloren gevoeld. Hoewel ze niet de soort vrouw was die alles voor hem deed, had Joe alleen maar kant-en-klare maaltijden gegeten wanneer ze er níét was. Het idee dat ze hem echt had verlaten maakte hem ziek. En dat allemaal alleen vanwege zijn werk. Hij liet zijn hoofd tegen de rugleuning van de bank rusten en deed zijn ogen dicht. Twintig minuten later schrok hij met een bonzend hart wakker. Even wist hij niet waar hij was.

Joe keek om zich heen. 'Anna?' riep hij. Hij stond op en liep naar de keuken. Het was er donker. Hij deed het licht aan, keek of er een briefje op de deur van de koelkast hing en keek op de keukentafel.

Even later zat hij weer op de bank en besefte hij dat hij in paniek was. Het was inmiddels halfdrie. Dit kon ze hem niet aandoen. Voor de zoveelste keer belde hij haar nummer en toen ze weer niet opnam, liep hij naar de hal en pakte de sleutels van de jeep. Hij reed de heuvel op en voelde een onaangename huivering toen hij langs de plek kwam waar Katie was gevonden. Hij minderde vaart toen hij het huis van John Miller passeerde en gaf daarna weer gas. 'Kom op nou, Anna,' mompelde hij. 'Je maakt me doodsbang.' Nerveus trommelde hij op het stuur. Het was koud en donker en zijn vrouw was weg en ze had niet gezegd waar ze naartoe was en Joe's gevoel zei hem dat er iets mis was. Maar het was laat en hij wist niet of hij wel op dat gevoel kon vertrouwen, want hij was moe en ten prooi aan schuldgevoel. Hij probeerde te bepalen waar hij het bangst voor was: dat haar iets was overkomen of dat ze hem had verlaten vanwege die verdomde brief. Hij wilde niet alleen zijn. Hij zag zichzelf al in de weekends in McDonald's zitten, samen met Shaun, wiens grootste vriend hij probeerde te zijn, net als alle gescheiden vaders, met al die uitgestreken tienergezichten om zich heen.

Opeens zag hij iets midden op de weg liggen. Hij rukte het stuur naar rechts en kwam tot stilstand in een ondiepe greppel. Hij keek achterom en zag een dode vos. Het was duidelijk te zien dat andere, eerdere automobilisten hem niet zo snel hadden kunnen ontwijken. Hij reed achteruit de weg weer op, schakelde en reed door.

Nog geen twee minuten later haalde hij zijn mobiele telefoon uit zijn zak en belde weer. Nog steeds niets. 'Verdomme!' riep hij, en hij liet het toestel op de passagiersstoel vallen. Urenlang reed hij rond om haar genoeg tijd te geven om thuis te zijn wanneer hij terugkwam. Hij kreeg last van buikkramp.

Joe reed naar huis, stopte op de oprit, keek naar het huis en zocht naar sporen die aangaven dat er iets was veranderd nadat hij was weggegaan. Toen hij de voordeur opendeed, wist hij dat alles nog hetzelfde was. Toch liep hij de trap op en keek in alle kamers. Zijn hoofd begon te bonzen. Zijn kaken voelden alsof ze aan elkaar geschroefd zaten. Toen hij zijn mond opendeed, was het alsof al zijn tanden en kiezen eruit werden getrokken. Hij liep naar de keuken, zocht zijn pillen en nam er te veel in. In de logeerkamer ging hij op de rand van het bed zitten en legde de draadloze telefoon en zijn mobiele telefoon op het nachtkastje. Hij voelde zijn hoofd zwaar worden. Als hij ging slapen, zou ze er de volgende ochtend misschien weer zijn: waarschijnlijk boos, maar ongedeerd.

Hij schrok wakker toen de telefoon ging. Onmiddellijk begon zijn hart te bonzen.

Nora was nooit een fan geweest van Franks oude fauteuil. Die had een bruine fluwelen bekleding die op veel plekken te ruim was geworden, en de armleuningen waren bijna kaal. Hij stond beneden in de gang, om hem bij het vuilnis te zetten. Daar trof ze Frank om acht uur 's ochtends aan, slapend, met zijn hoofd achterover en zijn mond open. Vóór hem, op de grond, lag een aantal dossiers verspreid. Ze hurkte neer en legde haar handen op de zijne.

'Schat,' zei ze.

Langzaam gingen zijn ogen open en het duurde even voordat hij haar scherp zag.

'O,' zei hij. 'Ik ben zeker in slaap gevallen. Hoe laat is het?'

'Acht uur,' zei Nora. 'Is dit een of andere protestactie? Als ik had geweten dat je hem voor een sit-in ging gebruiken, zou ik niet hebben voorgesteld om hem weg te doen.'

Frank glimlachte. 'Ik was alleen even gaan zitten om mijn ogen rust te gunnen...'

'Tot hoe laat ben je op geweest?'

'Een uur of vijf,' zei hij.

'Arme schat. Nog iets nieuws gevonden?'

Hij schudde zijn hoofd. 'Nee, niet echt.'

'Kom,' zei Nora terwijl ze zijn handen vastpakte en opstond. 'We gaan ontbijten.'

Joe's hoop vervloog toen de stem die hij hoorde niet van zijn vrouw was.

'Bel ik op een slecht moment?' vroeg dr. McClatchie.

'Nee. Ik... nee...'

'Heb je die specialist nog gebeld?'

'Nee.'

'Ik vraag het niet graag, maar die faxen die je me pas hebt laten zien... nou, ik wilde vragen of ik die nog eens mag bekijken.'

'Nee.'

'Het is nogal belangrijk.'

Joe haalde een keer diep adem en praatte snel om de pijn in zijn kaak, die weer was teruggekomen, te verminderen. 'Ik ben ver buiten mijn boekje gegaan met die faxen, dokter. Ik bevond me in een emotionele situatie, maar die had mijn beoordelingsvermogen niet mogen overheersen. Bovendien zat ik ernaast met mijn theorie...'

'Ik kan je bijna niet verstaan. Kun je wat harder praten?'

Joe herhaalde wat hij had gezegd terwijl hij de pijn tot in zijn tandvlees en slapen voelde kloppen.

'Nou, er is een project waarin ík er iets aan zou kunnen hebben. Ik geef een lezing voor de –'

'Sorry,' zei Joe, 'maar toen ik wist dat ze niks met de dood van Katie Lawson te maken hadden, heb ik ze weggegooid.'

'O. Heeft iemand gezegd dat je dat moest doen?'

'Niet met zoveel woorden.'

Joe beëindigde het gesprek en maakte weer een ronde door het huis. Het bloed in zijn aderen voelde zowel koud als heet terwijl hij dat deed. Hij probeerde Anna's telefoon nog een keer en nam nog meer pillen in. Hij ging op de bank liggen totdat hij werd overspoeld door een aangename loomheid. Maar dat gebeurde te snel en de loomheid was te intens. Hij moest met zijn ogen knipperen om nog iets te kunnen zien.

Myles O'Connor leunde met twee ellebogen op het dak van zijn auto. Hij had zijn mobiele telefoon in de hand en het dopje van zijn handsfree-kit in zijn oor. Hij bracht het toestel naar zijn mond.

'Luister! Waar het op neerkomt is het volgende: ik ben jong en hij is oud. Ik ben carrière aan het maken en Frank Deegan is op zijn retour. Nieuw bloed versus pensioen. En wie geeft er verdomme meer om deze zaak dan ik?'

Frank stond als versteend aan de andere kant van de muur, met zijn lunchzakje in zijn hand.

Shaun werd zwetend wakker en kon zich niet bewegen. Hij bleef vijf minuten doodstil liggen totdat het hem eindelijk lukte zijn hoofd om te draaien. Op zijn nachtkastje stond een groot glas water. Hij stak zijn hand ernaar uit en stootte het om. Hij wilde 'shit' zeggen maar kon zijn tong niet los krijgen. Toen hij zich overeind duwde, begon zijn hoofd te draaien en liet hij het weer op het kussen vallen. Zijn maag keerde zich om en hij wist dat hij het niet zou halen naar de badkamer. Hij boog zich over de rand van het bed en braakte een straal gele gal in de emmer die Joe voor hem had neergezet. Hij braakte nog een keer en deze keer kwam het ook uit zijn neus, en zijn ogen puilden uit van de inspanning die hij ervoor moest leveren. Hij moest hoesten van de bittere smaak achter in zijn keel en bleef kokhalzen totdat er niets meer over was. Hij pakte een T-shirt van de vloer om zijn mond af te vegen. Hij ging op bed liggen en alles begon weer te draaien. Flarden van de afgelopen avond kwamen terug in zijn herinnering. Hij wist dat Robert en Ali erom zouden lachen, maar op de reactie van zijn ouders kon hij zich niet verheugen. Opeens werd hij overspoeld met beelden van Katie. Door de alcohol in zijn bloed en zijn tollende hoofd kon hij zich er niet tegen verzetten.

Er werd op de deur geklopt en Joe kwam de trap af lopen. Shaun opende langzaam zijn ogen en vond dat zijn vader er dronken uitzag. Zijn haar zat in de war en zijn ogen waren bloeddoorlopen.

'Het spijt me, pa,' kreunde Shaun.

Joe probeerde te glimlachen. 'Het is goed, jongen.' Hij kwam naar het bed, schoof de emmer uit de weg en ging zitten.

'Ik moet je iets vertellen,' zei Joe. 'Je moest eerst je roes uitslapen, maar...'

Voor het eerst van zijn leven zag Shaun angst in de ogen van zijn vader.

'Toen we gisteravond terugkwamen, was je moeder er niet.' Hij praatte langzaam en een beetje slepend.

'Wat?'

'Ze is... weg,' zei Joe. Hij knipperde met zijn ogen en moest moeite doen zijn hoofd rechtop te houden. Het liefst was hij naast zijn zoon op het bed gaan liggen en pas wakker geworden als alles weer normaal was.

'Wat? Hoe bedoel je, weg? Waar naartoe?'

'Dat weet ik niet,' zei Joe. 'Ze is er niet. Ze was er al niet toen we gisteravond terugkwamen.' Zijn oogleden voelden zwaar.

'Pa, pa! Voel je je wel goed? Je maakt zo'n... ben je... Heb je gedronken?'

'Nee,' zei Joe. 'Nee, ik heb niet gedronken.'

'Maar wat zeg je dan over mama?' vroeg Shaun.

'Dat ze ergens naartoe is.'

'Waar naartoe? Had ze plannen of zoiets?'

'Niet dat ik weet.'

'Ik bedoel het niet vervelend, maar jouw geheugen rammelt aan alle kanten.'

'Hoor eens, het is mogelijk dat ze boos op me was... om iets wat ik had gedaan.'

'Wat was dat dan?'

'Dat is iets tussen mij en je moeder.'

Shaun fronste zijn wenkbrauwen. 'Nou, op mij was ze niet boos. Ze zou het tegen me gezegd hebben als ze ergens naartoe ging.'

'Dat hoeft niet per se.'

Er kwam een gekwetste uitdrukking op Shauns gezicht. 'Wat gaan we nu doen?'

'Op dit moment niks. Ik los het wel op. Ga jij maar naar school. Tegen de tijd dat je thuiskomt, is ze wel weer terug.'

'Ik blijf liever hier... dan kan ik op haar wachten... Ik voel me niet zo goed.' Hij liet zijn hoofd weer op het kussen vallen.

Joe stond op en trok de dekens van het bed. Shaun kreunde en rolde zich op tot in foetushouding.

Joe schudde zijn hoofd. 'Je bent een slappeling, weet je dat?'

Frank zat achter zijn bureau en vroeg zich af wat O'Connor die ochtend eigenlijk van hem wilde. O'Connor had hem een paar vragen gesteld over de voortgang van het onderzoek, maar voor het overige had hij alleen maar bij het raam met zijn handen in zijn zakken naar de zee staan staren. Het enige wat Frank aan het bezoek had overgehouden, was dat hij zich beledigd voelde. Zijn gezicht begon weer te gloeien als hij eraan dacht. Hij hoopte dat O'Connor het gezegd had omdat hij boos was, of om indruk op iemand te maken, niet omdat het waar was. Naderhand had Frank ontdekt dat hij op dat moment hoofdinspecteur Brady aan de lijn had gehad. En Brady hield er niet van wanneer er slechte dingen over collega's werden gezegd. Misschien had O'Connor dáárover staan nadenken toen hij naar buiten stond te kijken.

Frank maakte zijn lunchzakje open en keek wat er op zijn brood zat. Ham met mosterd. Op de een of andere manier stelde dat hem gerust. Maar voordat hij begon te eten, belde hij eerst naar iemand van wie hij wist dat die zijn telefoontje op prijs zou stellen.

'Dokter McClatchie? Brigadier Frank Deegan hier, politie Mountcannon.'

'O... hallo.'

'Ik wilde u alleen even laten weten dat we de uitslag van het lab hebben... over die fragmentjes die op Katie Lawsons schedel zijn gevonden. Omdat u zei dat ze u nooit iets vertelden.'

'Dat is ook zo.'

'Ze waren van een slakkenhuis. Van een duinslak, geloof het of niet. Die zat blijkbaar onder de kei die volgens u was gebruikt om de schedel in te slaan.'

'Nou, ik vind het heel netjes van je dat je me dat laat weten, brigadier. Dus we mogen aannemen dat het lijk is verplaatst nadat ze is vermoord.'

'Ja, en we denken dat dat onmiddellijk na de moord is gebeurd. En geen van de andere sporen heeft iets opgeleverd.'

'Nou, dat klinkt aannemelijk.'

'Precies. Nou, dan zal ik u niet langer ophouden...'

'O, nu ik je toch aan de lijn heb, er is iets merkwaardigs gebeurd wat je misschien zou moeten weten. Ik heb onlangs Joe Lucchesi op bezoek gehad...'

'Wat?' riep Frank.

Lara moest de hoorn snel weghalen van haar oor. 'Nou, hij staat blijkbaar niet op je lijstje van favorieten,' zei ze. 'Hoe dan ook, hij liet me een paar autopsiefoto's uit de Verenigde Staten zien en vroeg me of ik overeenkomsten zag tussen die verwondingen en die van Katie Lawson, wat niet zo was. En nee, dat heb ik níét tegen hem gezegd. Maar het merkwaardige is dat de verwondingen wel bijna identiek zijn aan die van een autopsie die ik een week of drie geleden heb gedaan, op Mary Casey, dat arme meisje uit Doon, die dood in het weiland bij haar huis was gevonden. Ik heb het dossier opgezocht en zou zweren dat die moorden door dezelfde persoon zijn gepleegd. Haar verwondingen leken iets slordiger toegebracht, maar ze waren vrijwel identiek.'

'Godallemachtig,' zei Frank.

'Precies. Het vreemde is dat toen Joe naar mijn kantoor kwam – wat een heel onbesuisde actie van hem was, dat zul je met me eens zijn – hij heel... ik wil niet zeggen zelfverzekerd, maar hij kwam op mij over als overtuigd van zijn gelijk. Maar toen ik hem vanochtend belde, had hij ineens geen interesse meer. Ik heb een beetje gelogen over waarom ik die foto's nog eens zou willen zien en misschien had hij dat door, maar hoe dan ook... Hij zei dat hij ze had weggegooid, wat ik heel vreemd vond gezien de moeite die hij er in eerste instantie voor had gedaan. Wat denk jij daarvan?'

Er werd drie keer kort gebeld. Joe rende naar de voordeur. Hij gaf een ruk aan de grendel, deed de deur open en zag een FedEx-man met een dik, rechthoekig pak en een klembord in zijn handen. Joe zette zijn handtekening en deed de deur dicht. Het Gray-dossier. Joe scheurde het plastic los en trok het pak eruit. Hij keek ernaar; gewoon een stapel blaadjes met woorden erop, in een lichtbruine dossiermap. Dezelfde soort map waarin medische gegevens, belastingverslagen, je persoonlijke dossier of je echtscheidingspapieren zouden kunnen zitten. Mensen werden elke dag geconfronteerd met dossiers. Maar dit dossier betekende meer voor Joe dan hij durfde te beseffen. Hij sloeg de map open en zag bijna achterin een blauw plakkertje tussen de papieren vandaan steken. Hij zocht de bladzijde op en zag een lange lijst met namen waarvan er een was omcirkeld. Daar stond het dan. Zwart op wit, precies zoals Danny dat graag had. Zwart op wit.

Oran Butler had zich verslikt en stond voorovergebogen te hoesten. Hij had zijn beide handen op zijn keel gedrukt en er vielen spetters tomatensaus op de keukenvloer. Uiteindelijk schoten er een paar plakjes champignon en een bolletje mozzarella uit zijn mond. Hij liet zich in een stoel vallen en probeerde op adem te komen. Toen pakte hij de kale pizzapunt en zeilde die de gootsteen in.

Ritchie kwam vanuit de woonkamer de keuken in. 'Alles oké met je?' zei hij toen hij de rommel zag.

Oran kreunde. 'De hele topping schoot mijn keel in.'

'Laat maar, ik ruim het wel op,' zei Ritchie, en hij wees naar de vloer.

'Ja, dat weten we,' zei Oran.

Ritchie had de emmer met de mop al gepakt.

'Trouwens, we gaan morgen op stap met je vriend,' zei Oran.

'Welke vriend?'

'Inspecteur O'Connor, natuurlijk. De brigadier is deze week vrij en O'Connor heeft zichzelf verlaagd om met het drugsteam de straat op te gaan.'

'Echt?' vroeg Ritchie. 'Dat vind je zeker wel leuk.'

'Niet als jij elke avond als ik thuiskom kwijlend naar hem gaat informeren.'

Joe reed op de weg naar Waterford en was zich heel goed bewust dat maar heel weinig auto's hem passeerden. Door de schrik was de nevel in zijn hersens opgetrokken en gierde de adrenaline door zijn aderen. Zijn voet leunde zwaar op het gaspedaal en het liefst was hij blijven rijden en rijden totdat alles voorbij was en Anna weer thuis was.

Hij parkeerde de jeep op de kade en liep rechtstreeks naar Fingleton's Bookstore, met zijn mobiele telefoon in zijn hand geklemd. Vanaf de buitenkant zag Fingleton's eruit als een gemiddeld grote winkel, maar toen hij binnenkwam bleken er drie verdiepingen te zijn. In het souterrain was het schemerig en stil tussen de hoge donkere stellingkasten. Joe liep door naar de afdeling Natuur & Milieu en even later trok hij het enige boek over Harrishaviken uit de kast. Op de omslag stonden er twee afgebeeld, zittend op een boomtak, geconcentreerd en klaar om aan te vallen. Met trillende vingers bladerde Joe het boek door, keek naar de foto's en illustraties en las hier en daar een willekeurige passage. De schrijver was een valkenier die ontzag voor zijn onderwerp had. Joe merkte dat hij geïntrigeerd werd door deze vogel, die zowel een valkenier als een misdadiger en nu ook een politieman wist te boeien. Hij stond daar minutenlang, gebiologeerd door de tekst en heen en weer geslingerd tussen zekerheid en knagende, panische wanhoop.

Duke Rawlins hing onderuit op de witte houten stoel en zijn gezicht werd verlicht door de display van Anna's mobiele telefoon. Hij drukte alle knopjes in en ging menu's in en uit. Zijn duim aarzelde even toen hij terechtkwam bij een spelletje dat hij vaag herkende. Hij draaide de telefoon om en om in zijn hand en drukte ten slotte op het rode sleuteltje, waarna de display zwart werd.

Anna lag op haar zij, met haar gezicht naar de muur van de slaapkamer. Ze wist dat ze zich op een afgelegen plek bevond, want ze had haar keel urenlang schor mogen schreeuwen en met haar vastgebonden handen en voeten op de houten vloer geslagen en gestampt totdat ze er doodmoe van was. Maar niet moe genoeg om in het bijzijn van deze man te gaan slapen. Ze hield haar ogen dicht om het duister in de kamer niet te hoeven zien, want er waren geen huizen in de buurt, geen straatlantaarns en geen koplampen van auto's die haar hoop konden geven.

Shaun stond in de gang te wachten toen Joe binnenkwam. Zijn gezichtsuitdrukking was een mengsel van hoop, opluchting en angst. Hij keek naar de plastic tas die Joe in zijn hand had.

'Ben je gaan *wínkelen*?' vroeg hij verontwaardigd.

Joe trok het plastic strakker om het boek. 'Research.'

'Mama is nog niet terug.' Zijn stem klonk verwijtend.

'Dat vermoedde ik al.'

'Vind je dat niet raar? Mama heeft ons nog nooit in de steek gelaten. Nooit.'

'Nee, ik vind het niet raar. Althans niet op dit moment. Ik denk dat je moeder boos op me was en behoefte had aan ruimte om na te denken. We moeten tegen iedereen zeggen dat ze een paar dagen naar Parijs is om haar ouders op te zoeken. Kun je dat, denk je?'

'Ja, maar ik begrijp niet waar dat voor nodig is.'

'Omdat het ons allemaal tijd geeft. Dan is je moeder weer terug, koop ik een grote bos bloemen voor haar, neem haar mee uit eten en is alles weer dik in orde.'

Shaun bleef hem aankijken. 'Dat geloof je zelf niet.'

'Ja, dat geloof ik wel.' Joe's blik ging naar de telefoon en even overwoog hij Frank te bellen.

'Hou op met te doen alsof ik een of andere idioot ben!'

'Dat doe ik niet,' zei Joe geduldig. 'Maar ik moet wel kalm blijven.'

'Afstandelijk, bedoel je,' sneerde Shaun.

'Jongen, je bent boos,' zei Joe op vriendelijke toon. 'Je zegt dat omdat je behoefte hebt aan iemand om je op af te reageren...'

Shaun begon te huilen. 'Kijk naar Katie! Kijk wat er met haar is gebeurd. Nou? Kijk hoe het met haar is afgelopen. Dat is allemaal goed gekomen, hè? Nou?' Hij begon hard en hysterisch te schreeuwen. 'En als iemand mama heeft ontvoerd? Moeten wij hier dan als twee losers gaan zitten wachten...?'

'Niemand heeft je moeder ontvoerd.'

'Maar als dat wel zo is?' vroeg Shaun. Hij keek op alsof hem iets te binnen schoot. 'Kan dit niet te maken hebben met die rare e-mail die ik heb ontvangen?'

'Nee, dat kan niet,' zei Joe geduldig. 'Die blijkt verstuurd te zijn door die nepcommando die bij jou op school zit.'

'Barry Shanley?' vroeg Shaun verbijsterd.

Frank riep Ritchie naar zijn kantoor en vroeg hem de deur achter zich dicht te doen.

'Oké, er is iets merkwaardigs gebeurd en ik vind dat je dat moet weten.' Hij vertelde hem het verhaal over Joe, dokter McClatchie en de faxen.

'Wauw,' zei Ritchie. 'Dat is maf.' Frank kon de radertjes in zijn hoofd bijna horen draaien. Hij moest denken aan een spel, een doorzichtig, rechtopstaand kastje met plastic tandwielen die je in een bepaalde stand moest zetten waarna, als je dat goed deed, de jackpot beneden in het bakje zou vallen. Hij vroeg zich af wanneer bij Ritchie het muntje zou vallen.

'Ik heb met het hoofdbureau in Limerick gebeld. De korpschef was er niet – die zit in een vakantiehuisje ergens in de Ballyhoura Mountains – maar ik zie hem morgen. Ze hebben geen aanwijzingen. Ze hebben onderzoek gedaan naar een paar plaatselijke figuren maar hebben die van de lijst van verdachten geschrapt. Daarom is het nieuws van dokter McClatchie zeker interessant. En moet je dit zien.' Hij draaide de kaart om zodat Ritchie die kon zien. Ritchies dwalende rechteroog kwam weer tot rust.

'Niemand wil dat deze moorden verband met elkaar houden,' zei Frank, 'maar kijk...' Hij vouwde de kaart verder open totdat de hele onderste helft van Ierland te zien was. Hij zette een rondje om Doon, waar Mary Casey dood in het weiland was gevonden, en daarna om Tipperary, waar Siobhàn Fallon was verdwenen. Ten slotte zette hij een rondje om Mountcannon en keek op naar Ritchie. 'Al deze plaatsen liggen langs dezelfde route.' Hij wachtte even. 'Ik denk dat Joe ons een stap voor is. En ondanks het gedoe met dat slakkenhuis moeten we hem nageven dat hij het bij het rechte eind had over de route die Katie die avond is gelopen, wat Mae Miller ook zegt. We moeten hier dieper in duiken. En vergeet niet dat Joe ons gepasseerd is door rechtstreeks naar de patholoog te stappen...'

Ritchie knikte.

'...dus is er iets wat hij ons niet heeft verteld,' zei Frank. Hij gooide zijn pen neer en zuchtte. 'Ik kan het de man ook niet kwalijk nemen, trouwens.'

26

Stinger's Creek, Texas, 1990

Donnie keek op van een denkbeeldig klembord. 'Ik ben op zoek naar een zekere Suzy,' riep hij. 'Juffrouw Suzy de schoonmaakster.'

'Heel grappig.' Duke stond in de voortuin, in een grijze joggingbroek en met een paar gele rubberhandschoenen aan, en wrong het bruine water uit een vaatdoek.

'Krijg nou wat,' zei Donnie. 'Ik heb nooit geweten dat je huis wit was.'

'God, wat is hij in vorm vandaag.'

Donnie stapte om de emmer heen om de houten buitenwanden van het huis beter te bekijken. De linkerkant had een grauwe bruingrijze tint maar de rechterkant, die was schoongeboend, was witter dan hij ooit geweest was. De verf was gebarsten en afgebladderd en het vuile water was in strepen opgedroogd op het hout.

'Je moet de tuinslang erop zetten,' zei Donnie.

'Ja, als mijn regendansje niet werkt, doe ik dat,' zei Duke.

Donnie wilde op de treden bij de deur gaan zitten.

'Waag het eens!' riep Duke, en hij gooide een natte spons hard tegen Donnies blote borst.

'Vuile schoft,' zei Donnie. Hij pakte de spons op, doopte hem in de emmer water, gooide hem terug en miste. Duke begon te lachen, rende Donnie achterna en greep hem van achteren vast. Donnie probeerde zich los te worstelen en hun blote bovenlijven wreven langs elkaar. 'Nee, niet doen!' riep hij, maar Duke drukte de vuile spons tegen zijn gezicht totdat ze niet meer konden van het lachen.

Donnie rukte zich los, boog zich voorover en spuugde in het gras. 'Gatverdamme,' zei hij, en hij schudde zijn hoofd. Hij liep het huis in en stak zijn hoofd onder de koude kraan. 'Raar hè, dat Wanda er niet meer is?' riep hij naar buiten. Hij kreeg geen antwoord. 'Ik zei,' riep hij terwijl hij zijn hoofd uit het raam stak, 'raar hè, dat...'

'Ik heb je gehoord,' zei Duke.

Donnie kwam weer naar buiten, pakte de spons uit de emmer en begon het hout schoon te maken.

Om de paar minuten stopte hij en zei: 'Wat een klotewerk.'

Duke gaf geen antwoord.

'Ik heb echt de pest aan dit werk,' zei Donnie.

'Nu is het genoeg,' zei Duke. 'Ga dan maar dozen in de pick-up laden. Denk je dat je dat wel kunt?'

'Halleluja.' Donnie gooide de spons in de emmer en liep naar een grote kartonnen doos met een X erop.

'Even voor de zekerheid,' zei hij. 'Alles met een X erop gaat weg?'

'Ja,' zei Duke. 'Zoals ik heb gezegd.'

Donnie keek om zich heen en zag overal dozen met een X erop in het gras staan.

'Staat er binnen nog iets?'

Hij bukte zich om een doos op te pakken.

'Ah, de geheime doos uit de kast. Ik herken de sticker met VERBODEN TOEGANG. Die was eigenlijk voor de deur van je slaapkamer bedoeld.'

Hij sloeg zijn armen om de doos en tilde die op tot heuphoogte. Maar hij zette te veel kracht en de bodem scheurde open. Met open mond keek hij naar de inhoud, die in het gras lag.

'Hoe kom je aan al die troep?' vroeg Donnie. Hij draaide zich om naar Duke en wachtte op antwoord, maar Duke stond in de verte te staren. Donnie hurkte neer en begon al het nog ingepakte speelgoed te bekijken. Gloednieuwe Action Hero's in transparant plastic doosjes, kipwagens, gevechtsvliegtuigen, bokshandschoenen, een snoeptrommeltje, een gereedschapset... Heldere primaire kleuren die schitterden in de zon.

'Heb jij al die tijd Space Invaders gehad?' riep Donnie verontwaardigd, en hij wees naar een ander doosje. 'Hé, moet je dit kereltje zien,' zei hij, en hij pakte een lichtgele teddybeer met een naamplaatje dat meldde dat hij Benton heette. 'Hoe heb je die arme Benton in die donkere kast kunnen opsluiten...' Hij pakte een zwarte pop op. '...samen met Darth Vader. Tenzij die natuurlijk...' Hij liet zijn stem dalen. '...zijn vader was.' Hij lachte nerveus en keek naar Duke. Hij wachtte enige tijd in stilte, stond op om een lege doos te pakken en begon het speelgoed erin te doen, waarbij hij elk voorwerp iets langer vasthield dan nodig was.

'Misschien... ik bedoel, moeten we dit niet naar een weeshuis of zoiets brengen?'

'Ben je verdomme blind? Er staat een X op de zijkant van die doos. Een grote zwarte X!'

Duke liep met een pot rode verf naar zijn slaapkamer. De muren waren grijs, met beige vlekken. Toen ze in het huis waren komen wonen, was Wanda begonnen het oude behang af te steken, maar ze had het nooit afgemaakt.

'Oké, wat nu?' vroeg Donnie, die achter hem liep. Hij keek om zich heen en wreef met zijn hand over zijn blote buik. 'De dressoir?'

'Ik denk dat ik die wand rood schilder en die zwart,' zei Duke, en hij wees. 'Wat vind jij?'

'Gaaf,' zei Donnie. 'Gaat de dressoir eruit?' Hij gaf een klap op het bovenblad.

'Ja,' zei Duke.

Ze bukten zich, pakten ieder een kant vast en kantelden hem een stukje achterover om te voorkomen dat de laden eruit vielen. Op weg naar buiten stootte Donnie zijn schouder tegen de deurpost.

'Verdomme,' zei hij, en hij zette zijn kant van de dressoir neer om de schade op te nemen. 'Er hangt een hele lap vel los.'

'Ik zal je zo wat zalf geven,' zei Duke. 'Maar pak eerst dat ding op en loop door.'

'In de pick-up?' vroeg Donnie terwijl hij achteruit de treden af liep.

'Ja,' zei Duke.

Ze tilden de dressoir in de laadbak en liepen terug naar het huis.

'Nu alleen het bed nog,' zei Donnie.

'Dat doe ik wel,' zei Duke.

'Alleen? Dat lukt je nooit.'

'Ga jij maar een sigaretje roken,' zei Duke, en hij rende de treden bij de voordeur met twee tegelijk op.

Donnie haalde zijn schouders op, haalde een pakje Marlboro uit de zak van zijn spijkerbroek en liep naar een schaduwrijke hoek van de tuin. Hij zag Dukes silhouet achter het raam, druk in de weer met de matras, die hij rechtop probeerde te houden.

'Ik kan je wel komen helpen, als ik deze op heb,' riep hij.

'Het gaat wel,' zei Duke, en hij liet de matras weer vallen. Hij verdween uit het zicht en keerde even later terug met een zaag in zijn hand.

'Waarschijnlijk de enige mogelijkheid,' zei Donnie toen hij de slaapkamer weer in kwam. Hij keek naar de stukken hout en polyester. 'Ik denk niet dat we dat ding door de deur hadden gekregen.'

Duke gooide de zaag op de grond.

'De zalf,' zei Donnie.

'O, ja... in de badkamer.'

Duke deed het medicijnkastje open en haalde er een bijna lege, opgerolde tube uit. Hij kneep een streepje zalf op zijn vingertoppen, pakte Donnie bij zijn schouders en draaide hem naar het licht. Donnie zag zichzelf in de grote spiegel op de deur en hield zijn buik in.

'Is het al gebeurd?' vroeg Donnie terwijl hij zijn nek strekte en achterom probeerde te kijken.

'Wacht even, bijna,' zei Duke terwijl hij de zalf voorzichtig op de geschaafde huid aanbracht. Hij pakte de tube weer op en kneep nog een beetje zalf op zijn vingertoppen. Donnie verplaatste zijn lichaamsgewicht van de ene voet op de andere.

Duke deed een stapje achteruit. Zijn hand ging naar Donnies onderrug en trilde licht.

27

Joe kwam onder de douche vandaan en knipperde met zijn ogen. Hij probeerde zich te ontdoen van het angstige gevoel dat hij zichzelf met zijn pillen had aangedaan, toen hij tot de schokkende ontdekking was gekomen dat hij zichzelf niet meer onder controle had. Hij knoopte een handdoek om zijn middel en bekeek zichzelf in de spiegel. Hij zag er moe uit, maar zijn ogen stonden helder. Hij was erg geschrokken van zijn eigen roekeloosheid... dat hij het huis uit was gegaan, Shaun alleen had gelaten en met een tollend hoofd achter het stuur van de jeep had gezeten. Hij kon zich nauwelijks herinneren dat hij naar Waterford was gereden. Joe liep de slaapkamer in, pakte een flesje zachtgroene LV8 van de dressoir en spoelde er vier Fuel It's mee weg. Op dat moment begon zijn mobiele telefoon te piepen. Hij zag Anna's nummer op de display. Zijn knieën knikten.

'Goddank...'

'Wakker worden en opstaan.'

Joe's lichaam verstrakte toen hij het slepende Texaanse accent hoorde.

'Hallo?' zei Duke. 'Hallo?'

'Heb jij Anna... mijn vrouw?'

'Ik weet wie Anna is. En wat denk je zelf?'

Joe's hart begon te bonzen en hij voelde pijnsteken in zijn borstkas.

'Alsjeblieft,' zei hij. 'Alsjeblieft, doe mijn vrouw geen kwaad.'

Duke lachte. 'Alleen als jij belooft dat je mijn maat niet doodschiet.'

Joe zei niets.

'Maar daar hebben we het een andere keer wel over,' zei Duke.

Joe onderbrak hem. 'Je moet weten...' Hij dacht aan de twee woorden die hij in het Gray-dossier had gelezen en aarzelde. Moest hij Duke Rawlins vertellen wat hij wist of kon hij dat beter voor zich houden? '...eh, dat mijn vrouw...'

'Wat?' snauwde Duke. 'Dat ze diabeticus is? Dat ze suiker moet hebben, of juist geen suiker? Dat ze haar medicijnen moet hebben of anders doodgaat? Je weet wel, zoals in films?'

'Nee,' zei Joe beheerst. 'Dit is echt, heel echt. Dat weet ik. Dit is voor ons allebei belangrijk. We willen allebei iets, en wat ik wil is dat Anna, mijn vrouw, ongedeerd thuiskomt.' Zijn stem trilde licht. 'Maar wat wil jij... meneer Rawlins?' Joe keek naar het plafond en wachtte.

Hij hoorde gerammel toen Duke de telefoon neerlegde en begon te applaudisseren. Het duurde even voordat hij het toestel weer oppakte.

'Je kent je zaakjes. Meneer Rawlins... Dat klinkt goed. Maar ik heb je vrouw niet meegenomen om haar gewoon weer terug te brengen. Wat zou dat voor zin hebben?'

'Is Anna in orde?' vroeg Joe. 'Heb je haar kwaad gedaan, op welke manier ook? Laat me met haar praten, alsjeblieft.'

'Ik moest je de groeten doen,' zei Duke. 'En nee, dat mag je niet.'

'Vertel me alsjeblieft wat je wilt en ik zal ervoor zorgen dat je het krijgt,' zei Joe. 'Dat beloof ik je.'

'Wat ik wil is míjn zaak. Wat wil jij? Dat is een stuk interessanter. Dát is mijn prioriteit in deze situatie.'

'Ik begrijp het niet,' zei Joe.

'Als het allemaal voorbij is, maakt het geen bal uit wat je wel of niet begrijpt, rechercheur. Dan is het voorbij, afgelopen. Het maakt geen bal uit hoe jij eraan toe bent als we op dat punt zijn aangekomen.'

'Laat me met mijn vrouw praten.'

'Nee.'

'Kan ik haar zien?'

Duke snoof. 'Zorg dat je over vijf minuten op het parkeerterrein bij het hoge klif in de haven bent. Hoe noemen ze dat ding ook alweer? O ja, het Lemmingsklif.'

De telefoon gleed uit Joe's drijfnatte hand en kletterde op de vloer.

Frank Deegan was al halverwege het tuinpad toen Nora hem terugriep.

'Wat ik je gisteravond probeerde te vertellen... Het kan zijn dat ik iets doms heb gedaan.' Ze kwam naar hem toe lopen. 'Ik heb Anna Lucchesi die foto laten zien die Joe jou had gegeven. Die politiefoto.'

'Hoe heb je dát voor elkaar gekregen?'

'Het spijt me. Het ging per ongeluk. Hij was tussen mijn papieren terechtgekomen. Ze maakte een aangeslagen indruk toen ze die foto zag. Ik dacht dat ze misschien boos was, omdat Joe hem niet aan haar had laten zien, wie het ook is die erop staat.' Ze wachtte even. 'Maar nu ik erover nadenk, maakte ze een heel nerveuze indruk.'

'Nerveus? Hoe bedoel je?'

'Nou, haar hand begon te trillen toen ze de foto aanpakte. Ze sloeg haar andere hand voor haar mond en begon met een panische blik om zich heen te kijken.'

Frank kende die reactie. Die eindigde meestal met: dat is hem, dat is de man.

Joe rende naar de jeep en ging op weg naar Shore's Rock. Gedachten buitelden door zijn hoofd toen hij stijf van de cafeïne door het dorp reed. Wat hij aan pillen had geslikt, stond gelijk aan achttien lepels koffie.

Hij dacht aan Hayley Gray en herinnerde zich dat haar ouders machteloos hadden moeten afwachten omdat ze de politie erbij hadden gehaald. Gordon Gray had op de bank de krant zitten lezen. Joe had hem eerst kil en afstandelijk gevonden. Maar toen was de man ineens opgesprongen en had hij geroepen: 'Wat doe ik hier? Wat moet ik doen? Moet ik tv kijken, naar mijn werk gaan? Wat kan ik in godsnaam doen terwijl dit gaande is? Iemand heeft mijn kind meegenomen!'

De machtige zakenman was ingestort en had uitgehuild op de schouder van een agente. 'Dit is zo moeilijk, dit is een marteling... Waarom gebeurt dit?' Toen had hij opeens gezwegen. Er was een stilte gevolgd en daardoor hadden zijn volgende woorden nog indringender geklonken.

'Dit heb *ík* gedaan.' Zijn ogen waren groot en knipperden, en zijn mond bleef open staan. 'O mijn god, dit is *míjn* schuld. Dit hele gebeuren is *míjn* schuld.'

Joe staarde naar de weg. Hij wist nu precies hoe Gordon Gray zich had gevoeld. Want *dít* was Joe's schuld. Dit was de wraak voor het doodschieten van Donald Riggs. Hij kon ernaast zitten wat Katie betreft, of wat betreft de vrouwen in Texas, maar van één ding was hij absoluut zeker: een man die Duke Rawlins heette, had het op hem gemunt.

Joe vroeg zich af wat hij met de informatie uit het dossier moest doen. Hij *kón* bellen, maar alleen al het idee stuurde een golf van paniek door zijn borstkas. Hij klemde zijn handen strak om het stuur en trapte het gaspedaal helemaal in. Hij overwoog Frank Deegan te bellen. Hij wilde zelfs zijn mobiele telefoon uit zijn zak halen. Toen gingen zijn gedachten met een ruk terug naar de laatste seconden van Hayley Grays leven... en besefte hij dat Duke Rawlins in de veilige zekerheid verkeerde dat *híj* nooit de politie zou bellen.

'Als je moest kiezen,' zei Duke opeens, 'van wie hou je dan het meest, van je man of van je zoon?'

'Van mijn zoon,' zei Anna op kalme toon.

Duke begon te lachen. 'Dat zeg je zomaar?' vroeg hij.

'Ja, ik ga weg bij mijn man.'

'Neem je me in de maling?' vroeg Duke.

'Nee,' zei ze. 'Het is afgelopen.' Haar hart bonsde. Duke nam haar aandachtig op.

'Waag het niet me te besodemieteren.'

'Dat doe ik niet. Doe mijn zoon alsjeblieft niks.'

Duke bleef haar nog even aankijken, haalde zijn arm achteruit en sloeg haar hard in het gezicht met de rug van zijn hand. Anna's onderlip begon te bloeden.

'Leuk geprobeerd,' zei hij, en hij streek het haar uit haar gezicht om haar ogen te kunnen zien. Anna huilde.

'Waag het verdomme niet tegen me te liegen,' zei Duke. 'Je zou nooit tussen hen kunnen kiezen. Dat kan ik van dat mooie Franse gezichtje van je lezen.'

'Het spijt me,' zei ze zacht.

Duke haalde zijn schouders op. 'Te laat,' zei hij. 'Tijd voor plan B. Wat kan mij het nog verdommen.'

Barry Shanley was op weg naar school en toetste een SMS in zijn mobiele telefoon toen hij voelde dat iemand zijn rugzak vastgreep en hij tegen de grond werd geslingerd. De telefoon kletterde op het wegdek. Barry lag op zijn rug op het voetpad en trapte met zijn voeten om zich heen. Hij slaagde erin zich op zijn zij te draaien maar Shaun had zijn rugzak weer vastgepakt en trok hem achteruit. Barry's handen schuurden over de stoeptegels.

'Laat me godverdomme los,' zei Barry terwijl hij probeerde op te staan.

'Krijg de pest,' zei Shaun. 'Gestoorde klootzak. Je moet echt een psychopaat zijn om me zo'n e-mail te sturen.'

'Maar ik had je mooi te pakken, Lucky, of niet soms?'

'Ben je wel goed snik? Mijn moeder was...' Shaun moest zich beheersen. Hij kneep zijn ogen dicht.

'Ach, zijn moeder!' riep Barry. 'Moederskindje!'

Barry schoof de banden van zijn schouders en liet de rugzak op de stoep vallen. Balancerend op zijn voorvoeten kwam hij voor Shaun staan en deed zijn armen omhoog tot borsthoogte. Shaun begon snuivend te lachen.

'Je maakt mij niet bang, Karate Kid.'

Barry haalde uit en probeerde Shaun met de muis van zijn hand in de nek te raken, maar Shaun greep zijn pols vast, draaide de arm achter zijn rug en duwde hem omhoog totdat Barry het uitschreeuwde van de pijn. Shaun gaf hem een duw en Barry viel voorover op de stoep.

'Ik vind het de moeite niet waard om met je te vechten,' zei Shaun. Hij bukte zich en raapte Barry's telefoon op. Hij keek naar de tekst op de display en las hem hardop voor. '"Neem *Home and Away* voor me op. Ben om zeven uur thuis. Kusjes." Wel, wel, eens kijken voor wie dit bericht is. Ah, hier staat het: "Mam". Val dood, Shanley.'

Joe fronste zijn wenkbrauwen. Een paar honderd meter verderop stond een vrouw aan de kant van de weg.

'Wat krijgen we nou?'

Ze stond te wankelen alsof ze dronken was en zwaaide met haar dikke arm om hem tot stoppen te dwingen. Joe keek op zijn horloge. Hij had nog drie minuten om naar de haven te rijden. Hij keek snel om zich heen, hoopte dat er iemand anders was die de vrouw kon helpen. Toen zag hij bloed van haar onderarm druipen. Hij zocht naar sporen van een aanrijding en naar andere mensen, maar ze stond daar alleen en leek steeds hysterischer te worden naarmate hij dichterbij kwam. Ze zag eruit alsof ze ieder moment in elkaar kon zakken.

'Verdomme,' mompelde Joe terwijl hij naast haar stopte. Ze probeerde de portierhendel te pakken maar miste een paar keer voordat ze het portier open kreeg en zich op de passagiersstoel kon hijsen. Ze had iets waarvan Joe's nekharen overeind gingen staan.

Hij keek opzij toen ze achterover leunde in de stoel. 'Hartelijk bedankt voor het stoppen, meneer,' zei ze. Haar gezicht was rood en glom van het zweet. Haar ademhaling was moeizaam. Ze streek haar haar uit haar gezicht maar er bleef een lok haken in een van de drie gouden ringetjes in haar oor.

'Wat is er gebeurd?' vroeg Joe.

'Een of andere gek heeft me aangevallen! Ik was aan het wandelen en ineens schoot hij uit het niets te voorschijn.' Ze keek hem met grote ogen aan. 'Volgens mij wilde hij me verkrachten,' voegde ze eraan toe.

Joe bekeek haar postuur. De stoelen van de jeep waren breed, maar ze vulde de hare helemaal en hing er zelfs een stukje overheen. Alleen een heel grote man zou proberen haar te overmeesteren. Misschien was het haar daarom gelukt te ontsnappen.

'Ik moet naar het ziekenhuis. Hij heeft me gestoken. Met een mes.' Ze had een verbaasde uitdrukking op haar gezicht, die even plaatsmaakte voor boosheid, alsof ze eraan had willen toevoegen: de klootzak.

'Laat zien,' zei Joe, en hij knikte naar haar arm. Ze aarzelde. 'Het is oké, ik ben van de politie,' zei Joe.

Ze had de onderkant van haar sweatshirt om haar arm gewikkeld en trok die eraf. Joe zag een diepe snee schuin over de mollige onderarm lopen. Het was een schone snee, toegebracht – stelde hij zich voor – door een snelle, neerwaartse beweging toen ze haar arm omhoog had gedaan om zich te verweren. Hij startte de motor en keek opzij.

'Het komt wel weer goed met je arm,' zei hij. 'Maar ik kan je niet naar het ziekenhuis brengen. Ik heb een afspraak...'

'Een afspraak?' riep ze. 'Maar u bent van de politie! U kunt me toch niet...'

'Ik heb geen dienst,' zei Joe. 'Het spijt me. Ik zal je bij het bureau afzetten, dan kan de brigadier daar, Frank Deegan, of de agent, Ritchie Bates, je naar het ziekenhuis brengen. Zeg maar dat Joe Lucchesi je heeft gebracht.' Hij keek op de dashboardklok. Hij was al drie minuten te laat toen hij de hoofdstraat in reed en voor Danaher's stopte.

'Daar is het.' Hij wees naar de overkant. Ze wilde niet uitstappen. Hij kon haar moeilijk de jeep uit sturen, dus stapte hij zelf uit, liep naar de andere kant, deed het portier open en hielp haar voorzichtig aan haar ongedeerde arm naar buiten.

'Het komt allemaal goed,' zei Joe, en hij gaf een kneepje in haar hand. 'Ik vind het heel erg voor je en het spijt me dat ik je zelf niet verder kan helpen.'

'Dank u wel,' zei ze. 'U bent heel... vriendelijk geweest.' Ze zag eruit alsof ze ieder moment in tranen kon uitbarsten. Joe stapte weer in de jeep, maakte een U-bocht en reed naar de haven. Vier minuten te laat. Hij stond stijf van de adrenaline en zijn handen trilden toen hij het parkeerterrein op reed. Hij stapte uit de jeep en keek om zich heen, maar er was niemand.

Inspecteur O'Connor zat achter zijn bureau met een rij opengeslagen dossiers voor zich. Alles wat hij las irriteerde hem. Het drugsteam bestond uit zes mensen en het was duidelijk dat die het afgelopen jaar niets hadden gedaan wat ergens in positieve zin aan had bijgedragen. Hij wist dat allang, maar nu hij het las, allemaal achter elkaar, voor het eerst sinds hij het team maanden geleden had verlaten, vroeg hij zich af waar het fout was gegaan.

'O-o,' zei Duke. 'Wie is er te laat voor het feestje?'

Joe's hoop verdween. De stem klonk niet alsof hij van buiten belde. Joe keek weer om zich heen maar er was niemand op het parkeerterrein, geen mensen en geen auto's.

'Je kunt dit niet...'

'Ik kan doen wat ik wil, vriend,' zei Duke. 'Ik ben degene die het Franse kikkertje heeft. Ze is nog leuk ook. Kwak, kwak.'

Joe was sprakeloos. 'Ik... kom op, man, ik doe alles wat je wilt.'

'Ik wilde dat je om halfvier hier was.'

'Het is pas vijf over half.'

'Ja, en daarom zeg ik dat je te laat bent voor het feestje. Je had niet voor dat meisje moeten stoppen, stomme hufter.' Hij beëindigde het gesprek.

Joe probeerde zijn ademhaling onder controle te krijgen. Hij concentreerde zich op het uitzicht. Vanaf het hoogste punt van het klif bij de haven kon hij maar een klein deel van het dorp zien. En de weg naar Shore's Rock was niet meer te zien na de eerste bocht als je het dorp uit reed. Joe fronste zijn wenkbrauwen. Vanaf de plek waar hij stond, was niet te zien waar hij voor het meisje was gestopt. Rawlins kon de jeep alleen gezien hebben toen hij naar Danaher's reed, maar niet dat Joe een passagier bij zich had. Tenzij Duke nooit van plan was geweest om met Anna naar het parkeerterrein te komen en hij Joe vanaf een heel andere plek in de gaten had gehouden. Joe stapte snel in de jeep, reed het dorp uit en stopte om de paar honderd meter langs de route die hij eerder had gereden. Hij stapte uit, rende het groen langs de weg in en zocht naar sporen die aangaven dat Duke Rawlins daar was geweest. Hij moest er niet aan denken dat Anna al die tijd een paar meter van hem vandaan was geweest. Maar hij vond niets. Hij sloeg af naar Shore's Rock en reed langzaam de oprit van het huis op. Hij ging naar binnen en belde het politiebureau.

'Frank? Hallo, met Joe. Ik wilde alleen even checken of dat meisje al in het ziekenhuis is.'

Het bleef stil.

'Frank?'

'Wat voor meisje?'

'Het meisje dat ik voor Danaher's heb afgezet. Met die wond in haar arm. Ik heb gezegd dat ze naar jou moest gaan. Ze... ze moest naar het ziekenhuis. Ik moest zelf... jezus, ik hoop niet dat ze in elkaar is gezakt...'

'Ik weet niet waar je het over hebt, Joe. Ik ben hier al de hele dag. Er is niemand binnen geweest en er is ook niemand voor Danaher's in elkaar gezakt. Ik denk dat ik het wel gehoord zou hebben als dat wel zo was. Is alles oké met je? Joe?'

Joe zag het meisje in gedachten bloedend op de stoep liggen. Meteen daarna, ook in gedachten, zag hij Frank bij de balie van het bureau staan terwijl hij dacht dat Joe gek was geworden. Toen begreep hij het opeens.

'Ik moet ophangen,' zei Joe.

Hij rende naar de werkkamer, pakte het boek over de Harris-haviken, keek in de index en zocht de pagina op. Zijn wijsvinger ging heen en weer onder de woorden terwijl hij ze las. '*...jagen gezamenlijk, werken in paren... observeren vanuit de lucht... de een jaagt de prooi op, de ander valt aan...*' Hij nam de hoorn van het toestel en belde Frank weer.

'Sorry voor daarnet,' zei Joe. 'Totale verwarring. Wat ik me afvroeg... Dat vermiste meisje uit Tipperary, weet je nog? Die op jouw prikbord hangt? Dat flinke meisje?'

'Ja,' zei Frank. 'Eh... Siobhàn Fallon.'

'Ja, die. Kun je even naar de foto kijken en me de lichamelijke kenmerken voorlezen?'

'Nou, we hebben een grote moedervlek op de linkerschouder, een navelpiercing en drie gouden ringetjes in het rechteroor.'

Joe's gezicht begon te gloeien en hij voelde zich misselijk. Toen werd hij boos, daarna woedend.

Het lukte hem Frank te bedanken en op te hangen voordat Frank hem vragen zou stellen.

Frank draaide zich om naar Ritchie. 'Ik krijg net weer een heel merkwaardig telefoontje. Joe Lucchesi wilde de lichamelijke kenmerken van dat meisje van Fallon weten.' Hij wees naar de foto op het prikbord en fronste zijn wenkbrauwen. 'Heb jij daar een verklaring voor?'

Shaun kwam thuis voor de lunch en had geen zin meer om terug te gaan naar school. Hij hoopte dat Anna er zou zijn, maar er was niemand en bovendien was het koud in huis. Hij ging aan de keukentafel zitten, maar voelde zich te zeer van streek om iets te eten voor zichzelf klaar te maken. Hij keek op toen er aan de voordeur werd gebeld. Het was uitgesloten dat hij open zou doen. Hij had strikte orders van Joe gekregen. Er werd nog een keer gebeld. Daarna werd er stevig op de deur gebonkt.

'Mevrouw Lucchesi?' Het Ierse accent was zo zwaar, dat de naam als 'Le Chessy' werd uitgesproken. Shaun liep de gang in en vroeg zich af wat hij moest doen. Door de ruit bij de voordeur kon hij een man zien staan. Hij zwaaide met een klembord en wees erop. Shaun schoot bijna in de lach. Het was uitgesloten dat deze mollige bezorger een dreiging voor hem kon vormen. Hij deed de deur open.

'Ik kom je ballonnen brengen,' zei de man.

Shaun keek hem geschokt aan.

'Jezus,' zei de man, en hij keek op zijn klembord. 'Jij bent toch niet degene die verrast moest worden hè?' Hij las de afleveringsbon. 'Nee, dat kan niet.' Hij keek op naar Shaun. 'Jij bent geen veertig, zo te zien.' Hij lachte.

'O... ja, mijn vader. Ze zijn voor hem.'

'Ik hoop dat je wat vrolijker kijkt als je ze aan hem geeft.' De man lachte weer en voor de zoveelste keer dacht Shaun hoe vreemd het was dat het leven voor iedereen gewoon doorging, ongeacht wat er met het jouwe gebeurde.

'Zijn ze betaald?' kreeg hij met moeite uit zijn mond.

'Gelukkig wel,' zei de man, 'dus je hoeft niet zo angstig te kijken. Maak je geen zorgen, je moeder heeft ze betaald.'

'Is ze daar?' vroeg Shaun verheugd. Hij strekte zijn nek om langs de deurpost naar de oprit te kijken.

De man fronste zijn wenkbrauwen. 'Eh... nee. Ze zijn met haar creditcard betaald, per telefoon.'

'Vandaag?' vroeg Shaun, en zijn ogen werden groot.

'Nee,' zei de man. 'Vorige week.'

'O,' zei Shaun.

'Je moet wel veel om haar geven,' zei de man terwijl hij Shaun met een onderzoekende blik aankeek. Hij knikte naar het busje. 'Waar wil je ze hebben?'

Shaun wees. 'Daar, in de vuurtoren.'

De man schatte de afstand in. 'Nou, ik denk dat je dat zelf wel kunt, vriend. Zoveel zijn het er niet.' Hij opende de achterdeuren van het busje en haalde er drie grote transparant plastic zakken uit. In elke zak zaten vijf heliumballonnen waarvan de touwtjes aan elkaar waren geknoopt en waren verzwaard met een blauw ballonnetje dat met zand was gevuld. HARTELIJK GEFELICITEERD MET JE 40^{E}, stond er op de ballonnen gedrukt.

'Bedankt,' zei Shaun.

'Hé,' zei de man terwijl hij in het busje stapte. 'Kijk eens wat vrolijker!'

'Je vrouw heeft tegen me gelogen,' zei Duke. Joe hoorde een harde klap aan de andere kant van de lijn. 'Dus heb ik haar een lesje geleerd.' Pats. 'Ze heeft geprobeerd me wijs te maken dat ze bij je weggaat, dat ik alleen haar kleine Shaun niks mag doen.' Pats. 'Je vrouw heeft mijn intelligentie beledigd.' Een laatste klap.

Joe's stem kreeg een ijskoude klank. 'Genoeg over míjn vrouw, Rawlins. Laten we het over jóúw vrouw hebben.'

28

Stinger's Creek, Texas, 1991

'Je ziet er beeldschoon uit,' zei Vincent Farraday. 'Geef me je hand.' Wanda Rawlins was gekleed in een lila mantelpakje met een kokerrok tot op de knie, witte kousen en witte balschoenen. Ze boog zich voorover om uit de auto te stappen en hield haar lila hoed vast om te voorkomen dat de wind er vat op kreeg.

Ze keek naar het houten kerkje en de boog van witte rozen bij de ingang.

'Het is zo prachtig, Vince,' zei Wanda terwijl ze haar ooghoeken depte met een kanten zakdoekje. 'Het is alsof ik dingen zie die ik vroeger nooit gezien heb.'

'Rustig aan maar, vrouwtje,' zei Vincent. 'Geniet gewoon van deze dag. Vergeet alle slechte dingen die gebeurd zijn.'

'Ik zal mijn best doen,' zei Wanda.

Dominee Ellis stapte door de boog van rozen het zonlicht in en schermde zijn ogen af met een bijbeltje. Hij wuifde ermee naar Wanda en kwam naar haar toe lopen.

'Wanda Rawlins,' zei hij. 'Het moet twee jaar geleden zijn dat ik jou voor het laatst heb gezien. Welkom thuis. Het doet me genoegen dat je er zo goed uitziet.' Zijn glimlach was warm en oprecht. 'Ik hoop dat het geen eenmalig bezoek is.'

'Ik ben bang van wel, eerwaarde. We wonen nu in Denison.'

'En dit moet de gelukkige echtgenoot zijn,' zei hij, en hij schudde Vince de hand.

'Ja, eerwaarde. Vincent Farraday is de naam. Een genoegen met u kennis te maken.'

'Hartelijk welkom in Stinger's Creek. Nou, als jullie me willen excuseren... Ik moet de bruidegom gaan zoeken.'

Duke zat op een bank achter het kerkje een sigaret te roken.

'Meneer Rawlins, hoe maakt u het op deze heuglijke dag?'

'Prima, dank u, eerwaarde,' zei Duke, en hij stond op. 'Alleen is mijn pak een halve maat te klein,' voegde hij eraan toe terwijl hij met zijn hand over het knellende donkerblauwe fluweel streek. Hij zag dat hij wat as had gemorst op de ruches van zijn overhemd en sloeg het eraf.

'Het zal Samantha vast niet opvallen,' zei de dominee.

'Niemand zal oog voor mij hebben,' lachte Duke. 'Vandaag is het Sammi's dag.'

Dominee Ellis nam Duke mee door de achterdeur van de kerk en bracht hem naar het altaar. Dukes adem stokte toen hij zijn moeder op de eerste rij zag zitten. Ze glimlachte nerveus en zwaaide naar hem. Duke liep naar haar toe.

'Mama,' zei hij. 'Hoe wist jij dat ik...'

'Sammi's tante woont in Denison en gaat naar dezelfde kerk als ik.'

'Ga jij naar de kerk?'

Wanda begon te blozen.

'Woon je in Denison?' vroeg Duke.

'Dit is mijn man, Vincent,' zei Wanda. 'Hij heeft me geholpen met... je weet wel...'

Duke zag het schuldgevoel en de angst in haar ogen, de broze glimlach op haar pafferige gezicht, en hij vroeg zich af hoe ze zonder drugs de dagen doorkwam met wat ze van het verleden wist. Hij glimlachte terug en schudde Vincent de hand. De man grijnsde breed naar hem.

'Aangenaam, jongen. Ik ben blij dat ik hier vandaag kan zijn.'

'Bedankt,' zei Duke, en hij nam zijn plaats bij het altaar in. Hij keek op zijn horloge en keek om zich heen. Dominee Ellis kwam naar hem toe. 'Slecht nieuws,' zei hij. 'Ik ben net gebeld door Donald. Hij zit vast achter een ongeluk op de snelweg en kan hier niet op tijd zijn. Maar hij zei dat jij de ringen had en dat jullie maar zonder hem moesten beginnen. Hij komt later naar de receptie.'

Duke schudde zijn hoofd. Hij zocht tussen de aanwezigen naar een vervanger. De gasten waren voor het merendeel afkomstig van Sammi's kant. De enige aan wie hij het kon vragen was Vincent. Duke wenkte hem naar zich toe.

Opeens begon de muziek te spelen en gingen de dubbele deuren achter in de kerk open. Sammi's vader kwam binnen en Sammi liep rechts van hem, met haar slanke hand op zijn onderarm. Haar bruine haar was gekruld en glansde, en viel tot over haar schouders. Aan de voorkant was het hoog opgekamd en de lange sluier was er met spelden aan vastgemaakt. Haar jurk glinsterde van de talloze kraaltjes die op de stof waren gestikt. Haar vader droeg haar over aan Duke en schudde hem de hand. Hij had een gespannen glimlach op zijn gezicht.

Toen de dienst afgelopen was, liepen de gasten naar de Railroad Bar aan de overkant van de straat. De naam van de bar was ironisch bedoeld want het stadje was in 1800 vergeten door de spoorwegen en had daar nog steeds onder te lijden.

De dansvloer was klein en rond en de dansparen stonden tegen elkaar aan geperst om erop te passen. De vrouwen, onwennig op hun hoge hakken, waren gekleed in krap zittende satijnen jurken die waren afgezet met kant en die strak over hun volle magen spanden. De mannen waren in pak, met broeken met smalle pijpen, of in chique cowboyshirts en gestreken spijkerbroeken daaronder. Ze dronken bier, namen af en toe een dosis whisky en schreeuwden naar de band. Duke stond naast de dansvloer en keek toe terwijl zijn nieuwe echtgenote haar heupen bewoog op de maat van de muziek, met haar hoofd achterover en haar ogen dicht.

Ze kwam naar hem toe dansen, kneep hem in zijn wangen en kuste hem op de lippen. 'Alles oké met je?' vroeg ze.

'Natuurlijk,' zei Duke. 'Ik vind het alleen jammer dat oom Bill er vandaag niet bij kan zijn.'

'Ja, ik weet het, schat. Hij klinkt als een heel aardige man. Ik wou dat ik hem eens kon ontmoeten.'

'Ik ook,' zei Duke. 'Weet je, Sammi, je bent de mooiste bruid van de hele wereld. En ik beloof je dat ik je de rest van mijn leven trouw zal blijven. Ik weet dat ik in het verleden fouten heb gemaakt, maar één ding weet ik zeker. Als iemand zoveel voor me betekent als jij, ben ik trouw tot in de dood. Geloof me.' Hij begon al wat slepend te praten.

'Waag het niet vanavond dronken te worden,' zei Samantha.

'Nee, mevrouw,' antwoordde Duke.

'Ik wil je in optimale conditie hebben.' Ze glimlachte en trok haar wenkbrauwen op.

Duke fronste zijn wenkbrauwen. 'Hou je mond, Sammi,' zei hij.

'Nee, vandaag niet,' zei ze. 'En zo praat je vandaag niet tegen mij. Dat hadden we afgesproken.'

'Oké,' zei Duke, 'maar daag me niet uit.'

'Afgesproken, zolang jij niet dronken wordt. Ik zal een oogje houden op jou en Donnie, wanneer hij ook komt.'

Wanda stond tegen de wastafel geleund en had haar gezicht naar het licht boven de spiegel gedraaid.

'Is dat de soort poeder die je tegenwoordig gebruikt?' vroeg een stem naast haar. Wanda reageerde niet.

'Hé, ik praat tegen je!'

'Ik heb je niks te zeggen, Darla,' zei Wanda terwijl ze haar poederdoos in haar tas stopte.

'Denk je dat je nu een fatsoenlijk mens bent, met je mooie kleren en je beroemde man?'

'Ik zei dat ik je niks te zeggen heb,' zei Wanda kalm.

'Vuile vieze hoer.'

Wanda draaide zich om, greep Darla's haar vast en trok haar naar zich toe. Toen boog ze zich achteruit, spuugde haar midden in het gezicht en zag hoe haar speeksel van de oogleden droop.

'Niet doen,' zei ze, en ze zwaaide dreigend met haar wijsvinger. 'Het is vandaag de trouwdag van mijn zoon.' Ze sloeg Darla met haar achterhoofd tegen de deur, waste haar handen en liep de toiletten uit.

'Alsof dat jou ene moer kan schelen!' riep Darla haar na.

Donnie kwam de bar in lopen en stak zijn handen in de lucht.

'Kijk eens wie we daar hebben!' riep Duke. 'Je hebt mijn grote moment gemist!' Hij plooide zijn mond in een brede glimlach.

'Gefeliciteerd,' zei Donnie terwijl hij Duke een hand gaf en hem op de rug klopte. 'Heb ik veel gemist?'

'Waar heb je verdomme uitgehangen?' siste Duke terwijl hij Donnies elleboog vastpakte en zijn mond dicht bij zijn oor bracht.

'Officieel?' vroeg Donnie. 'Achter in een file. Officieus? Ik had nog een zaakje af te handelen... Je weet wel, verstoppertje spelen in het bos.' Hij gaf Duke een knipoog. 'Ik heb haar een extra behandeling met de schep gegeven. O, nu weet ik het weer... Ze heette Tally.'

Duke keek hem aan alsof het hem niet interesseerde.

Sammi kwam aanlopen en tikte Donnie op de schouder.

'Hallo, Donnie,' zei ze.

'Kijk eens aan, mevrouw Rawlins,' zei hij, en hij draaide haar in het rond. 'Getrouwd op je negentiende, zwanger op je twintigste?'

'Daar wil ik geen grapjes over horen,' zei Sammi, en ze rende naar de bruidsmeisjes.

'Neem er een voor me mee!' riep hij haar na. Ze zwaaide. Donnie liep naar de bar.

'Ik moest een keus maken,' zei Wanda, die bij Duke kwam staan. 'En die heeft mijn hart gebroken.'

Duke draaide zich om en keek haar aan.

'Ik moest kiezen tussen jou en Vincent,' legde ze uit. 'Het was het moeilijkste wat een moeder ooit kan doen. Ik dacht dat je al praktisch volwassen was en dat je je moeder niet echt meer nodig had.'

'Daar had je gelijk in,' zei Duke. 'Maar op één punt heb je het mis. Jij hebt niet voor Vincent gekozen, mama. De enige voor wie je ooit hebt gekozen, ben je zelf.'

Donnie sloeg zijn arm om het middel van een bruidsmeisje en draaide haar in het rond toen hij terugliep naar Duke.

'Ze vond me leuk,' zei hij.

'Dat zal best,' zei Duke. 'En nog bedankt voor het afhandelen van alles. Ik had niet boos moeten worden...'

'Hé, wie is die man met dat blauwe hemd en die cowboyhoed?' vroeg Donnie. 'Is dat niet Vincent Farraday, die zanger? En wie is die vrouw in dat paarse pakje, die bij hem staat?'

'*Pretty Woman*,' mopperde Duke.

29

'Er gaan geruchten dat Sammi Rawlins zich thuis niet verveelt...'

Joe liet het daarbij.

'Hoe bedoel je, zich niet verveelt?' vroeg Duke.

'Nou, je weet wel, dat ze bepaalde diensten verleent...'

'Als je me probeert wijs te maken dat mijn vrouw een hoer is, trap ik daar niet in.'

'Wie zegt er iets over hoer? Je vrouw is honderd procent trouw geweest aan één man toen jij in de gevangenis zat. Alleen jammer dat jij dat niet was.'

'Je kletst uit je nek.'

'Ah, het mooiste heb ik je nog niet eens verteld,' zei Joe. 'Wil je dan niet weten wie die man is? Ik zou dat wel willen weten als het om mijn vrouw ging. Heb je je vrouw nog gezien nadat je bent vrijgekomen?'

'Ze is bij haar moeder... Hoor eens, waarom praat ik eigenlijk met jou? Waarom luister ik naar dat gelul van je?'

'Geloof me, Rawlins. Jouw vrouw heeft gebukt gestaan voor een andere man terwijl jij in de gevangenis zat en jij –'

'Ben je verdomme gek geworden?' schreeuwde Duke opeens. 'Denk je dat ik daar één woord van geloof? Je bent verdomme een smeris! En je bent een smeris die nu meteen zijn mond moet houden. Nog één woord en ik vermoord je vrouw. Ben je wel goed snik?'

Joe's hart bonsde. Het enige wat hij had bereikt was dat hij deze psychopaat op de kast had gejaagd.

Inspecteur O'Connor stond voor in de teamkamer.

'Ik heb er genoeg van,' zei hij. 'Om de een of andere reden zijn de dealers ons steeds een stap voor. Als wij ergens verschijnen, zijn zij er niet. Verschijnen zij ergens, zijn *wij* er niet.' Hij liet zijn blik over zijn mannen gaan, die er moe en verveeld uitzagen.

'Hallo, wakker worden!' riep hij. Een paar mannen schrokken op. O'Connor schudde zijn hoofd.

'Jezus, jongens, wat zijn jullie voor amateurs?' De mannen schoven onrustig heen en weer op hun stoelen.

'Wat doe je wanneer je plan niet werkt?' vroeg O'Connor. 'Wat doen mensen dan? Owens?'

'Eh... je plan aanpassen?'

'De hele zaak vergeten en een nieuw plan bedenken?' zei iemand achter in de teamkamer.

'Of...' zei O'Connor met een glimlach, '...gewoon zonder plan werken.' De mannen keken hem verbaasd aan.

'Ik wil dat jullie allemaal even nadenken over het begrip "verrassing". Over tien minuten wil ik drie plekken in de stad horen waar elk team op een willekeurig moment van de dag naartoe gaat in de hoop een van die vuilakken te verrassen. Geen vooropgezet plan, alleen de naam van een locatie en twee man in een auto erbij. Butler, jij werkt met Twomey.' De stoelpoten schuurden over de tegelvloer toen de mannen opstonden en naar buiten liepen.

Joe legde de hoorn op het toestel na zijn gesprek met Duke Rawlins en op dat moment hoorde hij beneden het geroezemoes van stemmen.

'Hallo, wie is daar?' riep hij terwijl hij de gang in liep en aan Shauns deur luisterde.

Hij hoorde Shaun de trap op komen en opende de deur op een kier.

'Ik ben hier,' zei Shaun geïrriteerd. 'En Ali is er. Hoezo?'

'Ik heb niet gezegd dat je iemand kon meebrengen.'

'Ik heb haar niks over mama verteld, als je dat bedoelt.'

'Stuur haar naar huis, nu meteen.'

'Wat mankeert je?'

'Doe het nou maar,' fluisterde Joe.

Shaun gaf zich gewonnen. 'Oké, oké.'

Hij rende de trap weer af. Joe ijsbeerde door de woonkamer. Hij hoorde Ali in de gang lopen.

'Dag, meneer Lucchesi,' riep ze naar binnen.

'Waar ga jij naartoe?' vroeg Joe.

Shaun stond achter Ali en keek zijn vader aan alsof die nu echt zijn verstand was verloren.

'Ze ging toch naar huis?' zei hij.

'Alleen?' vroeg Joe, en hij keek Ali aan.

'Ja,' zei ze. 'Ik ben al groot.' Ze glimlachte.

Joe pakte Shaun bij zijn arm, maar die rukte hem meteen weer los. Joe's stem klonk laag en dwingend toen hij Shaun de telefoonhoorn gaf. 'Je laat haar nu haar vader bellen en tegen hem zeggen dat hij haar komt ophalen. En jij blijft bij haar wachten totdat hij er is.'

'Wat is er aan de hand?' vroeg Shaun, en de eerste sporen van paniek waren hoorbaar in zijn stem.

'Doe het nou maar,' zei Joe.

Ali belde en stak haar hoofd om de deurpost.

'Frank Deegan was op weg hiernaartoe,' zei ze. 'Dus heeft mijn vader hem gevraagd of hij me wilde thuisbrengen. Hij kan hier ieder moment zijn.'

Joe ontplofte bijna. Het laatste waar hij op dit moment behoefte aan had, was een politieauto voor de deur van zijn huis.

Met een ruk stond hij op. 'Kom, ik breng je wel.'

'Dat is heel aardig van u,' zei Ali, 'maar echt, het is niet nodig. Frank was al onderweg.'

'Het is geen moeite.'

'Ik wil haar nog een nummer van mijn nieuwe cd laten horen,' zei Shaun, en hij trok haar mee in de richting van zijn kamer.

Joe ging weer zitten en sloeg zijn handen voor zijn gezicht. Hij bleef zo zitten totdat hij de deurbel hoorde.

'Hallo, Joe,' zei Frank, en hij gaf hem een kaart in een blauwe envelop. 'Ik kwam de postbode tegen.' Joe herkende Danny's handschrift.

'Mag ik even binnenkomen voor een praatje?' vroeg Frank.

'Nou, eigenlijk niet. Ik heb nu geen tijd. Ik heb een hoop te doen.' Zijn blik schoot in het rond en hij keek langs Frank naar het bos.

'Ik ben bang dat je niet veel keus hebt, Joe. Het gaat over die faxen die je aan dokter McClatchie hebt laten zien.'

Joe voelde zich verraden en voelde boosheid opkomen.

'Dat je dat hebt gedaan is het probleem niet,' zei Frank. 'Maar ik wil ze graag even zien. Dokter McClatchie had er een paar vragen over.' Joe zag dat Frank een compositietekening en de politiefoto van Duke Rawlins in zijn hand had.

'Ik heb ze niet meer. Ik heb ze weggegooid.'

'Sorry, maar ik denk dat je ze nog wel hebt. Mag ik binnenkomen?'

'Goed dan,' zei Joe nors, waarna hij Frank bijna naar binnen trok en snel de deur achter hem dichtdeed.

'Ik heb hier nu echt geen tijd voor.'

'Ik ook niet,' zei Frank. 'Ik ben onderweg naar een bespreking in Limerick en wil graag die faxen zien voordat ik ga. Ik heb getwijfeld aan wat jij zei over die Rawlins-figuur. Ik wil je laten weten dat ik van gedachten ben veranderd.

Maar ik steek mijn nek uit. Ik heb het nog niet met mijn superieuren besproken, omdat ik eerst zeker van mijn zaak wil zijn.'

Joe had de neiging Frank bij zijn schouders te pakken, hem door elkaar te schudden en te schreeuwen dat het daar nu te laat voor was. Hij liep naar de werkkamer om de faxen te pakken. Hij vouwde ze dubbel en stopte ze in een bruine envelop. Hij moest zich vasthouden aan de rand van het bureau toen een scherpe pijnsteek van zijn ene slaap naar de andere trok. Hij trok de la open en zag een leeg Advil-flesje liggen. Snel schoof hij de la weer dicht. Want al hadden er nog twintig pillen in gezeten, hij had zichzelf beloofd dat hij geen medicijnen meer zou slikken totdat deze toestand voorbij was... Tenzij de pijn ondraaglijk werd.

Hij zag Danny's kaart op het bureau liggen en scheurde de envelop open om te zien of het iets belangrijks was. Het was een reproductie van *De Schreeuw* van Munch. Joe schudde zijn hoofd en probeerde te glimlachen. Binnenin stond geschreven: DOET HIJ JE AAN IEMAND DENKEN? HARTELIJK GEFELICITEERD MET JE 40E, PARTNER. MAAK ER EEN MOOIE DAG VAN. Joe wou dat hij dat kon.

Joe liep de gang in en gaf Frank de envelop met de faxen. 'Hier,' zei hij. 'Stop deze gauw in je binnenzak.'

Frank keek hem vragend aan. 'Oké,' zei hij. 'Waarom?'

'Dat doet er niet toe. Was dat alles?'

'Nee, ik wil Anna graag even spreken.'

'O, die is in Parijs. Sorry.'

Frank schudde zijn hoofd. 'Heb je een telefoonnummer waarop ik haar kan bereiken?'

'Nee,' zei Joe. 'Haar ouders hebben geen telefoon.'

'Echt niet? Nou, het is dus zo dat Anna deze politiefoto heeft gezien. Toen ze bij ons thuis was, op de koffie bij Nora. En ze reageerde er heel heftig op. Het leek wel alsof ze...'

Joe's hart begon te bonzen. 'Ik had haar niet verteld dat ik een paar dingen aan het uitzoeken was,' zei hij snel. 'Ze was boos op me, omdat ik niks gezegd had. Daarom is ze naar Parijs gegaan.'

'Kun je me vertellen waarom je me over Siobhàn Fallon belde?' vroeg Frank opeens. 'Heb je haar gezien?'

'Nee, maar ik dacht dat ik haar kortgeleden had gezien.'

'Waar?'

'In het dorp. Maar ze was het niet. Hoor eens, Frank, ik heb nu echt geen tijd om te praten.' Hij drukte zijn hand tegen zijn wang. Frank draaide zich om en deed de voordeur open.

'Ik zal Ali naar je toe sturen.'

'Goed. Bedankt voor de faxen, Joe. Dat waardeer ik.' Hij liep naar buiten en draaide zich toen om. 'Wat ik niet waardeer, is dat er tegen me wordt gelogen.'

Oran Butler en Keith Twomey zaten in hun Ford Mondeo op het parkeerterrein van Tobin's Supermarkt, een grauw, bakstenen gebouw dat in een slechte buurt stond. Op de hoek stonden twee dikke slagers met witte schorten vol bloedvlekken een sigaret te roken. Een groepje langharige jongens met wijde broeken en te wijde sweatshirts reden hen op hun skateboards voorbij.

'Hoelang staan we hier al?' vroeg Oran terwijl hij een stukje toffee tussen zijn tanden vandaan pulkte. Tussen zijn bovenbenen lag al een hele berg lege snoepwikkels.

'Twee uur,' zei Keith.

'Heb je een van die jongens een truc zien doen die ook werkelijk lukte?'

'Nee,' zei Keith. Ze keken toe terwijl de zoveelste skateboarder op een bakstenen muurtje probeerde te springen, maar hij schoot door naar de trap erachter en zijn skateboard kletterde op het betonnen wegdek.

'Dat verdomde geluid gaat door merg en been,' zei Keith.

Oran veegde de snoepwikkels van zijn stoel en begon aan een nieuwe berg. Keith keek naar de vloer van de auto.

'Van alle huisgenoten van Ritchie Bates moet juist de grootste rommelmaker bij mij in de auto zitten. Ik weet niet met wie ik meer medelijden moet hebben, met mezelf of met hem.'

De volgende skateboarder probeerde een sprong, maar landde op zijn voeten aan weerszijden van zijn bord.

De twee politiemannen keken elkaar aan en schudden het hoofd. Toen ze weer door de voorruit keken, zagen ze bij de ingang van het parkeerterrein een man langs de jongens lopen. Hij liep met schokkende bewegingen, alsof zijn botten bij elke stap uit de gewrichten wipten en er weer in zakten. Hij had zijn kin vooruitgestoken, zijn mondhoeken wezen omlaag en zijn ogen waren tot spleetjes samengeknepen. Hij trok de klep van zijn vettige, rode Caesarpet dieper over zijn puisterige voorhoofd en liep op de oudste van de jongens af.

'Ik kan mijn ogen niet geloven,' zei Keith, en hij ging rechtop zitten. 'Eens kijken wat hij gaat doen. Dat is Marcus Canney, een smeerlap van de bovenste plank.'

Ze keken toe terwijl Canney even met de jongen praatte, zijn hand in zijn zak stak, er iets uit haalde en zijn arm strekte om hem zogenaamd een hand te geven. Oran en Keith gooiden de portieren van de auto open en waren in een paar seconden bij de twee.

Joe begon te praten voordat Duke iets kon zeggen, zodra hij het groene knopje van Anna's telefoon had ingedrukt.

'Waarom doe je dit?'

'Je weet waarom ik dit doe,' zei Duke.

'Oké, ja, dat is waar. Maar je zit er helemaal naast, vriend. Ik heb nieuwe informatie voor je. Als je even wilt luisteren, dan kunnen we zien of je nog steeds wilt doen waarvoor je helemaal naar Ierland bent gekomen.'

'Ik denk niet dat we zitten te wachten op een dialoog.'

'Maar met iemand samenwerken bevalt je wel beter, hè, Rawlins?'

'Waar heb je het verdomme over?'

'Twee tegen één maakt alles wat gemakkelijker, of niet soms?'

Hij hoorde Duke ademhalen, traag en moeizaam.

'Ik zie dingen,' zei Joe. 'Ik heb ogen in mijn hoofd... de ogen van een havik.'

Duke zei niets.

'Ik weet waar je vandaag op uit was,' zei Joe, 'en ik heb medelijden met het meisje dat je zo gek hebt gekregen om jouw stront op te ruimen. Natuurlijk, want zelf kun je dat niet...' Hij wachtte even.

'En jij vindt jezelf een kerel? Een lafaard ben je, een waardeloos stuk stront.'

'Val dood,' zei Duke. 'Jij weet níks.'

'Dat heb je mis. Hier is één ding dat ik zeker weet: mevrouw Samantha Rawlins zit op dit moment op het politiebureau in Stinger's Creek en heeft al een paar heel serieuze beschuldigingen tegen je geuit.'

Duke lachte snuivend. 'Onzin. Nu weet ik zeker dat je uit je nek kletst.'

'Misschien herinner je je een paar moorden van een tijdje geleden,' zei Joe, die zijn manier van praten aanpaste aan die van Duke, een truc die hij vroeger regelmatig met junkies en prostituees had toegepast.

'Het schijnt dat je vrouw,' vervolgde Joe, 'aan iedereen die het maar horen wil heeft verteld dat jij de man bent naar wie iedereen op zoek is. De Crosscut Killer. Eén man. Alleen jij. Ze vindt dat ze je lang genoeg heeft gedekt.'

Duke zei niets.

'Maar waarom zou jouw vrouw je nu ineens achter de tralies willen hebben terwijl je pas vrij bent?' vroeg Joe. 'Misschien wel om te voorkomen dat je haar vermoordt omdat ze met je beste vriend naar bed ging.' Hij wachtte even voor het effect. 'Het was Donnie, Duke. Je vrouw liet zich door Donnie neuken.'

Duke begon hard en schor te lachen.

'Ik heb bewijzen,' zei Joe snel. Toen Duke hem niet tegenhield, vervolgde hij: 'De naam Rawlins kwam me bekend voor, omdat ze erbij was op de dag dat Donnie werd doodgeschoten. Ze was een ooggetuige en stond aan de verkeerde kant van de politieafzetting, dus moest ze haar naam opgeven en is ze gefouilleerd. Ze had een paspoort bij zich. Dat wist je zeker niet, hè, dat je vrouw een paspoort had? Ze was daar om Donnie te helpen...'

'Wat voor bewijs heb je?'

'Het dossier van de zaak. Haar naam staat erin. Ik heb het hier voor me liggen.'

'Ik wil dat dossier zien,' zei Duke.

'En ik wil mijn vrouw zien!'

Zodra hij had opgehangen, voelde Joe dat er iemand achter hem stond. Langzaam draaide hij zich om. Shaun stond in de deuropening, met een verbijsterde uitdrukking op zijn lijkbleke gezicht.

Joe keek hem recht aan. 'Hoelang –'

'Hoelang wat? Hoelang lieg je al tegen me?'

'Wat heb je gehoord?' vroeg Joe.

'Waar is mama? Met wie was je aan het praten?' Hij moest zijn tranen bedwingen.

'Ik handel dit af.'

'Wat? Wie heeft haar? Wie heeft haar ontvoerd? Waar is ze?'

'Je hoeft de details niet te weten.'

'Heb je de politie gebeld?'

Joe wachtte even voordat hij antwoord gaf. 'Nee.'

'Zeg alsjeblieft dat dat niet waar is,' zei Shaun.

'Natuurlijk heb ik ze niet gebeld,' snauwde Joe. 'Ik kán de politie er niet bij halen.'

'Wat ben je toch een hypocriet,' zei Shaun met stemverheffing. 'Wat was de regel ook alweer? Als je ze binnen de eerste vierentwintig uur niet terugvindt, of achtenveertig uur – weet ik veel – is het geen reddingsoperatie meer, maar een bergingsoperatie.'

Joe schudde zijn hoofd. 'In godsnaam, Shaun.'

'Jij, die altijd hebt gezegd dat mensen bij een ontvoering de politie moeten bellen.'

'Maar misschien is dat niet altijd het beste.'

'Nee, zeker niet als het rechercheur Joe Lucchesi is die dan voor je deur staat.'

Joe ging er niet op in.

'Het spijt me, pa.'

'Dat weet ik.'

De tranen begonnen weer over Shauns wangen te rollen.

'Ik ben zo moe van het huilen,' zei Shaun. 'Zo doodmoe. Jij pakt nu de telefoon en belt de politie, pa. Schiet op! Pak die telefoon!' Shaun dook naar de telefoon maar Joe deed een stap vooruit, griste het toestel voor zijn handen weg, hield het hoog in de lucht en duwde Shaun weg.

Verbijsterd struikelde Shaun achteruit.

'Ik kan het niet,' zei Joe. 'Het spijt me, maar ik kán de politie niet bellen.'

'Hoe krijgen we haar dan terug? Wat gaat er met haar gebeuren? Waarom mama? Wat heeft mama...'

Joe wachtte op wat komen ging.

'O mijn god,' zei Shaun. 'Dit gaat om jou, hè? Iemand heeft haar vanwege jou ontvoerd. Niemand haalt het in zijn hoofd om een moeder te ontvoeren, maar de vrouw van een politieman is een stuk interessanter, hè?' Hij wachtte even. 'Heeft dit iets met Katie te maken?' Hij pakte Joe's arm vast en trok er hard aan.

'Nee, nee,' zei Joe. 'Alsjeblieft, Shaun, beheers je. Ik moet nog een paar dingen uitzoeken. Maar tot het zover is mag niemand hier iets van weten, ook de politie niet. Helemaal niemand. Hoor je me? Het is heel belangrijk dat we hier geen woord over zeggen.'

Marcus Canney zat op de betonnen vloer van zijn cel in het politiebureau van Waterford, met zijn knieën opgetrokken tot tegen zijn borst. Zijn benen zagen er broodmager uit onder het zwarte nylon van zijn joggingbroek en zijn witte sportschoenen zaten vol aangekoekte modder. Zijn groene pilotenjack hing om zijn magere schouder.

'Pas op als je thuis je slaapkamer binnengaat,' zei O'Connor, die met een net wit pakje in zijn hand de cel in kwam lopen. Canney keek naar hem op en fronste zijn wenkbrauwen.

'Er schijnt een gat in je vloer te zitten,' zei O'Connor. Hij keek naar het pakje en vervolgde: 'Wist je dat je daar voor dertigduizend pond aan coke had liggen?'

Canney werd bleek. 'Val dood,' zei hij.

'Ik heb het nu te druk met jou,' zei O'Connor.

'Ik heb dat pak nog nooit gezien.'

O'Connor rolde met zijn ogen. 'Vertel me nou maar waar je je spul vandaan haalt. En waarom je een jaar geleden al niet in deze cel zat.'

Canney keek hem met een onzekere blik aan.

'Ja, ik weet het,' zei O'Connor. 'Dat we er een heel goede reden voor hadden om je nu pas op te pakken. En dat gaan we hier vanochtend uitzoeken.'

Duke draaide zich om naar Anna en lachte. 'Je man denkt dat ik achterlijk ben.' Hij toetste het nummer van zijn huis in Texas in Anna's telefoon. Hij werd meteen doorgeschakeld en wilde net een bericht op het antwoordapparaat inspreken toen hij een onbekende stem hoorde. 'Dit telefoonnummer is niet meer in gebruik. Neem contact op met...' Duke verbrak de verbinding, controleerde het nummer en belde het nog een keer, maar hij kreeg hetzelfde bericht te horen. Hij klopte op de zakken van zijn jack en daarna op zijn broekzakken. Hij keek om zich heen en zijn blik bleef op Anna rusten.

'Nou, waar heb ik mijn mes gelaten?'

Victor Nicotero liep het tuinpad van het huis van wijlen sheriff Ogden Parnum op, rolde met zijn schouders en trok het jasje van zijn pak recht. Hij had een lege dossiermap onder zijn linkerarm en deed zijn rechterhand omhoog om aan te bellen. Maar voordat hij dat kon doen, zwaaide de deur open en stond hij oog in oog met een aantrekkelijke blondine van achter in de veertig.

'Wie bent u?'

'Delroy Finch,' zei hij, 'van de DNRP, Dienst Nazorg Regionale Politie.'

'O,' zei de vrouw, en ze sloeg haar ogen neer. 'Komt u binnen, meneer Finch.'

'Dank u, mevrouw.'

Ze ging hem voor naar een ouderwets ingerichte woonkamer, wees naar de bank en ging tegenover hem in een rieten fauteuil met een hoge rug zitten.

'Om te beginnen, mevrouw Parnum, wil ik u condoleren met het overlijden van uw man.'

'Hij is niet overleden, meneer Finch. Hij heeft zichzelf met een vuurwapen van een zwaar kaliber voor zijn kop geschoten. U hoeft me niet te beschermen tegen gruwelijke details die me al bekend zijn.'

'Mijn excuses daarvoor,' zei Victor. 'Dan zal ik meteen terzake komen. Ik ben hier om u te vragen hoe u wilt dat uw man herdacht wordt door de Dienst Nazorg. Er zijn diverse mogelijkheden. We kunnen u een herdenkingsplaquette aanbieden...'

'Sta me toe dat ik u onderbreek, meneer Finch. Mijn man was een vuile schoft. Hij heeft me meer dan genoeg aandenkens aan zijn bestaan nagelaten en dat zijn stuk voor stuk slechte herinneringen. Ik waardeer uw aanbod zeer en ik weet dat uw organisatie uitstekend werk doet, maar het beste wat we op dit moment kunnen doen, is proberen te vergeten dat sheriff Ogden Parnum ooit heeft bestaan.'

'Mevrouw, nogmaals mijn excuses voor het feit dat ik u aan deze pijnlijke kwestie moet herinneren, maar...

'Dat doet u niet, meneer Finch, absoluut niet. Ik neem u niets kwalijk.'

'Mag ik u dan vragen, mevrouw Parnum, waarom uw man volgens u zelfmoord heeft gepleegd?'

'Omdat hij zich ellendig voelde. Omdat hij depressief was. Omdat hij een hekel aan zichzelf had. Omdat hij zijn leven ondraaglijk vond. Waarom pleegt iemand zelfmoord?'

Victor zei niets en wachtte.

'Daar ga ik weer,' zei mevrouw Parnum. 'Ik kan er niets aan doen.' Ze liet een kort, nerveus lachje horen. 'Ik wéét niet waarom hij zelfmoord heeft gepleegd. Hij heeft geen briefje achtergelaten, als u dat bedoelt. Maar...' Ze viel ineens stil en keek op. 'Waarom wilt u dat eigenlijk weten?'

'Het komt in ons werk weleens meer voor en ik ben altijd geïnteresseerd in... u weet wel... wat er gedaan kan worden om het te voorkomen en iemand het leven te redden.' Hij keek op. 'Sorry, wat wilde u zonet zeggen? U zei: "Maar..."?'

'Nou, die ochtend kwam er een vrouw naar ons huis die Ogden wilde spreken. Ik had haar nooit eerder gezien. Ze was blond, achter in de dertig en was gekleed in een mantelpakje. En toen ze mij zag, kwam er een heel merkwaardige uitdrukking op haar gezicht.' Ze wachtte even. 'Een uitdrukking die ik alleen maar als medelijden kan omschrijven.'

'Medelijden?'

'Ja, dat was het merkwaardige. Ik bedoel, waarom zou deze onbekende vrouw medelijden met me hebben? Jezus, voor de mensen die me kennen heb ik weinig reden tot klagen. Maar deze vrouw kwam mijn huis binnen en het was alsof ze dwars door me heen in mijn ziel keek.'

Victor knikte bedachtzaam.

'En dan Ogdens gezicht toen hij haar zag. Ze bleek Marcy Winbaum, de openbaar aanklager, te zijn. Ik had haar niet herkend. Jaren geleden werkte ze voor Ogden. Ze was sindsdien veel veranderd. Hoe dan ook, ze stond erop Ogden onder vier ogen te spreken. Hij nam haar mee naar zijn werkkamer. En ik, nou ja, ik was nieuwsgierig, dus toen ze al een tijdje binnen waren, heb ik even aan de deur staan luisteren. Ze praatte luid, wat me als merkwaardig voorkwam. Ik hoorde haar iets zeggen over "dingen onder het tapijt vegen" en "met jezelf kunnen leven". Ze zei dat ze iemand had gevonden die iets voor de rechtbank onder ede kon verklaren, en dat Ogden uit twee dingen moest kiezen. Op dat moment ging mijn kookwekker af en moest ik terug naar de keuken om een taart uit de oven te halen.'

'Hebt u uw man naderhand gevraagd wat het allemaal te betekenen had?'

'Ik wilde het liever niet meteen vragen. En de volgende avond bleek dat hij voor zichzelf een derde keuze had gecreëerd en die was zichzelf voor zijn kop schieten.'

'Mag ik u nog iets vragen? Uw man werkte aan de Crosscut-zaak. Die moorden zijn tot aan zijn dood onopgelost gebleven. Acht u het mogelijk dat dát invloed heeft gehad?'

'Die arme meisjes. Ogden zat er erg mee. Maar dat is al enige tijd geleden.'

Ze fronste haar wenkbrauwen. 'Uw organisatie houdt zich toch niet bezig met de tekortkomingen van omgekomen politiemensen?'

Victor keek haar aan en herinnerde zichzelf aan de rol die hij speelde.

'Ik denk dat ik het vroeg uit persoonlijke nieuwsgierigheid,' zei hij. 'Weet u zeker dat we niets voor u kunnen doen om uw nagedachtenis aan uw man positief te beïnvloeden?'

'Ik zal u eens iets over Ogden Parnum vertellen,' zei ze opeens. 'Ik zag regelmatig krassen op zijn rug. Die dunne, evenwijdige krassen veroorzaakt door hongerige nagels. En op zijn gezicht. Van die op zijn rug ving ik alleen af en toe een glimp op, omdat ik nooit de kans kreeg om hem beter te bekijken. En moet u me zien.' Ze liet haar beide handen over de fraaie lijnen van haar slanke taille gaan.

'Ik ben toch geen afzichtelijke vrouw?' Ze riep zichzelf tot de orde. 'En er was niets wat ik niet voor hem gedaan zou hebben, als u begrijpt wat ik bedoel. Ik weet van wanten, meneer Finch. Hij trouwde niet met een lief, onschuldig meisje.' Ze keek op. 'Wat was er mis met mij?' zei ze, en opeens stonden de tranen in haar ogen. 'Wat was er mis met mij?'

Marcus Canney zat op zijn vuile nagels te bijten.

'Dit wordt geen routinevoorgeleiding voor het districtshof,' zei O'Connor, en hij richtte zijn wijsvinger op Canney. 'Jij staat daar straks, in je goedkope nette pak, met je haar plat gekamd zoals je moeder het deed toen je klein was, met een brave uitdrukking op je gezicht... en het zal je allemaal niks helpen. Want het wordt Delaney.' O'Connor glimlachte. 'De rechter die het niet heeft op drugsdealers. En jij hebt geen schijn van kans.'

Canney kromp ineen.

'Ik vind het niet leuk om jóú naar de gevangenis te sturen,' zei O'Connor. 'Maar je leveranciers.... Dat is een andere zaak.'

Geen reactie.

'Kom op, Canney. Je speelt nu geen cowboytje en indiaantje. Dit is het grote werk en je gaat eraan voor vijf tot zeven jaar. Dan sta je er alleen voor.'

Canney kromp nog verder ineen.

'En wat zullen de grote jongens dan doen? Die zullen meteen een nieuwe man gaan trainen. Misschien zullen ze deze keer beter hun best doen. En daarna zullen ze gaan nadenken over wat de beste manier is om jou van het toneel te laten verdwijnen. Doen ze het als je vastzit, of wachten ze tot je weer vrij bent en denkt dat je hele leven voor je ligt?'

Canney staarde voor zich uit.

'Luister,' zei O'Connor. 'Je kunt hier de deur uit lopen en ze zullen het nooit te weten komen. Dat beloof ik je.'

'Ja, dat zal wel.'

'Je zit erin tot aan je nek, Canney. Ik weet niet hoe ik het anders zou moeten formuleren. Maar er is een uitweg. We kúnnen deze hele zaak vergeten. Dan kun je gaan, niemand hoort er iets over en we zijn allemaal gelukkig.'

'Je denkt toch niet dat ik daarin trap, hè?'

'Waarom denk je dat ik hier ben en we niet in een verhoorkamer zitten, met een lopende recorder?'

Canney keek langs hem heen en fronste zijn wenkbrauwen. 'Ja, nou...'

'Nou wat? Vertel op. Wie levert je je spullen?'

'Hoor eens, ik zeg niks. Ben je niet goed snik?'

'Wat je wilt,' zei O'Connor, en hij stond op. 'Ik heb mijn best gedaan. Ik zie je later, in de verhoorkamer.' Hij liep naar de deur. 'Maar zeven jaar... of zelfs vijf! Dat is het absolute minimum bij deze rechter. Ik geloof niet dat dat tot je doordringt.' Hij tikte met zijn wijsvinger tegen zijn slaap en treuzelde langer bij de deur dan nodig was.

Uiteindelijk begon Canney te praten. 'En als ik iets weet over dat meisje uit Mountcannon dat is vermoord?'

Met een ruk draaide O'Connor zich om. Canney glimlachte en knikte langzaam met zijn hoofd.

'Je bent het laagste van het laagste, Canney...'

'En als ik het meen?'

O'Connor keek hem even hoofdschuddend aan en draaide zich weer om naar de deur.

Canney haalde zijn schouders op. 'Als ik een van de laatste mensen was die haar in leven heeft gezien?'

Ouwe Nic liep de snackbar van Stinger's Creek in en wisselde een biljet van twintig voor een handvol munten. Hij ging weer naar buiten, liep naar een telefooncel en draaide Joe's nummer.

'Ik kan nu niet praten,' zei Joe meteen toen hij opnam.

'Nee, maar je kunt wel luisteren. En dat zou ik doen als ik jou was. Ik weet dat je mijn trip naar Texas hebt afgeblazen, maar ik ben toch gegaan. Mijn alarmbellen zeiden dat ik dat moest doen. Ik heb net de weduwe gesproken en ik zal je dít zeggen, dat is een heel aantrekkelijke dame. Maar het is ook een verbitterde dame. Ze had de pest aan haar man, want die scheen haar te bedriegen, dat soort dingen...'

'Heeft ze iets gezegd over waarom hij zelfmoord heeft gepleegd? Of over de Crosscut-zaak?'

'Alleen dat hij er erg mee in zijn maag zat. Over waarom haar man zelfmoord had gepleegd gaf ze alleen een paar standaardredenen, want het kon haar weinig schelen. Een ijskoude tante. Maar vervolgens ben ik toch nog op een heel groot "waarom" gestuit. Weet je met wie jij eens moet praten? Met de laatste persoon die bij Ogden Parnum op bezoek is geweest voordat hij Russisch roulette met een geladen revolver ging spelen. Marcy Winbaum, de openbaar aanklager, had vroeger onder Parnum gewerkt, is weer gaan studeren, enzovoort enzovoort... Die heeft nu opdracht gegeven de zaak te heropenen, omdat er iemand met nieuwe informatie naar voren gekomen schijnt te zijn. Niemand heeft nog iets daarover tegen Dorothy Parnum gezegd, want het schijnt dat wijlen haar echtgenoot heel diep in de problemen zit... of zat. Marcy Winbaum houdt haar kaarten voor zich, maar het gerucht gaat dat ze dat doet omdat ze op het punt staat een prachtige hand op tafel te leggen.'

Anna had toegekeken toen Duke het huisje doorzocht en in een hoek vol rommel de vieze, vochtige zak had gevonden die ze nu over haar hoofd had. Elke keer als ze inademde drong de stank van kattenpis en zure melk haar neusgaten binnen. Ze had de hele rit kokhalzend en hulpeloos op de vloer van de stationcar gelegen. Nu was ze weer buiten, maar de frisse lucht drong maar nauwelijks door de stank heen.

'Oké, hier,' fluisterde Duke, en hij gaf een ruk aan haar arm. Anna bleef staan. Maar ze hoorde een paar heel zware voetstappen die doorliepen.

'Sheba,' siste Duke. 'Sheba, terugkomen, dikke...'

Siobhàn Fallon draaide zich met een ruk om en was niet in staat haar gekwetstheid te verbergen. Ze kwam langzaam teruglopen terwijl Duke Anna's enkels aan elkaar bond.

'Noem me alsjeblieft geen Sheba,' zei Siobhàn zacht. 'Het is toch niet zo moeilijk om Shi-van te zeggen? Niks aan.'

'Even proberen,' zei Duke. 'Sh... Sh... She... Bah! Goed zo?' Zijn glimlach stond op zijn gezicht geboetseerd.

'Waarom doe je... Wat heb ik gedaan?' Ze bracht haar hand naar haar wang. Duke hield hem halverwege tegen en kneep daarbij te hard in haar pols.

'O, je hebt je werk goed gedaan,' zei hij. 'Echt. Je hebt je bestellingen prachtig opgeschreven. Een hamburger met friet, zonder mayonaise, zonder augurk en met extra barbecuesaus, en een milkshake, allemaal op je mooie blocnote, juist gespeld, tientallen keren.'

Ze lachte nerveus. Haar pols klopte onder de druk van zijn hand. Ze probeerde hem los te trekken. Hij ging dichter bij haar staan.

'Trek nu die grote trui van je uit,' zei Duke.

'Waarom?' vroeg ze met trillende stem.

'Omdat ik dít heb.' Hij liet haar pols los, haalde een mes met gebogen lemmet uit zijn achterzak en hield het vlak voor haar gezicht. Siobhàn verstrakte. Duke keek dwars door haar heen. Langzaam trok ze haar arm uit haar rechtermouw omhoog, waarbij ze haar elleboog tegen haar zij gedrukt hield. Ze deed hetzelfde met de linkerarm en schoof de trui omhoog totdat die om haar nek hing. De mouwen hingen los naar beneden en bedekten de verschoten grijze katoenen beha maar voor een deel. Er kwam kippenvel op haar bleke huid. Ze begon te rillen. Duke draaide zich om, maakte het touw om Anna's hals los en trok de zak van haar hoofd. Anna draaide haar hoofd weg. Duke pakte haar gezicht met beide handen vast en dwong haar te kijken.

'Je wilt dit niet missen,' zei Duke. Hij bracht het mes naar zijn mond en nam het heft tussen zijn tanden om zijn handen vrij te hebben.

'Nou, laten we eens kijken of ik nog weet hoe dit moet,' mompelde hij, waarna hij zijn armen om Siobhàn heen sloeg en de sluiting van haar beha losmaakte. Haar grote, slappe borsten zakten neer tot op de vetrollen om haar middel. Er kwam een uitdrukking van walging op Dukes gezicht. Opeens schoot Siobhàns hand omhoog, greep het heft van het mes vast en trok het met een ruk opzij zodat het lemmet Dukes mondhoek opensneed. Ze draaide zich om en wilde wegrennen, maar hij was meteen bij haar. Hij gooide haar op de grond, ging op haar zitten en hield haar armen boven haar hoofd.

'Wel verdomme,' siste Duke, en hij spuugde naast haar in het gras. Daarna hield hij zijn gezicht recht boven het hare totdat de bloeddruppels op haar lippen vielen en zich op haar wangen vermengden met haar tranen.

'Opstaan. Schiet op! En trek die broek uit.'

'Laat haar met rust!' riep Anna. 'Laat haar gaan!' Duke pakte Anna's hoofd vast en schudde het ruw heen en weer totdat ze haar mond hield.

Hij keerde zich weer naar Siobhàn. 'Uittrekken, alles. Je hebt gezien hoe scherp dit mes is.' Hij glimlachte en bracht zijn hand naar de snee in zijn wang.

Ze deed wat hij haar had opgedragen en deed een zinloze poging haar lichaam te bedekken met haar handen. Anna's maag keerde zich om. Ze hoopte dat Siobhàn haar kant op zou kijken en dat zij haar op de een of andere manier kon laten blijken dat alles goed zou komen en dat ze nooit aan iemand zou vertellen wat Siobhàn allemaal had moeten doormaken. Maar toen ze zag wat Duke uit zijn tas haalde, wist ze dat het meisje het niet zou overleven. En dat zij er niets aan kon doen.

'Lopen, en denk erom, niet omkijken.' Siobhàn richtte zich op maar draaide automatisch haar hoofd om. En slaakte een angstkreet toen ze de boog zag.

'Rennen, konijntje, rennen!' riep Duke terwijl hij de boog optilde tot schouderhoogte. Siobhàn rende weg, liep struikelend door het lage groen en bezeerde haar blote voeten aan de scherpe stenen. Ze had dertig meter gelopen toen de eerste pijl haar trof.

Joe nam de hoorn van het toestel om Marcy Winbaum te bellen, de eerste persoon aan wie hij de waarheid moest vertellen sinds Anna ontvoerd was. Winbaum praatte met de zelfverzekerdheid van iemand die hard had moeten werken om te komen waar ze was. Bij elk woord dat ze zei versnelde Joe's hartslag. Terwijl hij de kracht uit zijn lichaam voelde verdwijnen, nam zijn vastbeslotenheid steeds verder toe. Hij had dit nooit eerder gevoeld, dit primitieve paniekgevoel dat begon in zijn borst, zich naar beneden verspreidde en tegelijkertijd zijn hoofd deed bonzen. Hij moest zijn uiterste best doen om zijn ademhaling onder controle te krijgen. De beelden van de faxen flitsten door zijn hoofd, de slachtoffers die als afgedankte poppen in het bos waren neergesmeten. Daarna maakten ze plaats voor de politiefoto van Duke Rawlins en het lijk van Donald Riggs. En toen zag hij Anna. Joe voelde hoe in zijn borstkas iets kapot werd gescheurd. Hij had zijn vrouw op het pad van deze gestoorde gebracht. De enige hoop die hij nu nog had, was dat hij iets had om mee te onderhandelen.

Victor Nicotero liep weg van de telefooncel. Hij dacht aan Dorothy Parnum en aan hoe mensen zo sterk en tegelijkertijd toch zo zwak konden zijn. Dat beviel hem. Hij haalde het nepdossier van de DNP onder zijn arm vandaan om het op te schrijven voor zijn toekomstige memoires. Hij zocht in zijn binnenzak naar de pen die hij had gekregen toen hij met pensioen ging. Die was weg. Hij keek in de dossiermap en klopte op zijn andere zakken.

'Wel verdomme,' zei hij, en hij draaide zich om.

Duke zat op zijn knieën bij het lijk van Siobhàn Fallon en bewerkte het met het gebogen lemmet van zijn mes. Anna, die bevrijd was van het touw om haar enkels maar nog wel aan een boomstam was vastgebonden, boog zich met een ruk voorover en kotste tussen haar voeten. Door de kracht die ze zette, voelde ze een heel klein beetje speling in de knoop in het touw om haar polsen.

'Blijf kijken,' zei Duke tegen haar, 'anders laat ik je iets doen waar je misschien spijt van zult krijgen.' Met haar betraande ogen keek Anna naar hem op.

'Je hoeft het niet alleen jezelf te verwijten,' zei Duke. 'Dit is voor rekening van jou én je man. Je mag je schuldgevoel met hem delen.' Hij glimlachte en ging door met zijn ritueel terwijl hij achterom naar Anna bleef kijken, want de prachtige afschuw op haar gezicht deed aangename rillingen langs zijn ruggengraat lopen. Op het moment dat hij zijn hoofd weer van haar wegdraaide, ging ze ervandoor.

Frank Deegan had de faxpagina's op de zitting van de passagiersstoel uitgespreid, in de hoop dat hij er tijdens de rit naar kon kijken. Maar al bij de tweede foto moest hij zijn auto aan de kant van de weg zetten. Hij bekeek de foto's aandachtig en las de beschrijving van de verwondingen, over de jonge huid, de botten, het haar en de ledematen die het verband tussen hen vormden. Hij had nooit kunnen begrijpen waarom er mannen waren die de behoefte voelden om deze kwetsbare wezens kapot te maken.

Frank keek opnieuw naar de foto's. Hij kon de stippellijn trekken van de verwondingen van de Amerikaanse slachtoffers naar die van Mary Casey in Doon. Maar er was nog een andere stippellijn, die verder doorliep en die hij nog niet kon trekken... naar Joe Lucchesi. En toen zag hij er nóg een, die naar de ranke, kwetsbare Anna liep.

Dorothy Parnum depte haar ooghoeken met een opgepropte zakdoek toen ze de deur opendeed. Haar mascara was doorgelopen, haar lipstick was verdwenen en er liep alleen nog een lelijke roze lijn rondom haar lippen.

'Ik ben mijn pen vergeten,' zei Victor Nicotero, maar ze had hem al in haar hand.

'Dank u wel,' zei hij.

'Ik bedank ú,' zei Dorothy. 'En ik bied u mijn excuses aan voor mijn gedrag van zojuist. Ik weet niet waarom ik u dat allemaal heb verteld.' Er kwamen nieuwe tranen in haar ogen. 'Maar u ziet eruit als de vriendelijkste man die een rouwende weduwe kan ontmoeten, als ze geluk heeft.' Ze pakte zijn arm vast en gaf er een kneepje in, maar ze ging er alleen maar harder door huilen. Ten slotte haalde ze diep adem en probeerde ze te glimlachen.

'Geen boe-hoe's meer,' zei ze. 'Dat zei Ogden altijd tegen me. "Geen boehoe's meer..." Maar er kwamen er altijd meer.'

30

Stinger's Creek, Texas, 1992

Ogden Parnum deed de plastic map dicht en keek toe terwijl zijn vochtige handafdruk kleiner werd en ten slotte verdween. Hij staarde naar de ruimte tussen de twee foto's aan de muur en boog toen het hoofd totdat zijn nek zeer begon te doen en hij zijn hartslag achter zijn slapen voelde. Keer op keer haalde hij zijn trillende vingers door zijn dunne haar. Toen sloeg hij op de knop van de intercom.

'Marcy, ik denk dat we iemand naar het bureau moeten laten komen. Kom naar mijn kantoor, alsjeblieft.'

'Oké, baas.'

Ogden Parnum had in de loop der jaren met vijf verschillende hulpsheriffs gewerkt, maar geen van hen was zo intelligent en efficiënt geweest als Marcy Winbaum. Hij besefte nu dat zij wel de laatste was aan wie hij in deze zaak behoefte had. En de verdachte die hij op het bureau moest ontbieden was wel de állerlaatste persoon die hij wilde zien.

'Is het niet geweldig?' zei ze met een glimlach, en ze wees naar het labrapport.

'Rustig aan, Marcy. Ik vind het allemaal nog een beetje te prematuur, want er kan ook een heel andere verklaring mogelijk zijn.'

'Nou, er is nog iets anders waar ik enthousiast over ben, als je even naar me wilt luisteren, baas. Ik heb de rest van het Crosscut Killer-dossier nog eens doorgenomen. En, eh... toen heb ik het dossier van Janet Bell ernaast gelegd. Het lijk dat in '88 is gevonden, van die prostituee die zich ook wel Alexis noemde? Ik denk dat zij een van zijn slachtoffers is, baas.'

'Ze had een schotwond, Marcy.'

'Oké, luister nou even. Het lijk van Mimi Bartillo, ons "eerste" slachtoffer, wordt in hetzelfde jaar gevonden, met verwondingen in de nierstreek en zes messneden onder de ribbenkast. Dan, acht maanden later, wordt het lijk van Janet Bell gevonden. Het is begraven, in verregaande staat van ontbinding en met een – ogenschijnlijke – schotwond in de ene nier. Maar kijk nu hier eens.'

Ze wees naar een van de autopsiefoto's. 'Haar satijnen rokje. Als je goed kijkt, zie je een driehoekige haal in de stof.' Ze keek op naar Ogden. Zijn gezichtsuitdrukking bleef neutraal. 'Als het nu eens géén schotwond was, maar een wond toegebracht door een ander wapen, een pijl en boog? Een pijl met drie veren, in een driehoek? Ik heb het voorgelegd aan de patholoog en die acht het zeker mogelijk. Wanneer een menselijk lichaam wordt geraakt door een projectiel dat een hoge snelheid heeft, ontstaat er een wond die ons laat zien wat er gebeurd is. We kunnen een steekwond van een schotwond onderscheiden aan de hand van de soort wond die is ontstaan. Maar als een lijk al een tijdje aan het ontbinden is, nou, dan wordt dat een stuk moeilijker, want dan wordt het weefsel... sponzig, of zoiets.' Ze begon te blozen. 'In dit geval is het weefsel rondom de wond, eh... gecompromitteerd, denk ik.' Ze knikte. 'De driehoekige haal in de kleding vormt hier de sleutel.' Ze wachtte even. 'Ik denk dat Janet Bell het eerste slachtoffer was, baas. Goed, ze was begraven, maar ik denk dat de moordenaar daarna pas op het idee gekomen is om de lijken zichtbaar achter te laten, en daar is hij toen mee begonnen.'

'Maar Bell was niet in het been geraakt... Hoe kan die haal dan in haar rok zijn gekomen?'

'Oké, stel je voor dat ik een satijnen rok aanheb en aan het rennen ben. Er is een goede kans dat de wind vat op de stof krijgt en die opblaast. Weet je nog, Marilyn Monroe op dat rooster? Nou, als het nu eens zo is dat mevrouw Bell wegrende van de moordenaar, dat de wind haar rokje opblies en op dat moment de pijl door de stof drong en in haar rug terechtkwam?'

'Jeetje, Marcy,' zei Parnum. 'Vind je dat niet een beetje vergezocht?'

'Ik weet dat je het niet leuk vindt dat ik me overal mee bemoei, maar ik denk echt dat ik iets heb gevonden. Tot nu toe heeft onze man Mimi Bartillo in '88 vermoord, Cynthia Sloane in '89, Tonya Ramer in '90, Tally Sanders in '91, en nu ons onbekende slachtoffer. Plus, denk ik dus, Janet Bell ook in '88, of daarvoor. Dat zijn zes vrouwen, baas. En als het bewijs van vandaag aangeeft –'

'Maar dacht jij niet dat Rachel Wade, dat barmeisje, dacht jij niet dat zij óók een slachtoffer van de Crosscut Killer was, terwijl Bill Rawlins daarvoor is veroordeeld?' Zodra hij de zaak aanhaalde, kristalliseerde alles waaraan hij de afgelopen vier jaar had gewerkt zich uit tot één grote, deprimerende realiteit.

Het lukte hem nog net te blijven praten. 'Je bent nieuw in dit vak, Marcy. Concentreer je op de feiten, wil je? Aan gissingen hebben we niks.'

Haar glimlach verdween en zodra ze het formulier van hem had aangepakt, liep ze het kantoor uit en ze ging terug naar het dossier dat opengeslagen op haar bureau lag, met een gele blocnote ernaast. Parnum kwam haar achterna, sloeg het dossier dicht en stopte het onder zijn arm.

De verhoorkamer van het politiebureau van Stinger's Creek was klein en had geen ramen. Het enige licht was afkomstig van een zwakke gloeilamp met een stoffig groen kapje aan het plafond. Het wierp grauwe schaduwen op de vloer.

'Kunt u hier wachten totdat de sheriff met u komt praten?' vroeg Marcy.

'Ja, mevrouw, dat zal ik doen. Maar ik wil hem graag alleen spreken.' Duke Rawlins hing onderuit op de ijzeren stoel, met zijn rug naar de deur, zijn benen wijd gespreid en zijn heupen omhoog geduwd. Marcy Winbaum draaide zich om en liep de kamer uit. Parnum verscheen in de deuropening en keek naar de man die voor hem zat. Er stonden zweetdruppeltjes op zijn voorhoofd. Hij haalde zijn zakdoek uit zijn broekzak en veegde ze weg.

'Ken je me nog?' Duke draaide zich om en zette zijn elleboog op de rugleuning van de stoel. Parnum deed de deur achter zich dicht en duwde er met zijn hand tegenaan totdat hij een klik hoorde.

Duke trok zijn wenkbrauwen op en glimlachte. 'Wat was ik ook alweer? Je kleine flikkertje, je privé-hoer, je speelgoedje, je strakke holletje, je... o ja, je... je neukvriendje?'

'Ik heb een uur geleden een rapport van het lab binnengekregen,' zei Parnum op sissende fluistertoon, 'waarin staat dat de lak op de schoen van ons onbekende slachtoffer afkomstig is van een Dodge Ram pick-up. En God sta me bij, daar is er maar één van in de hele omgeving, voorzover ik weet, en die staat bij jou in de tuin.'

Duke bleef hem onbewogen aankijken.

Parnum sloeg met zijn vuist op het tafelblad. 'Dringt het dan niet tot je door? Andere mensen weten het nu. Marcy, de mensen van het lab... We hebben bewijs gevonden!'

Duke zette zijn handen op het tafelblad en boog zich dicht naar hem toe. 'Nou, dan ga jij ervoor zorgen dat dat klotebewijs weer zoekraakt.'

Parnum deinsde achteruit. 'Ben je gek geworden? Dat kan ik niet doen! Ik –'

'Laat me even nadenken. Hoe moet dat dan met mevrouw de sheriff en alle kleine sheriffjes? Als die van jouw geheim horen? En dominee Ellis? En het hele verdomde First Baptist Church Choir?'

Parnum bleef even zwijgen. Ten slotte zei hij: 'Ik zal zien wat ik kan doen.'

'Nee, je gaat dóén wat je kan doen.'

'Je hebt vijf vrouwen vermoord.'

'Denk je dat?'

Parnum slikte.

'Waag het niet me te veroordelen, vuile smeerlap die je bent! Waag het niet.'

Parnum voelde zich misselijk worden. Hij pakte de rand van het tafelblad vast.

'Je was daar vrijdagavond...'

'O ja? Als ik daar vrijdagavond was, sheriff, hoe kan ik dan van je gewonnen hebben met pokeren?'

'Ik zou nooit pokeren met een –'

'Nee, zou je niet met mij spelen?' Hij lachte snuivend. 'Trouwens, het was niet alleen ik. Donnie Riggs was er ook bij. We zouden geen bier hebben gehad als Donnie er niet was geweest.'

'Grote god, Donnie Riggs. Die heb ik nog nooit...'

'Je hele leven flitst nu zeker aan je voorbij, hè, stoere jongen?'

'Je bent een gestoorde schoft.'

'Ik?' Duke begon hardop te lachen.

'Ik weet het van Rachel Wade,' zei Parnum. 'Je hebt je oom in de gevangenis laten opsluiten...'

Duke kneep zijn ogen tot spleetjes. 'Wat? Zie ik eruit als een rechter? Zie ik eruit als twaalf juryleden? Of...' Hij wachtte even. '...zie ik er misschien uit als de volgevreten mafkezen die het politieonderzoek hebben gedaan? Jullie waren het die de verkeerde hebben gepakt. Toen kon ík hem alleen nog maar steunen. Ik ben elke dag naar de rechtszaal gekomen –'

'Ja, om te luisteren naar de dingen die jij –'

'Ho, pas op. Pas op wat je zegt. Je wilt me toch niet beschuldigen van dingen die je niet hard kunt maken, of wel soms?'

'Bill Rawlins was een goed mens,' zei Parnum.

'Ik heb nooit gezegd dat hij dat niet was. Maar het was zíjn zakdoek die in de mond van dat meisje is gevonden.'

Parnum schudde zijn hoofd. 'Jij hebt ervoor gezorgd dat hij overleed.'

'Ik zal het je nog één keer uitleggen. Ik zorg nergens voor. Ik was niet in die gevangeniscel toen hij naar zijn borst greep en op de grond viel. Als ik daar wel was geweest, zou ik hem een stuk sneller gereanimeerd hebben dan die halve zolen die hem hebben gevonden.'

'Je bent een –'

'Tut-tut, stil nou maar.'

Er viel een stilte in de kamer. Aan de andere kant van de muur schoof Marcy Winbaum hard een bureaula dicht en begon er een telefoon te rinkelen.

De airconditioning zoemde.

'Vind jij jezelf een goed mens, sheriff?' vroeg Duke. 'Vind je dat?'

'Eh... ik... eh...'

'Nou?' vroeg Duke met verheven stem. 'Vind je dat?'

'Ja.'

‘Weet je, ik wist het. Ik wist dat je dat zou zeggen. En dat maakt het allemaal nog leuker.’ Duke duwde zijn kruis omhoog en begon zich ongegeneerd te krabben. ‘Voor mij is dit een pure winstsituatie. Er kan mij niets gebeuren. Dat verschaft mij een plezier zo puur, dat ik me helemaal suf geniet. En alsof dat nog niet genoeg is, weet ik dat jij elke avond, als je in je bedje ligt, aan mij denkt. En deze keer krijg je geen stijve in je onderbroek maar trekt het angstzweet in je lakens als je dat doet.’

Parnum verroerde zich niet. Duke stond doodkalm op en boog zich over de tafel naar Parnums asgrauwe gezicht. Hij kuste hem hard op zijn wang en liet zijn tong langs zijn onderkaak gaan. Parnum huiverde.

‘Er kan misschien een tijd geweest zijn dat je mij kon naaien, Parnum, maar ik ben nu degene die jóú naait, en ik ben voorlopig nog niet met je klaar.’ Hij schopte zijn stoel achteruit en liep de verhoorkamer uit.

‘Kijk voor je,’ zei hij tegen de hulpsheriff toen hij de deur opendeed en de koele avondlucht in stapte.

31

Inspecteur O'Connor gooide de deur van de verhoorkamer open en stormde de gang in. Hij trok de telefoon op de balie naar zich toe en toetste het nummer van het politiebureau in Mountcannon in, maar hij werd direct doorverbonden met zijn eigen centrale. Hij rende naar zijn auto. Met jankende sirene en hoge snelheid reed hij de stad door en ging op weg naar Mountcannon.

Joe was in de keuken, stond over de la gebogen en zocht panisch tussen alle medicijnflesjes en doordrukstrips. Hij vond echter niets wat hem kon helpen tegen de reusachtige hoofdpijn die zijn hele schedel teisterde. Hij schonk een glas water in en probeerde te drinken, maar het koude water deed pijn aan zijn tanden en maakte hem duizelig. Beelden van afzichtelijk bleke lijken vol zwarte bloedvlekken schoten als geprojecteerde dia's door zijn hoofd. Hij deed wanhopig zijn best om Anna er niet tussen te zien, gewond of dood, of... Hij durfde niet te denken aan datgene waartoe Duke Rawlins nog meer in staat was. Toen ging ergens binnen in hem een sluiter dicht om te voorkomen dat hij echt gek werd. Hij dwong zichzelf aan de mooie beelden van Anna te denken... lopend door het middenpad van de kerk, met de kleine Shaun op haar heup, toen ze hun nieuwe appartement aan het schilderen was, toen ze op de gang stond met haar haar in de war toen hij in de logeerkamer ging slapen.

Joe veegde de tranen uit zijn ogen en concentreerde zich op de man met wie hij de confrontatie aan zou moeten. Duke Rawlins had in de gevangenis gezeten omdat hij iemand met een mes had gestoken, maar voor zijn ergste en wreedste misdaden hadden ze hem nooit gepakt. Het was hem gelukt een alibi van een sheriff te krijgen en daar had hij meer dan tien jaar lang gebruik van gemaakt. Joe achtte het niet waarschijnlijk dat hij er ooit achter zou komen wat daarachter zat. Wat er nu toe deed, was dat hij in de wereld van een psychopaat was gezogen. Door zijn daad op een zonnige middag in een park in New York had hij deze moordenaar bij zijn gezin gebracht, en bij het dorpje waar ze zoveel van hielden. Joe vond dat hij het verdiende dat hij pijn leed.

Zijn enige troost was dat hij – tenminste, dat hoopte hij – Rawlins' plan voldoende had ondergraven. Door de oorspronkelijke reden ervan weg te nemen. Hij had tegen Rawlins gezegd dat diens vrouw en beste vriend hem hadden verraden. Maar toen besefte hij opeens, met een nieuwe golf van paniek, dat hij daarmee een situatie had geschapen waarin Duke Rawlins niets meer te verliezen had.

De telefoon begon te rinkelen.

'Er wacht iemand op je aan het eind van je tuin,' zei Duke. 'Ik bedoel, er lígt iemand op je te wachten.'

Joe's maag werd samengeknepen. Hij rende de gang in, pakte een zaklantaarn en sprintte naar buiten, het duister in. Hij gleed uit op het natte gras, brak zijn val met zijn onderarm, krabbelde overeind en rende door totdat hij dichtbij genoeg was om in de bosjes een op de buik liggende gedaante te onderscheiden. Langzaam bewoog hij de lichtstraal van de zaklantaarn ernaartoe. Hij hield zijn adem in, maar liet die ten slotte ontsnappen in een halfslachtige en schuldige zucht van opluchting. Siobhàn Fallon had geprobeerd te ontsnappen toen ze door twee pijlen in haar rug was geraakt. Onder haar lag een plasje bloed dat het groene gras zwart kleurde. Joe herkende de snee in haar onderarm. Hij herinnerde zich hoe ze ernaar had gekeken, met een verbazing die overging in boosheid. Nu begreep hij het. Het was de eerste verwonding toegebracht door een man die haar de wereld had beloofd als ze meedeed in zijn spel, maar die haar alles weer had afgenomen toen haar rol uitgespeeld was.

De mobiele telefoon in Joe's zak begon te piepen. Hij haalde het toestel eruit. Na een stilte die enkele seconden duurde besefte Joe dat Duke op adem probeerde te komen van het harde lachen.

'O, man,' grinnikte hij. 'O, man.' Toen kreeg zijn stem een lage, grommende klank. 'Heb je nou je zin? Het is nu jij en ik, een tegen een.'

Joe deed zijn ogen dicht en hoewel hij zijn mond maar amper open kon krijgen, begon hij langzaam te praten.

'In een of andere duistere uithoek van jouw geest denk je dat het eervol is wat jij doet, dat dat verkrachten, opjagen en vermoorden van jou eervol is. Je gebruikt je behendigheden, je spelletjes en je andere onzin. Maar als je die wegneemt, Rawlins, wat blijft er dan nog over? Wraak. Alleen maar ouderwetse wraak. Een motief zo laaghartig dat je geen haar beter bent dan al die andere gestoorde, meelijwekkende strontzakken die zijn zoals jij.'

'En als jij de kans kreeg,' zei Duke, 'zou je me dan geen kogel in mijn kop schieten voor wat ik van plan ben te doen?'

'Wat bedoel je met "van plan bent te doen"?' Opeens haalde Joe de telefoon weg van zijn oor en schreeuwde er vanaf een afstand in. 'Weet je wat? Ik speel je spelletje niet meer mee, laffe, gestoorde klootzak!' Hij smeet de telefoon in het gras. Zijn stembanden deden zeer. Heel zijn gezicht klopte van de pijn. Hij sloeg zijn handen voor zijn gezicht. Ondanks het besef dat Duke geen enkel plezier uit het gebeuren zou putten als Joe niet toekeek, besloot hij toch nog even mee te doen. Dus liet hij zijn handen zakken en keek zoekend om zich heen.

'Wil je het dossier niet zien?' riep hij in het duister. 'Ik heb het bij me.'

Opeens zag hij tussen zichzelf en de zee een lichtstraal bewegen als die van een zaklantaarn.

'O, verdomme,' zei O'Connor terwijl hij zich naar links boog, de weg in de gaten bleef houden en tegelijkertijd Franks nummer in zijn nieuwe mobiele telefoon probeerde te toetsen. Maar de minuscule joystick in het midden was veel te klein voor zijn vingertop. 'Kom op, kloteding,' zei hij, en hij stopte langs de kant van de weg. Hij nam het toestel in zijn hand en zocht Franks nummer op. Hij drukte op de knop en kreeg Franks voicemail.

'Waar ben je, ouwe sufkop...' Onmiddellijk schaamde hij zich. Hij mocht Frank graag. Maar op dit moment zou hij hem wel in zijn gezicht willen slaan, hoewel ze in dit geval allemaal iets over het hoofd hadden gezien. O'Connor reed de weg weer op en trapte het gaspedaal in. Wat Katie was overkomen was zo vreselijk fout. Hij werd overspoeld door een golf van verdriet toen hij dacht aan het meisje dat hij alleen van een foto kende. Ze hadden haar allemaal laten zakken en inspecteur Myles O'Connor had daarbij aan het roer gestaan. Zijn naam zou altijd in verband worden gebracht met een abominabel politieonderzoek. Het enige wat hij nog kon doen, was ervoor zorgen dat hij op tijd was voor de enige finale die Katie Lawson recht zou doen.

Ritchie Bates had de patrouillewagen zo geruisloos mogelijk achter een rij struiken bij Shore's Rock geparkeerd. Hij werd gebiologeerd door de aanblik van Joe Lucchesi. Die stond aan de rand van zijn gazon gevangen in het griezelige licht van een omhoog gerichte zaklantaarn, sloeg naar iets in de lucht en schreeuwde. Toen zag hij Joe naar de vuurtoren rennen.

Met slippende banden kwam O'Connors auto amper vijf centimeter van de muur van het politiebureau tot stilstand. Hij gooide het portier open, rende naar de deur en wilde met de muis van zijn hand een klap op de knop van de intercom geven. Maar hij beheerste zich, haalde een keer diep adem en drukte rustig met zijn vinger op de knop. Hij wachtte even en belde nog een keer aan. Hij riep Franks naam. Maar antwoord kreeg hij niet.

Anna was beurtelings bij en buiten bewustzijn, hing voorover over het touw waarmee ze aan de stalen trap was vastgebonden en was te verzwakt om zich te verzetten tegen de pijnlijke druk die dat in haar maagstreek teweegbracht. Haar knieën knikten en haar voeten konden haar lichaamsgewicht bijna niet meer dragen. Haar polsen waren met ijzerdraad strak achter haar rug vastgebonden en haar mond was dichtgeplakt met een strook breed plakband.

'Jezus christus!' riep Joe, en zijn stem brak. Anna's ogen waren dicht en haar bovenlichaam hing roerloos voorover. Hij stak het dossier in zijn jack en trok het plakband van haar mond. Hij stak zijn hand tussen de treden door en zocht naar de knoop van het bebloede touw. Die kwam vrij gemakkelijk los en het touw viel omlaag tot op haar dijen. Joe wilde haar tegen zich aan trekken, maar toen hij zijn hand op haar onderrug legde, voelde hij iets waardoor zijn maag zich omkeerde. Langzaam bewoog hij zijn hand naar boven en toen die boven haar schouder uit kwam, zag hij dat zijn hand en onderarm dropen van het bloed. Hij keek omlaag. Haar sweatshirt en het bovenste deel van haar spijkerbroek waren ook doorweekt.

Opeens hoorde hij voetstappen achter zich, gevolgd door een schreeuw. 'Mama! Mama!'

Joe draaide zich met een ruk om. Shaun stond zijn ouders verbijsterd aan te gapen. Boven huilde de wind om het lampenhuis en waaide de stalen deur open en dicht.

'Ik had gezegd dat je in het huis moest blijven,' riep Joe om zich boven de herrie verstaanbaar te maken. 'Ga die deur boven dichtdoen.'

Joe probeerde Anna voorzichtig op de grond te laten zakken, maar er was weinig ruimte en hij moest het touw opzij schoppen... het touw waarvan de knoop bijna moeiteloos was losgekomen. Er ging een rilling over Joe's rug toen een oude herinnering zich aandiende. *Té gemakkelijk*. Anna bewoog zich schokkend tegen hem aan en kwam bij kennis. Ze begon heftig haar hoofd te schudden en in haar ogen was een angstschreeuw te zien.

Shaun was de trap op gelopen en duwde de deur dicht tegen de wind. Maar de deur zwaaide weer open, raakte Shaun en sloeg hem tegen de grond.

Joe keek op in de richting van het lawaai en zag Duke Rawlins boven het trapgat staan, met zijn gezicht zo dicht bij dat van Shaun, dat het opgedroogde bloed van de wond in zijn mondhoek in schilfers op Shauns huid terechtkwam.

'Je leert het nooit, hè?' zei Duke. 'De dingen vállen niet zomaar in je schoot, rechercheur.' Hij trok Shaun achteruit en zette het kromme lemmet van zijn mes op zijn keel.

'O,' zei hij terwijl hij zich het trapgat in boog en Joe een touwtje aanreikte. Joe pakte het aan, keek op en zag de zilveren heliumballon aan het uiteinde. 'Hartelijk gefeliciteerd,' zei Duke.

Toen Frank Deegan tussen de heuvels vandaan reed, gaf zijn mobiele telefoon met een piepje aan dat hij weer bereik had. Dat duurde net lang genoeg om te zien dat Myles O'Connor hem zeven keer had gebeld. Maar niet lang genoeg om hem terug te bellen.

Ritchie deed het portier van zijn auto zachtjes dicht, stapte over de greppel heen en wrong zich door een opening in de heg. Hij maakte zich klein en sloop naar de vuurtoren, naar de bewegende schaduwen boven in het lampenhuis.

'Ze heeft geprobeerd dat dikke wijf te helpen,' zei Duke, en hij knikte naar Anna, die onderuitgezakt tegen de stalen wand zat. 'Sheba.'

'Siobhàn,' mompelde Anna. 'Ze heette Siobhàn.'

Duke lachte snuivend en trok een ongeïnteresseerd gezicht. Hij knikte weer naar Anna. 'Het is haar zelfs gelukt van me weg te rennen... heel even maar.' Hij glimlachte.

Boven hem draaide de lens rond, wat een geluid produceerde dat aan een reusachtige snijbrander deed denken. Joe keek naar de bronzen ventilatiesleuven op vloerniveau en op twee meter hoogte. Hij wist van Anna dat óf de sleuf aan de noordkant óf die aan de zuidkant open moest staan als de lens draaide, afhankelijk van de windrichting. Maar ze waren allebei dicht, zodat de kerosinedampen die de kleine ruimte begonnen te vullen, niet konden ontsnappen.

'Oké, dit hoeft niet lang te duren,' zei Duke. 'Het wordt zo'n snelle beslissing... Je weet wel, zoiets als: schiet ik op een ongewapende man of niet. Ja, ik weet dat hij ongewapend was, rechercheur, want het enige wat de arme Donnie in zijn hand had was zijn speld. En daar had hij een reden voor. Hij had die speld in zijn hand om een reden die jij nooit zult begrijpen. Trouw en loyaliteit...' Hij deed zijn ogen dicht.

'Een trouwe vriend kruipt niet met jouw vrouw in bed, Rawlins.'

'Nou, dat is jouw woord tegen het mijne.'

'Het dossier,' zei Joe terwijl hij het uit zijn jack haalde en Anna's bloed op de map achterliet. 'Hier is het. Haar naam staat erin. Ze was op dezelfde dag in hetzelfde park in New York. Heb jij daar een verklaring voor? Ze heeft aan de openbaar aanklager in Stinger's Creek toegegeven dat Donald Riggs het losgeld voor hen beiden had gereserveerd. Niet voor jou, maar voor haarzelf en Riggs, zodat ze zo ver mogelijk weg konden vluchten voordat jij vrijkwam.'

'Donnie wilde die speld in zijn hand hebben als hij stierf...'

'Nee, dat wilde hij helemaal niet,' zei Joe op kalme toon, en hij legde het dossier tussen hen in op de grond. 'Hij wilde die juist weggooien.' Joe knikte naar de stapel foto's, getuigenverklaringen, autopsierapporten en rechtbankverklaringen die bijeen werden gehouden door de lichte kartonnen map. Duke keek ernaar maar schudde toen zijn hoofd.

'Nee,' zei hij. 'Nee.'

Ze stonden enige tijd zwijgend tegenover elkaar, Duke licht heen en weer deinend en met zijn blik in de verte gericht. Joe hield zijn adem in terwijl hij hem observeerde, ongerust door het vooruitzicht van wat er ineens uit die toenemende kalmte te voorschijn kon schieten.

'Je kunt nu nog weggaan,' zei Joe. 'Niemand zal je tegenhouden. Dan hoef je niet de rest van je leven in de gevangenis te zitten voor al die moorden die je hebt gepleegd.'

'Welke moorden?' vroeg Duke, en hij haalde zijn schouders op. Maar toen knapte er weer iets in hem en toen hij begon te praten, klonk zijn stem kil als ijs. 'Hoor eens, we staan hier onze tijd te verdoen, rechercheur. Ik geef je één kans. Maar dan moet je snel zijn.' Hij knipte met zijn vingers. 'Heel snel.'

Ritchie Bates kon nu zien dat Duke Rawlins in de vuurtoren was... en dat bood hem een mogelijkheid die alles zou veranderen.

Shaun stond op de acht centimeter brede richel aan de buitenkant van de reling die rondom de galerij liep. Duke stond aan de andere kant van de reling en had zijn arm om Shauns borstkas geslagen.

'Hou je vast, Shaun,' riep Joe, die moeite moest doen om zich verstaanbaar te maken boven het rumoer van de lens en de huilende wind op de galerij. Een scherpe pijnscheut trok door zijn onderkaak en in een reflexbeweging bracht hij zijn hand naar zijn wang.

'Heb je pijn?' vroeg Duke, en er kwam een brede glimlach op zijn gezicht. Hij deed een stap naar Joe toe. Shaun werd meegetrokken.

'Zoiets als dit?' vroeg Duke, en hij stompte Joe op zijn hand waardoor de pijn doordrong tot in de kern van zijn schedel en zich omlaag verspreidde tot in zijn maag. Joe sloeg dubbel en de tranen sprongen in zijn ogen.

'En nou kop dicht en luisteren,' zei Duke. Met zijn vrije hand haalde hij een mobiele telefoon uit zijn zak en toetste vervolgens een nummer in met zijn duim. Hij hield het toestel op voor Joe: 999.

'Ik denk dat je vrouw wel een ambulance kan gebruiken,' zei Duke. Joe draaide zijn hoofd om en keek naar Anna. Ze zat in een plas bloed, met een grauw gezicht en haar ogen dicht.

'Dus je keuze is de volgende,' zei Duke. 'Ik laat de telefoon vallen of ik laat je zoon vallen. Welke van de twee gaat het worden?'

Joe stond aan de grond genageld. Hij keek om zich heen, zocht naar iets wat hem kon helpen bij zijn beslissing, of bij het vermoorden van de man die voor hem stond. Zijn blik viel weer op het dossier.

'Alsjeblieft,' zei hij. Er druppelde bloed uit zijn mondhoek.

Duke deed een stapje naar voren, maar in plaats van zich te bukken stak hij de neus van zijn laars onder het kartonnen voorblad en wipte het dossier open. Hij schopte de papieren in het rond, totdat de wind er vat op kreeg en ze de lucht in vlogen.

'Nee,' zei Duke, en hij schopte weer naar de papieren. 'Ik vraag het nog één keer. Laat ik de telefoon vallen of laat ik je zoon vallen? Wat wordt het?'

Joe keek om naar Anna. Heel even gingen haar ogen open. Ze schudde haar hoofd met een minimale beweging die haar al haar energie kostte. Joe deed een stap naar haar toe.

'Blijf verdomme bij haar vandaan,' zei Duke, en hij drukte het groene knopje op het toestel in. 'Een ambulance alstublieft, mevrouw,' zei Duke terwijl hij Joe bleef aankijken. 'Oké, je tijd is voorbij, rechercheur. Welke van de twee laat ik vallen... de telefoon of de jongen?' Hij strekte zijn arm over de reling en nam de telefoon tussen twee vingers.

'De telefoon,' zei Joe zacht.

'Ik kan je niet verstaan,' zei Duke. 'Wat zei je?'

'Nee, pa, nee!' riep Shaun. 'Niet doen!' Hij duwde zich tegen de reling.

'Wat gaat het worden, rechercheur?'

'De telefoon!' schreeuwde Joe. 'Laat verdomme die telefoon vallen, gestoorde schoft!'

'Ambulancedienst. Hallo, kan ik u helpen?' vroeg een iel stemmetje op het moment dat Duke zich over de reling boog en de telefoon liet vallen. Tien meter lager spatte het toestel op de grond uiteen.

Shaun slaakte een kreet toen Duke hem losliet, hem op het allerlaatste moment vastgreep en weer terugtrok.

'O, ik heb de telefoonlijn van het huis ook onklaar gemaakt,' zei Duke. Tegen Shaun zei hij: 'Pak de reling vast. Daarna kun je binnenkomen om je vader gedag te zeggen. Hij heeft zojuist je moeder vermoord.'

Shaun klom over de reling en zodra hij zich omdraaide om naar binnen te gaan, zette Duke zijn voet tegen zijn onderrug en gaf hem een harde trap, zodat Shaun tegen Joe aan viel en ze allebei hun evenwicht verloren. Shaun krabbelde overeind en Joe dook naar de deuropening, maar Duke was te snel, was de galerij al op geschoten en uit het zicht verdwenen.

Joe keerde zich om naar Shaun. 'Ga hulp halen. Zeg tegen de politie wat er gebeurd is. Je moeder redt het wel.' Hij liep de galerij op en moest zijn best doen zich staande te houden in de harde wind. Die drong zelfs zijn mond binnen, vond openingen om nog meer pijn te veroorzaken, een extra dimensie van pijn die Joe nog nooit eerder had gevoeld. Hij keek om zich heen maar zag niemand, afgezien van een touw dat aan de reling was geknoopt en dat heen en weer zwaaide in de wind. Toen hij zich omdraaide om weer naar binnen te gaan, werd hij van achteren verlicht door een blauwwit flitsend licht.

'De politie is er!' riep hij naar Shaun. 'Die kan een ambulance laten komen. Ik moet iets doen.' Hij keek naar beneden en zag iemand uit de patrouillewagen stappen. 'Shit,' zei hij, 'het is Ritchie.' Die zou hem nooit geloven.

O'Connor stak een sigaret op, deed zijn ogen dicht en inhaleerde diep. Zijn mobiele telefoon trilde een keer en begon toen te piepen op het hoogste volume dat ingesteld kon worden.

'Myles, Frank Deegan hier.'

'Waar heb je uitgehangen?' blafte O'Connor. 'Ik probeer je de hele middag al te bereiken.'

Frank aarzelde. 'In de Ballyhoura Mountains. Het bereik is daar nogal slecht. Maar ik ben bijna terug. Ik heb nieuws voor je. Ik zal het je vertellen als ik je straks zie.'

'Om de dooie dood niet,' snauwde O'Connor.

'Pardon?' zei Frank verbaasd.

'Je vertelt het me nú, Frank. Wat is er verdomme aan de hand?'

'Hoe bedoel je? Waarmee? Ik heb navraag gedaan naar die moord op Mary Casey in Doon. Die Duke Rawlins waar Joe Lucchesi het over had... Ik heb gezien wat hij in de Verenigde Staten met vrouwen heeft gedaan. En dat is hetzelfde wat die vrouw in Limerick is aangedaan, behalve dat de Amerikaanse slachtoffers pijlwonden hadden in plaats van steekwonden. Maar als iemand alleen een mes bij zich heeft... Ik heb het gevoel dat het meer om een gelegenheidsmoord ging dan om iets anders. Maar de man is in Ierland; dat staat vast.' Hij had O'Connor niet horen roepen dat hij zijn mond moest houden en moest luisteren.

'Dat mogen ze in Limerick uitzoeken,' bulderde O'Connor toen Frank ophield met praten. 'Als je verdomme je eigen winkel beter in de gaten had gehouden...'

Franks gezicht begon te gloeien.

'Luister,' zei O'Connor, 'je hebt de informatie doorgegeven en dat is voldoende –'

'Wat?' vroeg Frank. 'Maar de Katie Lawson-zaak dan? Ik denk dat hij zijn werkwijze heeft veranderd om ons te doen geloven dat Shaun of Joe –'

'Er is iets gebeurd in de Katie Lawson-zaak,' snauwde O'Connor. 'Rij door naar het huis van de Lucchesi's, nu meteen. Ga niet naar binnen. Ik zie je daar.'

Joe rende naar Ritchie toe en was klaar om alles uit te leggen, maar dat was niet nodig.

'Wat krijgen we verdomme nou?' zei Ritchie. 'Een of andere idioot rukt mijn portier open en slaat mijn mobilofoon kapot.'

'Ik heb een ambulance voor Anna nodig,' zei Joe. 'Hij was hier. Rawlins. Hij heeft Anna verwond.' Ze keken allebei naar de kapotgeslagen mobilofoon, de scherpe flarden plastic en de draden die er uitstaken.

'Waar is ze?'

'In de vuurtoren. Shaun is bij haar. Maar...' Er kwam een panische blik in Joe's ogen.

'Ik weet het,' zei Ritchie. 'Je moet achter die schoft aan. Stap in. Een ambulance kan hier snel zijn. Ik zal er een bellen met mijn gsm.'

Ritchie liep een paar passen weg van de auto en praatte even in zijn mobiele telefoon. Toen kwam hij terugrennen, startte de motor, maakte een slippende bocht op het gras en reed de weg op.

'Hij rijdt in een witte Ford Fiesta,' zei Ritchie. 'Hij heeft hooguit vijf minuten voorsprong. Ik zag hem de heuvel op rijden. Ik zal geen sirene of zwaailicht aanzetten, dan raakt hij misschien in paniek. Waar denk je dat hij naartoe is?'

'Hij weet dat hij er een zooitje van heeft gemaakt,' zei Joe. 'Hij wordt in de Verenigde Staten gezocht voor een hele serie moorden en hij weet dat nu. Hij zal zo snel mogelijk uit Ierland weg willen, maar met een vliegtuig zal hem dat niet lukken.'

'Maar hij kan naar Engeland of Wales gaan,' zei Ritchie.

'Ja, met de veerboot.'

'Vanuit Rosslare? Zou hij dat weten?'

'Die gast is niet dom. Het is goed mogelijk dat hij alles tot in de details gepland heeft. Vind je dat we Frank moeten bellen?'

Ritchie trok een wenkbrauw op. 'En dan alles volgens de regels doen?' Hij keek Joe aan. 'Die schoft heeft geprobeerd je vrouw te vermoorden...'

Toen Joe bleef zwijgen, wist hij genoeg. Ze reden de bocht om en sloegen aan het eind rechts af naar Manor Road, die hen langs de kerk en door het dorp zou voeren. Ze keken allebei naar rechts en Ritchie ging boven op de rem staan.

'Jezus christus,' zei Joe, en hij sloeg met zijn vuist op het dashboard. Ritchie reed achteruit en er verscheen een witte stationcar. 'Wat heeft hij verdomme in het dorp te zoeken?'

Anna's hoofd lag in Shauns schoot. Het gaf Shaun een vreemd gevoel nu hij haar zo dicht bij zich had. Ze had haar ogen gesloten en haar gezicht was asgrauw. Sinds Joe een kwartier geleden was weggegaan, had hij talloze keren haar voorhoofd gestreeld. Een kille wind blies regenvlagen tegen de vuurtoren en het lawaai deed pijn aan zijn oren. Hij legde zijn hand op Anna's oor zodat zij het niet zou horen. Shaun had zijn sweatshirt op haar buik gelegd en drukte het tegen haar verwondingen. Hij wist dat er overal bloed was, maar hij durfde niet naar beneden te kijken.

Ritchie parkeerde de patrouillewagen schuin op het wegdek, met de koplampen op de oude stationcar gericht. Joe sprong uit de auto, rende ernaartoe en wrong de achterklep open met een breekijzer. De kleine laadruimte leek groter omdat die helemaal leeg was. Hij kneep zijn ogen halfdicht tegen het felle licht en rende terug naar Ritchie.

'Doorrijden! Er is daar niks. Hij is ervandoor.'

'Verdomme,' zei Ritchie terwijl hij de auto in de richting van het dorp draaide en het gaspedaal intrapte.

Hij reed bijna honderdtwintig toen hij de volgende bocht nam, want hij was geconcentreerd op de jacht, niet op het autorijden.

'Kijk verdomme uit!' riep Joe.

Ritchie ging boven op de rem staan, verbijsterd door wat hij voor zich zag. Er was geen doorkomen aan. De weg voor de kerk stond vol met auto's, een deel langs de kant geparkeerd, een deel net wegrijdend, en één auto stond dwars op de weg, met een bestuurder die als verlamd keek naar de patrouillewagen die recht op hem af kwam stormen. Ritchie rukte het stuur naar links, maar de auto begon te slippen op het natte wegdek. Hij wierp een gordijn van modderig regenwater op en kwam nog geen tien centimeter van de andere auto tot stilstand.

'Godallemachtig,' zei Joe.

Ritchie stapte uit en gooide het portier hard dicht. Het dashboardkastje viel open. Een ijzige angst trok door Joe's lichaam. Hij pakte Ritchies mobiele telefoon van het dashboard, gooide het portier open en ging Ritchie achterna. Overal om hem heen haastten mensen zich naar hun auto's en worstelden ze met hun paraplu's in de harde wind. Bestuurders van auto's knipperden met hun lichten en claxonneerden. Al rennende drukte Joe op de geheugentoets van de telefoon om Franks nummer te vinden. Regendruppels kletterden op de kleine display. Joe veegde ze weg en las het lijstje met nummers die Ritchie het laatst had gebeld. Toen was hij bij de ingang van de kerk, waar de drukte het grootst was en de mensen begonnen te beseffen dat er iets niet in orde was. Joe rende door de massa. Zijn mouw werd geraakt door het brandende uiteinde van een sigaret, die een wolk van rode vonken veroorzaakte. Joe hoorde iemand vloeken. De drukte werd minder en Joe begon in te lopen op Ritchie. Hij dook naar zijn benen en Ritchie viel voorover op het natte asfalt. Joe draaide hem om en sloeg hem zo hard op zijn oog, dat de huid eronder scheurde.

Shaun hoorde een sirene naderen en begon te huilen van opluchting. Even later zag hij buiten lichten knipperen. Een motor werd uitgezet en hij hoorde roepende stemmen, die dichterbij kwamen.

Joe's gedachten raceten langs alles wat hij wist. Ritchies drift en explosieve woede. Rays verbaasde blik toen hij het erover had gehad. Zijn opmerking over Ritchies steroïdengebruik. Drugs. Zijn prikkelbare, door coke gevoede agressie. Ritchie die zich rot schrok toen hij Joe zag op Mariner's Strand, een maand na Katies dood. Hij was daar een maand eerder waarschijnlijk ook geweest en zou er de komende maanden waarschijnlijk ook zijn... voor zijn vaste ontmoeting met zijn dealer. Opeens zag hij het beeld voor zich van Katie die daar in het duister stond. Ze had haar mobiele telefoon in de hand en belde Frank Deegan, omdat ze wist dat hij de enige persoon was die ze kon vertrouwen. Maar ze kreeg de kans niet om haar gesprek te voeren, omdat een aan drugs verslaafde, bijna een meter negentig lange politieman...

Ritchie sloeg Joe op zijn kaak en er schoot een felle pijnscheut door hem heen. Joe wankelde, viel achterover en kwam hard op het wegdek terecht. Om hen heen had zich al een groep toeschouwers verzameld, maar Ritchie gebaarde dat ze op afstand moesten blijven. Hij kwam teruglopen naar de plek waar Joe op de grond lag en hurkte naast hem neer.

Frank Deegan rende met twee treden tegelijk de trap naar het lampenhuis op. Hij klom de stalen ladder op en stak behoedzaam zijn hoofd door de opening. Het eerste wat hij zag was het bloed. Hij moest zijn handen erin zetten om zichzelf op te duwen. En hij moest erin gaan zitten voordat hij kon gaan staan.

Zijn stem haperde toen hij naar beneden naar O'Connor riep: 'Grote god, laat onmiddellijk een ambulance komen, Myles.'

'Shaun?' vroeg Frank op vriendelijke toon. 'Wie is hier geweest?'

'De man die dít heeft gedaan,' fluisterde Shaun, en hij knikte naar zijn moeder. 'Mijn vader is achter hem aan. Met Ritchie.'

Frank keek omlaag naar O'Connor. Hun blikken hielden elkaar even vast en O'Connor pakte zijn mobilofoon.

Joe richtte zich op en bracht zijn gezicht dicht bij dat van Ritchie. 'Ik heb je mobiele telefoon bekeken.'

'Geef dat ding terug, verdomme,' zei Ritchie, en hij beukte met zijn elleboog op Joe's pols om zijn hand te openen.

'Je hebt niet eens een ambulance voor Anna gebeld, vuile schoft dat je bent. Ze hebben vingerafdrukken gevonden op Katies sportschoen die ze in de haven hebben opgedoken. Frank vertelde me dat die Shaun als dader uitsluiten. En nu hoopte jij dat je Duke Rawlins ervoor kon laten opdraaien, en daar wilde je mij voor gebruiken...'

'O, na dit gebeuren hier kan ik dat nog steeds wel, denk ik,' zei Ritchie, en hij knikte naar de omstanders, die weer dichterbij begonnen te komen.

Joe lachte snuivend. 'Deze mensen hebben geen greintje respect voor jou.'

'Dat zegt de schietgrage Amerikaanse smeris?' siste Ritchie. 'Ik ben hier degene die het uniform aanheeft, vergeet dat niet. Je hebt geen schijn van kans. Er zíjn geen vingerafdrukken, Joe. Jezus, je zit onder het bloed en je bent in een vreemd land. Wij zorgen hier voor onze eigen mensen. Niemand zal je geloven. Let maar eens op.' Hij keek achterom. 'Kan iemand me even komen helpen?' riep hij op zo autoritair mogelijke toon. 'Deze man is een gevaarlijke gek.' Verbijsterd keek Joe naar hem op. Toen laaide de woede in hem op. Hij duwde Ritchie van zich af en krabbelde overeind. Twee zwaargebouwde mannen kwamen op hem af lopen, maar ze werden tegengehouden door Petey Grant. Petey stond iets voorovergebogen, onzeker wankelend op zijn benen, en met zijn grote hand hield hij de revers van zijn jasje dicht onder zijn kin. Zijn bleke gezicht was nat van de regen.

Petey wees naar Ritchie en zei: 'Jij hebt je vriend niet geholpen.'

'Joe is mijn vriend niet,' zei Ritchie terwijl hij langzaam overeind kwam.

'Je hebt hem niet geholpen.'

Ritchie negeerde hem, draaide zich om naar Joe en balde zijn vuisten.

'Je hebt hem niet geholpen!' riep Petey. 'Je vriend! Justin Dwyer. In zee. Ik heb je gezien. Jij stond daar maar en hij verdronk.'

'Waar heb je het over?' vroeg Ritchie.

'Hij riep om hulp en jij deed niks...' Een windvlaag kreeg vat op zijn jasje, het waaide open en in een mum van tijd was zijn witte overhemd doorweekt.

'Het was een ongeluk...'

'Dat weet ik, maar jij deed niets om hem te helpen. Jij kunt zwemmen. Waarom heb je hem niet geholpen? Je stond toe te kijken terwijl hij verdronk. Ik heb je gezien. Ik was daar. Ik had me verstopt...' Petey begon te huilen.

'Hou je mond, idioot!' riep Ritchie. 'Hou verdomme je mond!'

'Nee,' snikte Petey. 'Ik hou mijn mond niet. Dat kan ik niet meer.'

Enkele seconden lang was er geen ander geluid hoorbaar dan de kletterende regen. De omstanders stonden met open mond toe te kijken, geschokt door de agressie in Ritchies stem, onzeker over wie nu eigenlijk het slachtoffer was. Mevrouw Grant kwam naar voren lopen en pakte Peteys trillende hand vast. Maar voordat ze hem mee kon trekken, keek de jongen Joe met een onzekere, smekende blik aan. Joe legde zijn hand op Peteys schouder en knikte hem geruststellend toe. Daarna draaide hij zich weer om naar Ritchie. 'Vuile schoft,' zei Joe, en hij gooide hem op de grond. Hij keek achterom naar de toeschouwers. 'Waag het niet me tegen te houden. Jullie politieman hier...' Hij wilde ze toeschreeuwen wat Ritchie had gedaan, maar toen zag hij Martha Lawson in de groep staan, aan de arm van haar zus en met een doodsbange uitdrukking op haar gezicht, en Joe wist dat ze het niet op deze manier te weten mocht komen. Ritchie was weer snel opgestaan. Joe stak zijn hand uit en greep Ritchie bij de keel.

'Je kunt me maar beter achter die schoft aan laten gaan, of...'

'Of wat?' glimlachte Ritchie, en hij keek over Joe's schouder. De twee mannen hadden zich langs Petey gewrongen, pakten Joe vast en trokken zijn armen achter zijn rug.

Anna werd razendsnel van de ambulance naar Spoedeisende Hulp van Waterford Regional Hospital gebracht. Shaun wilde met de brancard meelopen maar een vriendelijke verpleegster legde haar hand op zijn arm en nam hem door de gang mee naar een wachtkamer.

Ritchie was snel met de handboeien. Joe probeerde zich te verzetten en smeekte de mannen hem los te laten. 'Doe me dit verdomme niet aan,' schreeuwde hij. 'Alsjeblieft. Mijn vrouw is zwaargewond. Anna is stervende, stomme hufters!'

'Dat krijg je ervan als je je eigen vrouw mishandelt,' zei Ritchie. Hij knikte naar de omstanders en voegde eraan toe: 'We hebben hier te maken met een ernstig gestoord mens.'

'Vuile schoft!' riep Joe. En tegen de mannen zei hij: 'Bel dan ten minste een ambulance. Laat iemand een ambulance naar Shore's Rock sturen.'

'Maak je geen zorgen, jongens,' zei Ritchie. 'Ik roep er met mijn mobilofoon wel een op.'

'Zijn mobilofoon is kapot,' riep Joe hysterisch. 'Die heeft hij zelf kapotgeslagen, met zijn zaklantaarn. Die ligt in het handschoenenkastje, vol deuken en tussen de scherven.' Maar Ritchie overstemde hem. Hij zei tegen de mannen dat Joe ontoerekeningsvatbaar was en gebaarde dat ze bij de patrouillewagen weg moesten gaan. Hij wrong Joe op de achterbank, smeet het portier dicht, stapte zelf voor in en zette zijn voet op het gaspedaal.

Bijna geruisloos kwam de verpleegster de wachtkamer in. Ze aarzelde even toen ze al het bloed op Shauns T-shirt zag. Shaun wilde opstaan.

'Blijf zitten,' zei ze, en ze kwam naast hem zitten. 'Je moeder is ernstig gewond. Haar toestand is kritiek.'

Shaun dacht dat hij weer zou gaan huilen. Wat hij niet besefte, was dat hij daarmee nog niet opgehouden was sinds hij in de ambulance was gestapt.

Joe was verlamd door angst en frustratie. Hij moest naar Anna toe. Koortsachtig dacht hij aan alle opties, die hij niet had.

'Eindelijk,' zei Ritchie.

Joe keek op, maar Ritchie praatte in zijn mobiele telefoon. 'Ik probeer je verdomme de hele dag al te bereiken.'

Joe dacht terug aan de telefoon en aan Ritchies vijftien pogingen om iemand te bellen die MC heette.

'Waar ben je nu?' vroeg Ritchie. 'O ja? Nou, blijf daar. Ik kom eraan.'

Shaun stormde de gang op zodra hij de voetstappen hoorde naderen.

'Wat is er aan de hand?' vroeg hij.

'Is je vader er al?' vroeg de verpleegster.

'Nee.'

'Nou, maak je geen zorgen, hij zal zo wel komen.'

'Ik hoop het.'

'Oké, het type verwondingen van je moeder is van dien aard, dat ze nu naar de operatiekamer moet.'

'Wat bedoelt u met "het type verwondingen"?' vroeg Shaun.

'Een verwonding kan een kleine diameter hebben, maar kan inwendig veel schade aanrichten. Dat hoeft niet, maar we moeten het in ieder geval controleren.'

'Maar al dat bloed...' Shaun wees naar zijn T-shirt.

'Je, ze heeft heel wat bloed verloren, maar ze heeft al zes eenheden transfusiebloed toegediend gekregen.' Ze wachtte even. 'Kom op. Als je opschiet, kun je haar nog zien voordat ze de operatiekamer in gaat.'

Langzaam reed Ritchie het verlaten plein van het oude industrieterrein op. Uit de scheuren in het asfalt groeide onkruid, overal lag zwerfvuil en in de hoek waren vijf garages. Marcus Canney stond tegen de deur van de laatste geleund. Ritchie maakte een bocht, liet de auto uitrijden, stopte en stapte uit. Hij liep naar Marcus toe.

'Nog nieuws?'

'Geen nieuws,' zei Ritchie.

'Hoe gaat het?'

Ritchie keek hem aan. 'Geef me die verdomde spullen nou maar.'

'Oké, een momentje.'

Marcus deed een stap opzij, de garagedeur vloog open, vier politiemannen kwamen naar buiten stormen en hadden de eer een van Ritchie Bates' meest gedenkwaardige arrestaties te verrichten.

Shaun kon nauwelijks bij zijn moeder komen door alle slangen en snoeren waarmee ze was aangesloten op monitors en apparaten waar hij niets van begreep. Hij wist niet waar hij haar kon aanraken. Uiteindelijk legde hij zijn hand op haar voorhoofd. Hij besefte dat het ziekenhuispersoneel haast had, maar hij wilde niet dat ze naar de operatiekamer werd gebracht. Nú leefde ze, en hij wilde dat dat zo bleef. Een operatie kon de situatie verslechteren. Er stierven mensen tijdens operaties.

De tranen rolden nog steeds over zijn wangen, maar hij veegde de laatste weg en slaakte een trillende zucht. Hij wist niet goed wat hij tegen haar moest zeggen. Zijn woorden zouden ontoereikend zijn, wat hij ook zei, zeker als ze de laatste waren die hij ooit tegen haar zou zeggen.

Hij pakte haar hand vast en kneep zacht in de vingertoppen. 'Het komt allemaal goed met je, dat beloof ik je.' Hij aarzelde. 'Echt waar, mama. Ik weet het zeker. Jij bent toch ook een Lucky?'

Joe kwam het ziekenhuis binnenstormen. Hij zat onder het bloed... van hemzelf, van Anna en van Ritchie.

'Het spijt me zo,' zei Frank, die onmiddellijk op hem af kwam rennen. 'Rawlins is ontsnapt, maar alle korpsen in het land kijken naar hem uit. Anna is net naar de operatiekamer gebracht. Shaun is in de wachtkamer.' Hij sloeg zijn ogen neer. 'We hadden er geen idee van dat Ritchie...'

'Nee, ik weet het,' zei Joe.

Hij bleef doorlopen, sloeg links af door de deur die Frank had aangewezen. Hij was ten prooi aan paniek. Hij liep een hoek om. Verderop in de gang stond een oudere vrouw tegen de muur geleund, haar lichaam gekromd van verdriet. Een jongeman probeerde haar te troosten. Joe's hart verkrampte. Hij keek naar de rij deuren. Hij klopte op de eerste maar kreeg geen antwoord. Pas bij de vierde hoorde hij een gedempt 'ja'. Hij liep de kamer binnen. Shaun keek op en kwam op hem af rennen.

'Hoe gaat het?' vroeg Joe. 'Hoe gaat het?'

Shaun pakte zijn schouders vast en begon weer te snikken.

Met zijn handen achter zijn rug geboeid werd Ritchie Bates het politiebureau van Waterford binnengebracht. Zijn uniformjasje hing halfopen omdat er een paar knopen af waren getrokken en zijn gezicht was geschaafd vanaf de slaap tot aan zijn onderkaak. Bij de balie stond een oude klasgenoot van hem, die langzaam het hoofd schudde.

Shaun praatte gejaagd en moest om de paar woorden naar adem happen.

'Ze was er heel erg aan toe... Ze zijn in de ambulance al met haar bezig geweest... en hier... Ze is nu in de operatiekamer.'

Joe zag dat Shaun zich als een volwassen man probeerde te gedragen. Het brak zijn hart bijna. Hij vroeg zich af waar Shaun de kracht vandaan haalde na alles wat hij had doorgemaakt.

'Kom hier,' zei hij, en hij trok Shaun naar zich toe. 'Kom hier. Het spijt me dat je dit allemaal alleen hebt moeten doormaken.'

'Ik red me wel,' zei Shaun.

Joe kon wel huilen om de eenvoud van die woorden. 'Goed zo,' zei hij. 'Je hebt het goed gedaan.'

Ze gingen naast elkaar zitten en Joe legde zijn arm om Shauns schouders. Hij dacht terug aan de keer dat hij met zijn moeder naar het ziekenhuis was geweest toen hij veertien was, en dat hij toen geen fractie van Shauns kracht had getoond. Zijn moeder was heel bezorgd geweest, omdat ze wist dat ze te horen zou krijgen dat ze kanker had. En het enige waaraan *hij* had gedacht was zichzelf. Hij was bang geweest voor het weerzien met de dokter die hem altijd had opgelapt als hij weer eens op straat had gevochten.

'Ik kan dit niet... hier alleen maar zitten wachten,' zei Joe. 'Ik ben zo terug. Ik moet...' Hij rende de gang op. Panisch keek hij om zich heen. Een verpleegster kwam haastig op hem af lopen en voordat hij het besefte, had hij haar bovenarm vastgepakt. 'Alsjeblieft,' zei hij met schorre stem. 'Mijn vrouw. Anna Lucchesi. Is ze... zeg me alsjeblieft dat ze in orde is.' Hij zag zijn hand en liet haar arm los. 'Sorry, ik...'

'Wacht hier even,' zei de verpleegster vriendelijk. Ze verdween achter een gordijn en kwam terug met de verpleegster die met Shaun had gepraat.

'Ik weet niet eens wat er met haar gebeurd is...' stamelde Joe.

'Zodra ze de operatiekamer uit komt, komt de dokter met u praten, meneer Lucchesi. We weten waar we u kunnen vinden. Het enige wat ik u kan vertellen is dat de toestand van uw vrouw kritiek is, maar dat we alles doen wat mogelijk is.' Ze keek hem aan met haar vriendelijke ogen. 'U bent drijfnat,' zei ze. 'Ik zal een paar handdoeken voor u halen, dan kunt u zich afdrogen.' Ze wachtte even. 'Is er misschien iemand die u moet bellen?'

Frank Deegan stond met O'Connor in de wachtruimte en keek naar zijn schoenen. 'En ik was zo stom om te denken dat hij bij de politie wilde om mensen te redden, dat hij zichzelf een tweede kans wilde geven. Maar dat hij heeft staan toekijken terwijl die jongen van Dwyer verdronk... Hij moet daar op de een of andere manier een kick van hebben gekregen.' Hij schudde zijn hoofd.

'Volgens mij ging het Ritchie om het machtsgevoel,' zei O'Connor.

'En dit was de enige baan waarin hij dat kon vinden? Nee toch!'

'Hoe hij tot die conclusie is gekomen...'

'Dat hij de behoefte voelde om ergens tegen te vechten?' vroeg Frank. 'Want weet je, er was altijd een strijd in hem gaande. Dat kon je zien. Je kon zien dat hij wachtte op een reden om –'

'Dit heeft geen zin,' zei O'Connor. 'Jij wist het niet, ik wist het niet...'

'Is de hele wereld gek geworden?' zei Frank, en zijn stem brak. Hij haalde een witte zakdoek te voorschijn en drukte die tegen zijn ogen. 'Dit is voor mij de druppel,' zei hij. 'Je had gelijk toen je zei dat ik op mijn retour was.' Hij haalde zijn schouders op. 'Dit is de druppel. Ik heb het gehad.'

Joe kon het niet opbrengen Anna's ouders te bellen. Hij wilde wachten tot er goed nieuws was, tot ze uit de operatiekamer was. Hij zat met Shaun in de wachtkamer, waar ze allebei wanhopig hun best deden om de stiltes op te vullen en te voorkomen dat hun gedachten afdwaalden naar een verkeerde afloop. Dus praatten ze over sport, over school, over New York, films en boeken.

'We zouden het ook over mama kunnen hebben,' zei Shaun.

'Dat kan ik nu niet,' zei Joe. 'Ik kan het gewoon niet.'

De rode Renault Clio stond in een verlaten hoek van het parkeerterrein voor personeel van de veerdienst in Rosslare. Duke Rawlins zat voorovergebogen op de passagiersstoel. Hij voelde dat er iemand naast de auto kwam staan, pakte zijn tas van de vloer en stapte uit.

'Kom mee,' zei Barry Shanley. Hij had een zwarte legerbroek en een groene parka aan. Daaronder droeg hij een grijs T-shirt met een zwarte Apache-helikopter en de tekst: YOU CAN RUN BUT YOU CAN'T HIDE eronder. Hij ging Duke voor door een dikke houten deur en een donkere gang die uitkwam op een betonnen trapje van een paar treden.

'Het is hierachter.' Hij keek op zijn horloge. 'We moeten een minuutje wachten.' Hij leunde tegen de muur. Er viel een smalle streep licht op zijn kaalgeschoren hoofd.

Na twee uur kwam een jonge chirurg de wachtkamer binnen. Met een bonzend hart stond Joe op en gebaarde hij Shaun te blijven zitten. Hij liep met de chirurg de gang op.

'Hoe is ze eraan toe?'

'De operatie is goed gegaan.'

'Wat waren precies de problemen? Er is me niks verteld.'

'Ze is in haar rug getroffen door een pijl die haar linkernier heeft doorboord. De nier zelf heeft schade opgelopen, maar wat belangrijker is, de hoofdader die de nier van bloed voorziet ook. Verder heeft ze een diepe snee in de buikwand, maar de ingewanden hebben geen zichtbare schade opgelopen.'

'Is ze nog op andere manieren mishandeld...?'

'Nee, dit waren de enige verwondingen.'

'Gaat het lang duren voordat –'

'Ze zal er een paar littekens aan overhouden en zal enige tijd pijn hebben, maar ik denk dat beide erg zullen meevallen. Ze wordt nu naar de intensive care overgebracht. We zullen zien hoe ze zich de komende paar uur houdt. Als ze geïnstalleerd is, kunt u bij haar gaan kijken.'

'Dank u,' zei Joe. 'Dank u wel.'

De chirurg knikte, liep weg en liet Joe trillend achter in de verlaten gang. Hij haalde een keer diep adem en draaide zich om toen Shaun de deur van de wachtkamer opendeed.

'Die moeder van jou is een taaie rakker,' zei Joe, 'voor zo'n klein meisje.' En in plaats van tranen kreeg hij de glimlach waarop hij had gehoopt.

Duke legde zijn hand op Barry Shanleys arm. 'Weet je zeker dat dit in orde is?' vroeg hij.

'We nemen altijd deze weg, dankzij mijn ouwe heer,' zei Barry. 'Een van de privileges van het personeel.'

Duke bleef hem aankijken.

'Luister, het is oké, echt. Een vriend van mijn vader laat ons aan boord. Het is echt geen probleem. Ik zeg dat je een vriend van me bent en met me meegaat naar Fishguard. Als je eenmaal aan boord bent, ga ik weer aan wal.'

'Die vriend van je vader zal me verraden...'

Barry glimlachte. 'Die zegt helemaal niks, tegen niemand.' Hij tuurde door het matglazen ruitje in de deur. 'Dit gaat je trouwens allemaal heel gemakkelijk af,' zei hij terwijl hij omkeek naar Duke. 'Grote klasse. Dat je nog normaal kunt rondlopen nadat je in die pokkenstorm tien meter langs een touw van die vuurtoren bent afgedaald. Echt grote klasse.'

Duke haalde zijn schouders op. 'Je doet wat nodig is.' Stomme hufter, dacht hij erachteraan.

Barry keek weer door het ruitje en deed toen de deur open.

'Oké. Kom mee, kom mee,' zei hij. En Duke Rawlins ging met hem mee.

Epiloog

Joe zat op de bank met de crèmekleurige met gouden bekleding en staarde naar de salontafel. Op het blad lag een tijdschrift, nog ingepakt in transparant plastic. Het was geadresseerd aan Pam Lucchesi. Joe schoof het naar zich toe, stak zijn duim achter het plastic en trok het kapot totdat hij het tijdschrift eruit kon halen. *Vogue Living. Rustieke Revolutie: Licht aan de Ierse Kust.* De foto op de cover was beeldschoon; het felle wit van de vuurtoren in contrast met de egaal platinagrijze hemel. Hij sloeg de inhoudsopgave over en begon langzaam het hele tijdschrift door te bladeren om de keiharde confrontatie met zijn vroegere leven uit te stellen. Zijn adem bleef in zijn keel steken toen hij ten slotte de eerste twee van de twaalf pagina's tellende fotoreportage opensloeg. Het huis zag er maagdelijk uit, met warme witte tinten en heel eenvoudig meubilair. Hij zag de kamers vanuit hoeken die nieuw voor hem waren, overal stonden kaarsen en zag hij schoenen en jurken die nog nooit waren gedragen.

De keuken zag er veel te leeg uit: geen fles chilisaus op het aanrecht, geen laarzen bij de achterdeur, geen Anna. Totdat hij zijn hand van de foto haalde. Waar die had gelegen zag hij de schaduw, uitgerekt en met lange benen, in het gras achter de schuifpui. Anna had altijd geweigerd zichzelf te laten fotograferen tijdens een fotoreportage, maar daar was ze, voor eeuwig vastgelegd in de vorm van een schaduw. Joe drukte zijn vingertoppen op zijn ogen, maar tranen kwamen er niet. Alles wat hij voelde, werd onderdrukt in zijn borstkas. De laatste foto was van de vuurtoren zoals ze die hadden aangetroffen, vuil, verwaarloosd en tragisch. Dit was de foto waar hij een uur later nog steeds naar zat te kijken toen Giulio binnenkwam.

'Hoe gaat het met haar?' vroeg hij

Joe schrok op. 'We hebben elkaar al een tijdje niet gesproken. Ik neem aan dat het wel goed gaat.'

'Je kunt naar haar toe gaan wanneer je maar wilt, dan regel ik de zaken hier wel.'

'Ik ben net pas weer aan het werk. Ze laten me nu heus niet gaan.'

'Ik denk, gezien de omstandigheden...'

'Hoor eens, eerlijk gezegd denk ik niet dat ze me nu al wil zien,' zei Joe. 'Ik ben verantwoordelijk voor de puinhoop die ons leven is geworden. En nu vang ik weer psychopaten... o, ja, op één heel belangrijke na, dan. Denk je nu heus dat dat haar een veilig gevoel geeft en dat ze weer zo snel mogelijk bij me wil zijn?'

'Ze trekt wel bij. Je werk is een deel van wie je bent... en je bent er goed in.'

Joe trok zijn wenkbrauwen op.

'Als ik er zo goed in was, zou het Duke Rawlins nooit gelukt zijn Ierland uit te vluchten. Jezus, hij heeft verdomme meer vrijheid dan wij.'

'Is er enige hoop dat hij opgespoord kan worden?'

'Hangt ervan af wat je met "hoop" bedoelt. Ik word op de hoogte gehouden van alle nieuwe ontwikkelingen in het onderzoek, hoe miniem ook, en elke keer hoop ik op een doorbraak, maar...' Hij haalde zijn schouders op. 'Ik doe wat ik kan. Maar ik weet het niet. Rawlins is slim. Het is hem tot nu toe gelukt al die dingen te doen zonder ervoor te boeten. Misschien lukt het hem de rest van zijn leven ook wel, wie zal het zeggen?'

'Ooit zullen de autoriteiten hem vinden.'

Joe keek zijn vader aan. 'Ik wil niet dat de autoriteiten hem vinden.'

Er viel een lange stilte.

Joe haalde diep adem. 'Ik denk dat Anna voorlopig nog even bij haar ouders moet blijven.'

'Misschien wel,' zei Giulio. 'Voorlopig...'

'Ik weet gewoon niet hoe ik haar moet helpen. Als ze midden in de nacht huilend wakker wordt, kan ik moeilijk tegen haar zeggen dat het maar een boze droom was, dat het niet echt was en dat haar niets kan gebeuren. Dus wat heeft ze aan mij?' Hij zuchtte. 'En ze geeft mij de schuld van het hele gebeuren. Ik weet dat ze daar op dit moment niks aan kan veranderen. Rawlins heeft tegen haar gezegd dat hij haar en Shaun zou vermoorden. Niet mij. Anna weet dat. Hij wilde dat ik pijn zou lijden, maar hij wilde me niet dood. Nee, ik moest blijven leven en pijn lijden, net zoals hij zelf heeft gedaan in het bizarre, gestoorde leven dat hij heeft geleid.'

Joe zweeg enige tijd. 'En, weet je? Ik heb mijn eigen nachtmerries.'

'De tijd zal de wonden helen.'

'Anna is nog geen veertig en ze heeft de dood al in de ogen gezien. Ze lijdt pijn en heeft littekens waarvan ze de aanblik niet kan verdragen. Ze blijft me bellen, wil elke keer weten waar Shaun is, met wie hij is en wat hij doet. Ik ga haar niet vertellen dat hij veel drinkt en elke avond laat thuiskomt. Je hebt hem gezien. Je hebt gemerkt hoe moeilijk het is om hem tegen te houden.

Wat moet ik doen? Moet ik het risico nemen dat het overgaat en dat hij er beter uit te voorschijn zal komen? Ik heb geen idee. Ik weet zelf amper wat ik hier doe. Als Shaun met haar belt, is hij zo geduldig. Shaun en zij hebben een heel speciale band. En ik ben een soort toeschouwer. Het lijkt wel of ze bang voor me zijn.'

Toen Giulio zich bukte om zijn hand op Joe's schouder te leggen, zag hij het opengeslagen tijdschrift op de salontafel liggen. Hij pakte het op en bekeek de foto's.

'Haar werk is indrukwekkend.'

Joe knikte. 'Hier, moet je dit horen.' Hij nam het tijdschrift van Giulio over en las de kleine lettertjes onder aan de pagina voor. 'Anna Lucchesi is op dit moment met vakantie. Voor meer informatie over deze reportage kunt u contact opnemen met Chloe Da Silva.'

Joe lachte. 'Op vakantie? Jezus christus. Was het maar waar.'

Hij leunde achterover en keek uit het raam naar Shaun, die in zijn te grote parka op een houten tuinbank zat. Hij zat voorovergebogen in zijn mobiele telefoon te praten. Zijn adem besloeg in de koude buitenlucht.

Shaun klapte zijn toestel dicht en kwam naar het raam rennen. Hij glimlachte en zei iets wat Joe niet kon verstaan. Hij gebaarde dat Joe het raam open moest doen.

'Dat was mama,' zei hij. 'Ze vertrekt vanavond uit Parijs. Ze komt naar huis, pa.'

Dankbetuiging

Ik dank mijn agent, Darley Anderson, voor zijn geloof, zijn enthousiasme en zijn vriendelijkheid. En ik dank iedereen van de Darley Anderson Literary Agency voor al het goede werk dat ze hebben gedaan.

Mijn dank gaat uit naar mijn uitgever, Lynne Drew, voor haar inzicht en begeleiding.

Ik dank Amanda Ridout voor haar visie en dank iedereen van het briljante team van Harper Collins.

Mijn talentvolle redacteur, Wayne Brookes, bedank ik omdat hij corrigeren tot leuk werk heeft gemaakt.

Voor hun expertise en hun vriendelijke bereidheid die met een groentje te delen bedank ik: Ron Campbell, dr. Stuart Carr, hoofd Chirurgie (spoedgevallen en ongelukken), professor Marie Cassidy, Gerry Charlton (meester in de rechten), Joan Deitch, Dick Driscoll, Jim Fuxa, Colin Hennesy, Martyn Linnie, Brett McHale en Tony O'Shea. Zij hebben de feiten geleverd; ik heb er fictie van gemaakt. Als er fouten zijn, zijn die van mij.

Voor hun vertrouwen, liefde, humor en steun ben ik heel veel dank verschuldigd aan mijn dierbare familie.

Voor hun aanmoedigingen en de perfecte combinatie van werk en plezier bedank ik Anna Phillips, Sue Booth-Forbes, Maureen en Donal O'Sullivan en familie, Una Brankin, Mary Maddison, Maggie Deas en Matthew Higgins.

Dank aan al mijn fantastische vrienden.

Mijn bijzondere dank aan Brian en Dee, met wie ik dit project heb aangepakt, in het diepe ben gesprongen en nooit meer heb losgelaten.